産婦人科必修 母体急変時の初期対応

J-CIMELS公認講習会
ベーシックコース
インストラクターマニュアル 第2版

インストラクションに自信がつく！
コース運営にそのまま使える！

日本母体救命システム普及協議会 監修　山畑佳篤／橋井康

J-CIMELS

MC メディカ出版

第2版　推薦のことば

　このたび『J-CIMELS 公認講習会ベーシックコース インストラクターマニュアル』の第2版が発刊されることになりました．すでにベーシックコースで指導にあたっておられる先生方はもちろんのこと，母体救命に携わるすべての方にぜひ読んでいただきたく，推薦いたします．

　日本産婦人科医会は 2010 年より妊産婦死亡報告事業を開始し，妊産婦死亡症例検討評価委員会とともに多数の症例を分析，毎年「母体安全への提言」を発刊してきました．

　一次施設から高次医療施設に搬送される前に心肺停止に陥る事案もあります．母体急変の初期の変化を確実に把握し，必要な処置を確実に行えるように，しかも医師・助産師・看護師など医療チームの連携もスムースに行われるようにするには，関係者全員が母体救命に関する教育研修を受け，急変に備えておくことが必要です．この委員会からの提案に基づき，2015 年に 7 団体（日本産婦人科医会，日本産科婦人科学会，日本周産期・新生児医学会，日本麻酔科学会，日本臨床救急医学会，京都産婦人科救急診療研究会，妊産婦死亡症例検討評価委員会）の共同で J-CIMELS（日本母体救命システム普及協議会）設立の運びとなりました．

　母体急変時の処置技術は，座学で学ぶよりも実際に症例を想定（シミュレーション）し，実習形式で学ぶほうが知識が確実に身につき，学習効果が高いとの考えから，数種の研修コースが用意され，各地で研修会が開催されています．研修コースにはベーシックコース（母体急変時の初期対応，すなわち，急変への気づきと対応について座学やスキル実習，シミュレーションを通して学ぶコース），ベーシック・インストラクターコース（ベーシックコースのインストラクターになるためにシミュレーショントレーニングを中心としたコースで，指導のコツや指導内容などを学ぶコース），さらにアドバンスコース，硬膜外鎮痛急変対応コース，救急向けベーシックコース，インストラクタースキルアップコース，ベーシックコース受講認定更新コースが設けられています．

　ベーシックコースは，2021 年 8 月現在，延べ 15,847 人の医師・助産師・看護師・救急救命士らが受講されました．年々受講者は増え続けています．また，これまで 2 年にわたり新型コロナウイルス感染拡大のためコースが開催できない日々が続いていますが，本マニュアル第 2 版には，コロナ禍でも安全に開催できるような指針や工夫を web レクチャーで紹介しています．

　本マニュアルは，ベーシックコース受講者に妊産婦の特殊性を配慮した的確な心肺蘇生法を習得していただくための指導にあたるインストラクターの留意点をまとめたものです．受講者が蘇生手技を修得できるようにサポートする技術と実践法とをまとめた，すばらしいマニュアルです．本書を最大限に活用していただければ幸甚です．

2021 年 9 月

日本母体救命システム普及協議会代表　石渡　勇

第2版　刊行に寄せて

　日本産婦人科医会では2010年1月より妊産婦死亡が発生した場合にその経過の詳細を報告する妊産婦死亡報告事業を開始した．報告された事例は妊産婦死亡症例検討評価委員会で検討され，原因や医学的な問題点，再発予防に向けて発信すべき事項などについて報告書にまとめ，医療機関に戻すとともに，年に一度「母体安全への提言」を発出することで，同種事例の再発防止に向けた活動を行っている．妊産婦死亡の原因疾患で最も多いのが産科危機的出血であり，その事例では患者が急変する前の段階ですでにバイタルサインに変化が現れることが多く，母体の初期徴候を的確に把握して対応し，高次施設に搬送して高度な救急治療につなげることの重要性が繰り返し提言されてきた．また，再発防止に向けた議論の中で，産婦人科医自身が救急医療の新しい知識を絶えずアップデートし続けることが重要であり，このような知識を研修する機会を提供することの重要性が指摘された．

　このような議論が契機となって設立されたのが日本母体救命システム普及協議会（J-CIMELS）である．この協議会は，妊産婦の急変に対して初期症状を早めに認知し，的確な対応を系統立てて学べるプログラムを作成して普及させ，これを分娩にかかわるすべての医師や医療スタッフが受講して備えることで，わが国の分娩の安全性を向上させることを目標としている．同年10月よりこの研修プログラム（J-MELSベーシックコース）が開始され，多くの先生方のご支援と絶え間ない努力によって，全都道府県でのコース開催を実現し，2021年9月の時点で受講者延数は15,000人を超えるに至っている．

　このJ-MELSベーシックコースは，分娩に携わる医師，医療スタッフには定期的に受講していただきたいと考えており，医療の進歩や妊産婦死亡報告事業などから出てくる課題に対応して順次コースの内容も進化させていくことが必要である．このたびの改訂では全面的に記載内容の見直しを行うとともに，周産期心筋症やA群溶連菌感染症などの新たなシナリオを追加している．加えて，実際にコースを開催するための手引きを新しい章として加えている．

　本書は母体救命について患者の病態を理解し，その病態に合った対応を的確に学び，その知識をインストラクターとしてコースの受講者に的確に伝えるためのノウハウが記載されている．ぜひ，本書を活用して母体救命の知識をより深く，確実なものとするとともに，J-MELSベーシックコースにインストラクターとして積極的に参加いただき，多くの分娩に携わる医師と医療スタッフとこの知識を共有していただきたい．この活動を通じて，わが国の産科医療の安全性向上のための活動に参加いただければ幸いである．

2021年9月

日本母体救命システム普及協議会 理事
昭和大学医学部産婦人科学講座 主任教授　**関沢明彦**

はじめに

みなさん，こんにちは！ J-CIMELS公認講習会ベーシックコースの，指導者の世界へようこそ！ このインストラクターマニュアルもついに第2版を刊行するに至りました．初版と比べてシナリオの数が増えるとともに，既存のシナリオの内容もより現場に即した形で修正しています．またインストラクターやディレクターのステップアップについて解説するとともに，webシステムを活用したコース開催の方法についても解説しています．初めての方も，2冊目の方も，このテキストを通じて，シミュレーショントレーニングを中心とした指導のコツ，指導の内容，そして指導の実際について学びつつ，スキルアップしていきましょう！

Part1「教育編」では，成人教育についてのエッセンスをまとめました．ベーシックコースだけではなく，いろいろな指導の場面で応用できますので，ぜひ目を通してください．特にシミュレーショントレーニングの指導が初めての方は熟読をお勧めします！

Part2「実習編」では，いよいよJ-CIMELS公認講習会ベーシックコースの指導の解説に入ります．特にシナリオ解説のページは「概要」「ポイント」「チェックリスト」が見開きで見られるようになっており，慣れてくればこの見開きでシナリオを進行することができます．慣れていない人は次ページからの「シナリオ進行例」を参考にしてください．シナリオ終了後の振り返りの時間には「このシナリオのポイント」「FAQと解説」のページを参考にできます．

Part3「開催編」では，コース開催に向けての準備，受講者のコース受講までの流れ，インストラクターとしてのステップアップについて解説しています．特にインストラクターの認定システムについてはしっかりと目を通してください．またシミュレーターの使い方は事前に目を通して会場では操作の実践ができるように準備しておきましょう．感染症蔓延期の開催の工夫として，遠隔シミュレーションの方法も新たに記載しています．

新しく加わったPart4「発展編」では，ベーシックコースをすでに修了した人を対象に，継続して学習する機会を持ってもらうよう，いろいろな方法を示しています．ぜひ各地でチャレンジしてみてください．

本書は，インストラクターとして成長していくために常に使っていける構成・内容になっています．コース指導前には再度目を通し，コース指導当日には持参してください．自分自身の気づきを書き込む，他のインストラクターの指導で参考になることをメモする，思いついた指導法を記録しておくなど，自分自身のオリジナルのインストラクターマニュアルになるように，末長くご活用ください！

それでは，いよいよ本編の始まりです！

2021年9月

日本母体救命システム普及協議会　山畑佳篤

contents

第2版 推薦のことば … iii　　第2版 刊行に寄せて … iv　　はじめに … v
京都プロトコールの改訂とその背景 … viii
J-CIMELS公認講習会ベーシックコースの目的と目標 … xii
インストラクターの心得 … xiii　　インストラクターランクとベーシックコースでの役割 … xiv

Part 1　教育編

1　早わかり成人教育 ──────────────────────── 2
2　受講者への良き学習サポートのために ─────────────── 8

Part 2　実習編

1　J-CIMELS公認講習会ベーシックコースの運営 ──────── 34
1. 標準的なプログラム ……… 34
2. レクチャータイムの運営 ……… 37
3. スキルブースの運営 ……… 38
4. シナリオブースの運営 ……… 41
5. 感染症蔓延期のコース開催 ……… 43
6. シミュレーショントレーニングの前提 ……… 44
7. 硬膜外鎮痛急変対応コース ……… 47
8. ベーシックコース更新コース ……… 48
9. 救急科向けベーシックコース ……… 49

2　プロトコールレクチャーのポイント ─────────────── 50
1. 京都プロトコール2020概説 ……… 50
2. webレクチャー：京都プロトコール解説 ……… 53
3. webレクチャー：母体の心肺蘇生 ……… 63

3　救命スキルトレーニング ──────────────────── 68
1. 有効な胸骨圧迫 ……… 68
2. AEDの使い方 ……… 70
3. バッグ・バルブ・マスクの使い方 ……… 71
4. 経鼻エアウェイの使い方 ……… 73
5. 神経学的所見の取り方 ……… 74
6. 母体の簡易心エコー ……… 75

4 シナリオシミュレーション —— 77

- 新1-1 分娩進行中の羊水塞栓症 …… 78
- 新1-2 抗菌薬によるアナフィラキシーショック …… 86
- 新1-3 帝王切開後の肺塞栓症 …… 94
- 新1-4 周産期心筋症による肺水腫［病棟］…… 102
- 新1-5 周産期心筋症による肺水腫［外来］…… 110
- 新2-1 子宮収縮不全／産後過多出血 …… 118
- 新2-2 子宮内反症／産後過多出血 …… 126
- 新2-3 帝王切開後の後腹膜血腫 …… 134
- 新2-4 常位胎盤早期剝離 …… 142
- 新2-5 分娩進行中の子宮破裂 …… 150
- 新3-1 HELLPからの脳出血による痙攣 …… 158
- 新3-2 A群溶連菌感染による敗血症［分娩前］…… 166
- 新3-3 A群溶連菌感染による敗血症［分娩後］…… 174
- 新3-4 分娩後のてんかん発作 …… 182
- 新3-5 分娩時裂傷縫合時の局所麻酔薬中毒 …… 190
- 新4-1 局所麻酔薬のくも膜下大量投与による全脊麻 …… 200
- 新4-2 血管内誤投与による局所麻酔薬中毒 …… 208
- 新4-3 硬膜外鎮痛分娩下の子宮破裂 …… 218

Part 3 開催編

- 1 コース開催要件・手順 —— 230
- 2 会場・物品の準備 —— 236
- 3 遠隔シミュレーション開催のコツ —— 240
- 4 シミュレーターの活用方法 —— 246

Part 4 発展編

- 1 スキルアップのために：臨床現場シミュレーション —— 262
- 2 スキルアップのために：グレードA帝王切開シミュレーション —— 264
- 3 周産期メディカルラリー —— 266
- 4 インストラクターブラッシュアップセミナー —— 271

インストラクター認定制度 … 272　インストラクター成長評価シート … 278
J-CIMELS webシステム・動画資料の案内 … 282　日本母体救命システム普及協議会 … 283
おわりに … 286　執筆者紹介 … 287　索引 … 288

京都プロトコールの改訂とその背景

『母体急変時の初期対応 第3版』を2020年4月に刊行するにあたり，京都プロトコールの内容を一部改訂しました．改訂前のプロトコールで学んだ方は，この機会に改訂された「京都プロトコール2020」のポイントを確認し，指導に生かしてください！

●急変の感知

バイタルサインのモニタリングに呼吸数が加わりました．ここ数年，敗血症による母体死亡が問題となっており，敗血症を早期に感知する一つの方法としてqSOFAを確認することが必要になってきています．また，呼吸不全に至る前に呼吸窮迫の状態を早期にとらえたり，低血圧性ショックに至る前に代償性ショックを早期にとらえるためには，呼吸数の増加は重要なバイタルサインであり，改訂版ではそのことが盛り込まれています．呼吸数は10秒数えて6倍する簡易的な方法でもよく，10秒で4回以上であればqSOFAの呼吸数の項目が当てはまり，10秒で5回以上であれば呼吸窮迫・呼吸不全の状態を疑います．感染症が疑われる状態で「呼吸数22回以上」「意識レベルの低下」「収縮期血圧100mmHg以下」のうち2項目以上が当てはまれば敗血症の可能性あり，と評価するのがオリジナルのqSOFAですが，妊産婦の場合は年齢が若いため，収縮期血圧の基準を90mmHg以下に修正しているのがポイントです．さらに発熱＋子宮内胎児死亡は劇症型の敗血症の可能性が高いと判断してください．

●母体の急変対応

急変対応については変更はありません．ABCの異常に対してABCのサポートを行うこと，SpO_2が良好でも急変対応時にはまず高濃度酸素を投与することを強調してください．

●母体の心肺蘇生

バッグ・バルブ・マスク換気についての注記をシンプルにして読みやすくしました．二人で行う補助換気を強調してください．AED使用時にCTGモニターを取り外す理由を変更しました．心拍再開しない場合は死戦期帝王切開を考慮すると記しましたが，あくまで集学的治療の一環として行うと注記しており，人と資器材とが十分にある状況下で行うことを伝えています．

●準　備

準備については変更はありません．追加で必要なものを聞かれれば，脂肪乳剤とトラネキサム酸を提案してみてください．

急変の感知

京都プロトコール 2020

バイタルサインのモニタリング
- 意識状態
- 呼吸数（10秒数えて6倍）
- 血圧 ┐
- 脈拍 ├ 生体監視モニター装着
- SpO₂ ┘

子宮の状態と出血のモニタリング
- 時間性器出血量
- 子宮収縮
- 子宮底部位置の確認
- 外陰部血腫の有無
- 経時的な疼痛の増強

↓

モニタリングのいずれかに異常があれば原因を精査

↓

ここまで来たら危機的状況
- 意識レベル低下 (ⅰ)
- SI > 1 (ⅱ) かつ出血持続
- SI > 1.5 (ⅱ)
- SpO₂ < 95%（room air）
- 頻呼吸／努力呼吸 (ⅲ)

↓

応援要請
- 一次施設の場合　　・高次施設の場合
  救急車要請 (ⅳ)　　　院内急変コール

↓

急変対応

↓

- 一次施設の場合　　・高次施設の場合
  高次施設へ搬送　　**集中治療室へ入室**

(ⅰ) 胸骨を拳でグリグリする，または爪をペンなどで強く圧迫しても開眼しない

(ⅱ) SI：Shock Index $\frac{心拍数}{収縮期血圧}$

(ⅲ) 呼吸数増加はショックや呼吸不全を反映する．発熱時に22回／分以上であれば要注意！収縮期血圧，意識障害もチェック

(ⅳ) 人手が足りなければ気道確保やマスク換気などの救急救命処置で急変対応のサポートを得ることができる．

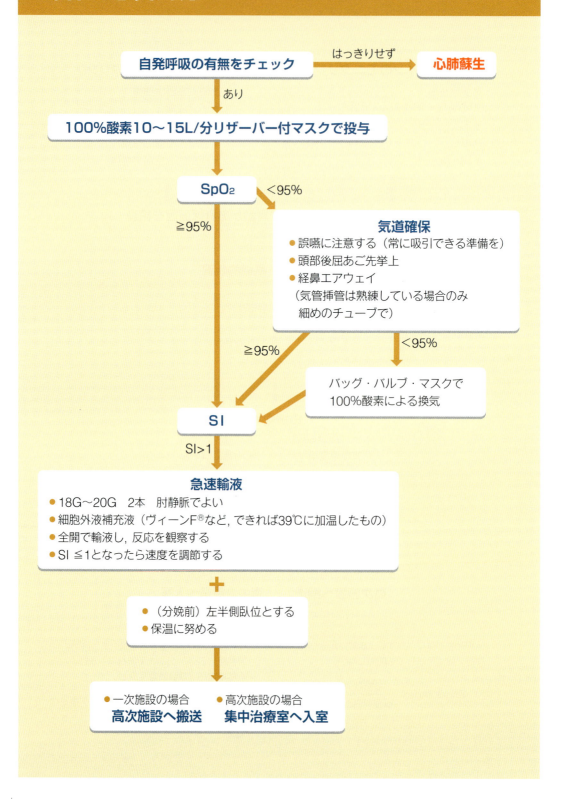

母体の心肺蘇生

京都プロトコール 2020

心停止

応援要請
- 一次施設の場合
  救急車要請／AED取り寄せ
- 高次施設の場合
  院内急変コール／AED取り寄せ

胸骨圧迫
胸骨下半分を30回圧迫する(i)
- 強く（約5cm［6cmを越えない］）
- 速く（100～120回／分の速さで）
- 絶え間なく（中断を最小にする）

(i) 妊娠後半期の母体では、子宮を左方に転位させながら行う

気道確保＋人工呼吸
- 頭部後屈あご先挙上
- 経鼻エアウェイ
- バッグ・バルブ・マスク(ii)で100%酸素による換気2回
  1秒かけて、胸が軽く上がる程度の換気量で行う
  （気管挿管は熟練している場合のみ細めのチューブで）

(ii) 方法
可能な限りリザーバーを装着．人手があれば二人で行う
1) 一人が両手でマスクを密着させながら気道確保を行う
2) もう一人がバッグを押して換気を行う．このとき，胸郭の動きが最小限確認できる換気量でゆっくりと換気する

心肺蘇生継続
- 胸骨圧迫30回と人工呼吸2回を繰り返す
- 上肢に静脈路を確保する
- AEDが到着次第装着する
  （AED使用の際はCTGモニターを取り外す）(iii)

(iii) 母体が心停止になっている状態では、CTGモニターを確認する必要がなく、外して他の処置を施行しやすくする

AEDに従う

電気ショック不要，または
電気ショック1回後心拍再開しないとき
アドレナリン1mg IV 3～5分ごとに反復投与

電気ショック不要時，心電図波形があれば脈拍チェック（10秒以内）

→ あり
換気10回／分
2分ごとに脈拍チェック

↓ なし

- 一次施設の場合
  高次施設へ搬送するまで継続
- 高次施設の場合
  蘇生チームが到着するまで継続

質の高い心肺蘇生を継続しても心拍再開しない場合，集学的治療として死戦期帝王切開を考慮する

J-CIMELS公認講習会ベーシックコースの目的と目標

コースの目的

周産期に生命の危機に瀕する母体に対し，
死亡数を限りなくゼロに近づけ，治療奏効例の早期の社会復帰も目指す

具体的目標

1. 急変の認知を早期に行うことができる
2. 急変に対してABCのサポートを行うことができる
3. 事前準備の重要性と必要性を理解する
4. 多職種，多機関で連携をとることができる
5. 発生しうる急変の原因疾患とその経過を知る

　J-CIMELS公認講習会ベーシックコースでは，全ての分娩施設を想定し，分娩前後に起こりうる急変に対して，適切な初期対応を行うことを目標としています．そのためには単なる勉強会ではなく，コースでの学びを臨床現場で実行してもらうことを意識し，最終的には母体救命・母体安全という結果につなげたいと考えています．

　分娩一次施設の夜勤帯では，勤務する医療スタッフの数は限られており，急変の早期の認知と，優先順位をつけた治療介入とが必要になります．高次医療施設の産科病棟であっても夜勤帯であればスタッフの数は多くなく，初期対応で行うことは一次施設と全く同じです．急変発生場所がどこであれ，行うべき対応は共通しており，早期に応援を要請する点も同じです．ベーシックコースの内容は，周産期医療に携わる全てのスタッフが身につけておくべきものです．

　同じ施設の多職種が同じコースに参加することで，それぞれの職種の相互理解を図ることができ，施設内での連携体制や急変対応能力の向上が期待されます．より臨床に即したシミュレーションを施設内で行う基盤ともなるでしょう．同じ地域内の複数医療機関，特に一次施設と高次医療施設，それに救急医や救急隊員が同じコースに参加すれば，急変時の母体搬送の基準やマネージメントの方針が共有でき，病診連携が深まるでしょう．コース受講者の構成によってさまざまな派生効果があることを認識しながらコース指導に当たると，より多くのものを持って帰ってもらうことができるでしょう．

J-CIMELS公認講習会ベーシックコース

インストラクターの心得

1. 指導者は 黒子に徹して 学習支援
2. 答えは言わずに 気付きを促せ
3. 受講後は 臨床行動 変わるように
4. しゃべりすぎずに 体験させよ
5. 説明時 どうして・なぜを 明確に
6. ブレるなめげるな 喧嘩をするな
7. 資器材は 事前に動作 確認を
8. あなたへの評価が コースの評価

インストラクターランクとベーシックコースでの役割

● Webシステムの稼働に伴い,インストラクターには指導経験と指導能力に応じたランクが設定されることになりました.

アシスタントインストラクター …… ベーシックコース受講認定を受け,指導意欲があり,インストラクターコース受講済みの人.職種は問わない

ブロンズインストラクター …… アシスタントとして規定のコース指導歴があり,リードインストラクターからの推薦を受け,コースディレクターに承認された人.職種は問わない

シルバーインストラクター …… ブロンズとしてコース指導歴があり,コースディレクターからの推薦を受け,J-CIMELS事務局で確認・承認された人.職種は問わない

ゴールドインストラクター …… 医師のみ.シルバーとしてコースディレクター見習いとなり,2人のコースディレクターから推薦を受け,J-CIMELS認定委員会で承認された人

● ベーシックコースを開催するには,コースディレクターとしてゴールドインストラクターが,各ブースにリードインストラクターとしてシルバー以上のインストラクターが必要です.

コースディレクター(2名)
産婦人科医ゴールド / 全身管理医ゴールド

基本的に産婦人科医と全身管理医1名ずつ,合計2名のゴールドインストラクターが必要
(受講者に医師がいない場合は,いずれか1名のゴールドインストラクターでよい)

リードインストラクター(1名)
シルバー or ゴールド

各ブースごとにリードインストラクターが1名必要
それ以外に最大4名のインストラクターが参加可能
(うちアシスタントインストラクターは最大2名まで)

※詳細は「インストラクター認定制度」の項(→272p〜)を参照ください.

Part 1 教育編

1 早わかり成人教育

　J-CIMELS公認講習会ベーシックコースをふまえた具体的な指導技法や指導ポイントをお伝えする前に，本項ではそれ以前に知っておいていただきたい「成人教育」についてのエッセンスをまとめています．他のシミュレーショントレーニングのインストラクター養成コースを受講された方にとっては，すでに習ったことのある内容かもしれませんが，成人教育について初めて学ぶという方にもわかりやすいよう，重要なポイントを解説します．ぜひ一度はお目通しいただき，Part2「実習編」の具体的な指導に関する内容に進んでください．

1 なんのためのコース指導か

　まず，わたしたちがコースでインストラクションする目標を確認しておきましょう．まだ指導に慣れていないうちは，覚えてきた内容をきっちり話すこと，指導するにあたって事前に考えたプランを実行することなどで頭がいっぱいになりがちです．少し慣れてきた人であれば，受講者がスキルを身につけること，シナリオの中でうまく行動できることなどに目が向くかもしれません．もちろんこうした事柄も，コースで指導するにあたって大切な点ではあります．しかし，わたしたちはもう少し大きな視野で指導の目標をとらえたいと思っています．第一に考えていただきたいのは

 実際の現場の行動を変えること

です．インストラクターがプラン通りに指導内容を話すことができても，その内容が受講者に伝わっていなければ，受講者の行動は変わらないでしょう．また受講者に指導内容が伝わり，コースのシナリオの中ではうまく行動できたとしても，その同じ行動を実際の現場で実行してもらえなければ，結局は母体急変時の初期対応は変わらないことになります．

　実際に現場で実行してもらうためには，その必要性を強く感じてもらうこと，現場で実行するにあたって障壁となる事象（資器材の問題，人的資源の問題，意欲の問題など）を認識してもらうこと，そして障壁を取り除いて実際に遂行できる環境を作ろう！という気になってもらうことなどが必要です．

　そのためには，型通りの話，型通りの指導を覚えて繰り返すだけでは不十分です．いま話している内容がなぜ重要なのか，いま指導している行動がなぜ必要なのかという意味付けを行ってから，十分に伝えるよう意識してください．重要な点については，何度繰り返して強調して

もかまいません．受講者が実際の現場での行動を変えることを念頭に置きながら指導を行ってください．その上で，わたしたちの究極の目標は，現場の行動が変わることによって

> 母体の重症化を防ぎ，救命率を上げること

です．アウトカムが改善するまでには，まだ多くの時間と多大な努力が必要かもしれません．一人ひとりがスキルアップするだけでなく，職場の環境を改善し，医療機関相互の連携を深め，同じプロトコールの下で急変発生現場から最終治療までを一貫した治療の流れに乗せる，というところまでを視野に入れる必要があります．

　地域全体を変えるには，多くの人の賛同と参画とが必要です．そのための第一歩として，まずはこのJ-CIMELS公認講習会ベーシックコースが，いつでもどこでも，受講を希望した人が受講可能となるよう，数多く開催される必要があります．みなさんがインストラクターとしてコースに参加する，そのことによりコースの開催が増え，賛同者を増やすことができます．その先にある「母体の重症化を防ぎ，救命率を上げる」というわたしたちの究極の目標に，一歩でも1ミリでも近づけるように．

2　どうすれば目標に到達できるか

1) 学習の「領域」と「深さ」

　前述のとおり，わたしたちがコースで指導する上で掲げる大きな目標は，実際の現場での行動を変えることです．この目標を達成するためには，学習の「領域」と「深さ」とを考える必要があります．有名な「教育目標分類：Taxonomy」を**図1**に掲げます．ここではわかりやす

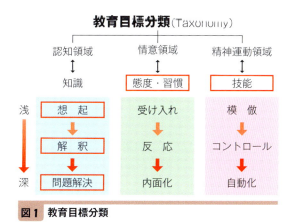

図1　教育目標分類

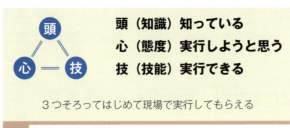

図2 知識・態度・技能

く単純化して，教育・学習には「知識の領域（知っている）」「技能の領域（スキルがある）」「態度の領域（実行しようと思う）」の3つの領域があり，学習の深さとしては，知識の領域を例にとれば，単純に「想起（思い出す）」レベルから，得られた情報の「解釈」，そして解釈の結果の「問題解決」までの深さがあると理解してください．

2）知識・スキル・態度

　最終的に「現場で実行する」ことを実現するため，前提条件としての「知識」は必須です．「思い出す」ことすらできなければ，現場で実行することはできません．しかし単に思い出すだけでは不十分で，「問題解決」の深さまで考えられなければ行動にはつながりません．「問題解決」まで考えられるようになれば，解決策を実行に移すための「スキル」を実施できる能力が必要になってきます．「知識」と「スキル」とが揃ったところで，状況を理解し，状況に応じて「スキル」を実施しようと思う「態度」を習慣付ける必要があります．繰り返しトレーニングすることで「態度」が習慣付けられれば，「現場で実行する」ための基礎的な準備ができたことになります（図2）．あとは現場の環境が整えば，日常的に実行される可能性が高まるでしょう．

　わかりやすい例として，野球について，そして自動車の運転について，それぞれ考えてみましょう．野球をするためには，まず「知識」としてルールを知っている必要があります．また「スキル」として，狙ったところにボールを投げる，という技能も必要でしょう．ランナーがベースから離れすぎている，という状況を理解して瞬時に牽制球を投げる，という行為でアウトをとるためには，瞬時に判断するという習慣付けが必要です．

　自動車を運転するためにはまず「知識」として自動車運転にかかわる法律を知っている必要があります．また「スキル」としてブレーキを踏んで適切な位置で車を停車させる，という技能も必要でしょう．信号が赤であることを判断して停止線に車を止める，という習慣付けは，自動車を運転する上で必須の態度です．

　野球は試合の前に練習を積み重ねて行動化・習慣化を行います．自動車の運転については，教習所で実際に車を運転しながら行動化・習慣化を身につけます．同じように，母体急変時の初期対応についても，知識を確認し，スキルを身につけ，思考と行動を習慣付けることにより「現場で実行する」ことを目指して，講習会を開催します．

3 なぜシミュレーションを用いるのか

1) 現場で「実行」するための学習方法

　学習の機会を設けるとき，主催者の負担が少なく，1回の機会でより多くの受講者を迎えられるのは，講義形式です．講師1人に対して数百人もの受講者を迎えることも可能です．でも思い出してください．わたしたちの大きな目標は，実際の現場での行動を変えることです．講義形式で行動化・習慣化は身につくでしょうか？　そう，講義形式では「知識」を身につけることが中心になってしまいます．内容をうまく組み立てることにより，単に「思い出す」レベルではなく「問題解決」レベルまで話を深めることは可能ですが，「スキル」を身につけ，行動化するところまでは難しいかもしれません．

　ここで，有名な学習ピラミッドを見てみましょう（**図3**）．これは学習機会から6週間後に，学習した内容がどれくらい記憶に残っているかについて模式化したものです．一般的な講演会は講義形式に分類されますが，講義形式で受動的に話を聞いただけでは，6週間後にはその内容は5％しか残っていません．講義に自習を組み合わせると，記憶に残る割合は少し増えて10％になります．講義に視聴覚教材を組み合わせると，それが20％になります．視聴覚教材には動画のほか，写真やグラフを使ったスライドなども活用することもできるでしょう．事前に工夫して準備することで，5％を20％にまで増やすことができます．

　ここにレポート作成を加えたのが，大学教育などで伝統的に行われてきた講義方法ですが，6週間後に記憶に残る割合は30％にとどまります．これに対し，近年では討論を用いる授業も増えています．討論を行うと，6週間後に記憶に残る割合は50％になります．ただ討論を行うには，討論するスペースが必要になるのと同時に，グループごとに進行を見守る指導者が必要になり，講義形式よりも会場や指導者の面で負担が増えます．

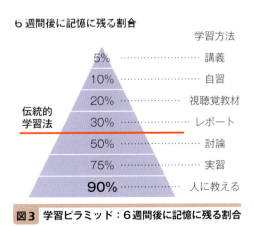

図3　学習ピラミッド：6週間後に記憶に残る割合

さらに記憶に残る割合が大きく，75％にも上るのが実習です．実習を行うことで「問題解決」レベルまで知識を深め，「スキル」を身につけ，「行動化」までをトレーニングすることが可能になります．実習形式では，受講者に実際に参加して体験してもらうことが必要になるため，参加人数に制限が出てきます．また実習を行うための会場の準備や資器材の準備など，開催側の負担も大きくなります．しかしわたしたちが講習会を開く大きな目標は，「現場で実行する」ことです．講義形式に比べ，実習形式のほうが1回の講習会での参加人数が少なくはなりますが，実習を通じて行動化と習慣付けをトレーニングすることができ，より多くの内容が記憶に残ることが期待されます．したがって，J-CIMELS公認講習会ベーシックコースでは母体急変時の初期対応について，実習形式での講習会開催を選択しています．

2）シナリオシミュレーションの特徴

　実習にもさまざまな方法がありますが，シナリオを用いたシミュレーショントレーニングは，「実際に遭遇することは稀である」が「遭遇したときには迅速な行動が必要な状況」に対する初期対応のトレーニングとして非常に有用です．患者急変という状況は，実際に遭遇することは稀ですが，いざ発生したときには初期対応のスピードと質で生死が分かれる可能性がある緊急事態であり，まさにシミュレーショントレーニングの題材にピッタリです．みなさんがコースで指導するときには，常に受講者が「現場で実行する」ことができるようになることを念頭に置き，急変現場の疑似体験を提供してください．

　最後に，インストラクターコースに参加されているみなさんに朗報です．実はさらに効率の良い学習方法があります．それは「指導する」ことです．「教えることは二度勉強すること」という言葉があります．自分が教わった後，他人に教える・伝えるためには，その内容を深く学習して準備する必要があります．指導することで短期間に何度もコースに触れることができる上に，記憶に残る割合は90％になります．ぜひ，コースのインストラクターとして積極的にご参加ください！

4　大人はどうやって学ぶか

　J-CIMELS公認講習会に参加する受講者としては，多くは医療資格を持った社会人を想定しています．すでに社会人としての経験や医療現場での経験がある「個」が確立した大人です．そのような大人が学習する際には，共通する6つの特徴があるといわれています（**表1**）．コース指導前にはこれらの特徴を頭に入れておき，受講者の学習の助けとなるように活用しましょう．

表1 成人学習の特徴

P：learners are Practical	すぐに役立つものを求める
M：learner needs Motivation	解決したい問題という動機がある
A：learsers are Autonomous	言われなくても自分から学ぶ
R：learner needs Relevancy	自分の仕事と関連性のあることを学びたい
G：learsers are Goal-oriented	何のために学ぶのかが明確である
E：learner has life Experience	自分の経験から強い影響を受ける

P：Practical（実利的）

　成人は，学習によって得られたものが，すぐに自らの役に立つものであるほど，熱心に学習します．コースで指導している内容がどのような状況で役に立つか，どのような準備があれば実行可能かなど，臨床ですぐに役立つ情報として強調することで，学習意欲が上がります．

M：Motivation（動機）

　成人は，学習を開始するにあたって動機を必要とします．特に，解決したいと思っている問題があり，その解決策が提供されるとわかると，学習に入りやすくなります．どのような死亡や急変の原因があるか，初期対応が不十分であった結果どのような判例があるかなど，動機付けのための情報提供はさまざまな角度から行うことができるでしょう．

A：Autonomous（自律的）

　成人は，いったん学習に入ると，他人から強制されなくとも自律的に学びます．学習環境を整えると同時に，学習中に出た疑問に答える準備をする，コース後にも自律的に学習を続けられるような情報を提供するなど，自律的な学習を支援できるように準備しておきましょう．

R：Relevancy（関連性）

　成人は，自らが置かれている状況や自らが行っている仕事と関連性があるほど，熱心に学習します．学習内容と学習者との関連性を明示することで，P（実利的）やM（動機）につなげることができ，学習意欲を高めることができるでしょう．

G：Goal-oriented（目的指向性）

　成人は，学習中にも常に学習目標や学習の結果得られるであろうことが明示されることで，学習の方向性を確認し，学習意欲を持続させることができます．コース中にも常に学習の目標を確認しつつ，何のために学習しているのか注意喚起していくとよいでしょう．

E：Experience（経験）

　成人はすでにさまざまな経験を有しており，自らの経験をベースに学習内容に意味付けをする傾向があります．また他人の経験をも尊重する傾向もあります．学習者の経験を否定することなく，新しい学習内容をその経験と関連づけることで，学習効果を高めることができます．

（山畑佳篤）

2 受講者への良き学習サポートのために

1 インストラクションの基本

1) 基本的な態度

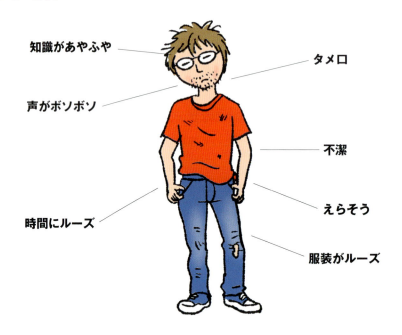

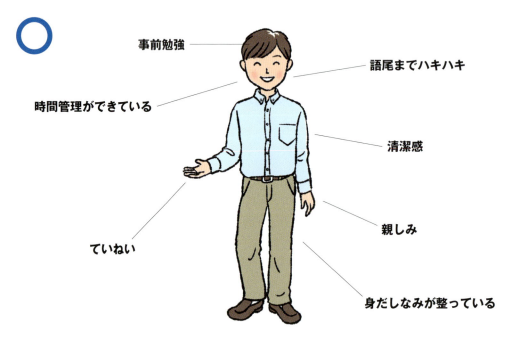

インストラクターとしてコースで指導にあたるためには，指導内容の事前学習や指導の練習など，準備しておくべきことがいろいろあります．J-CIMELS公認講習会ベーシックコースの具体的な指導内容については，「Part2 実習編」（→34p～）で詳しくお伝えします．本項では，指導者として受講者の前に立つときの基本として考えておくべきポイントについて確認していきましょう．ここでお伝えする内容はJ-CIMELSのコースだけでなく，日頃の臨床現場での後輩への指導や学校での講義，ひいては家庭生活で役立つことがらなども含まれます．

良き指導者とは？

　まず，私たちが目指すのは，限られた時間の中で受講者に多くのことを学び取ってもらい，それを実際の現場に持ち帰って活用してもらうことです．学習内容の「営業マン」だといえるかもしれません．指導者というと，上の立場にあると勘違いして偉そうな態度になってしまう人がいますが，決して「上から目線」にならないでください．逆に身構えて萎縮したり怖気付いたりする必要もありません．良き指導者とは，受講者が気持ちよく学習できる雰囲気を作り，学習内容を実際の現場と関連付け，その必要性を納得できるように伝えられる，すなわち良き学習のサポートができる人です．

　そのためには，基本的態度をきちんと意識しておく必要があります．服装や身だしなみには清潔感があるように，相手に不快感を感じさせるような口調にはならないように，言葉はハッキリ丁寧に，そして時間をきっちり守るように．いずれも「営業マン」だと思えば当然ですよね？　不潔でタメ口で時間にルーズな人からは，商品の説明を聞く気にならないでしょう．

「不慣れな初心者です」は禁句

　また，アシスタントであろうとベテランであろうと，ひとたび受講者の前に立つならば，責任ある指導者として振る舞う必要があります．決して「指導の初心者なので自信がない」などと発言してはなりません．

　事前にきっちり準備してきたとしても，慣れるまでは誰もがミスをしてしまうものです．同じミスを繰り返さないよう，自分なりの問題解決を考えながら経験を増やしましょう！

2）話し方の基本

次に，人前に立って話すときの，話し方の基本について確認していきましょう．

目　線

　スライドを使ったレクチャーでも，ホワイトボードを使った解説でも，少人数のスキル指導でも，指導者として話をするときは，できるだけ顔を受講者のほうへ向けるようにします．スライドや原稿を見ながら話をしても，相手にはその内容が伝わりにくいものです．受講者全体に目線を配るように努め，アイコンタクトを取りつつ，自分の話に対する反応を見ながら話すことで，話が理解されているか，話に興味を持たれているかなどが確認できます．

　物理的な目線の高さにも配慮してみましょう．大人数を前にするときは，自分の顔が見えるように，少し高めの位置に立つとよいでしょう．しかし少人数のときに見下ろす形になると，威圧感を与えてしまうかもしれません．

立ち位置

　受講者の注意を引きつけるという意味では，一か所にじっと立っているだけではなく，少し位置を変えながら話すのもよいでしょう．特に大部屋でのスライドレクチャーでは，話者の遠くに座っている人は注意が途切れることがあります．せわしなく動き回るとかえって注意がそがれるかもしれませんが，全体に目を配る一環として立ち位置を考えてみてください．

資料やITの活用

　学習の助けになるように，事前に配布資料やスライドを作るのも有用です．少人数実技指導の場面では，壁に貼るフリップなども役に立ちます．ホワイトボードなどに直接文字を書く場合は，大事なポイントだけを大きめに書きます．話し声は言葉がハッキリ聞き取れるように配慮し，大きな会場であればマイクなどの機器も事前に準備して活用します．大切な内容は繰り返し強調するとよいでしょう．あれも大事，これも大事と一度にたくさんのことを話しすぎると，逆に何が大切かが伝わらなくなるので，話す内容は絞り込みましょう．

3) 指導内容の組み立て

指導内容を組み立てる上で留意すべき点を**表2**にまとめました．レクチャー担当者もスキルの指導者も，指導を行う上での基本形として活用してみてください．

表2	指導において留意すること	
導入	あいさつ 背景，目的	服　装 目　線 口　調 立ち位置 距離・接触 ITの使用 時間管理
本論	体験型	
結び	質問，まとめ	

まず最初に，あいさつと自己紹介を行います．今から話をする講師が何者であるのか，背景を明確にしておくと，受講者も話が聞きやすくなります．話者の背景がよくわからないと，話の内容もあまり耳に入ってこないものです．

次に，これから話す内容のポイントと目的とを明確にします．全体像が見えることで，受講者は話を聞いて理解しやすくなります．

この講義では，母体急変時の初期対応プロトコールについて簡単に解説しますみなさん，事前予習はしてきましたね？

このブースでは気道管理のスキル，特にバッグ・バルブ・マスクでの換気を身につけていただきます

指導の最後には，その時間で何を伝えたのかを要約してまとめます．まとめを提示することによって，指導した内容のポイントと指導の目的が強化されます．加えて，受講者の質問を受ける時間を作るよう配慮します．質問は最後にまとめて受け付けてもいいですし，指導の要所要所で問いかけをしてもよいです．受講者の疑問はその場で解決するほうが理解度がアップして記憶の保持に役立ちますし，質問の内容から受講者の理解度を推し量ることもできます．

ここでは分娩前後の母体に起こりうる突然の心停止への対応をテーマにシナリオを行いました

最後に確認しておきたいことや質問はありますか？

普段の臨床で感じている疑問点でもいいですよ！

4) 受講者の背景を考慮する

　指導を行う上では受講者の背景や層を確認しておくことも大切です．対象によって伝えるべき内容を調整したり，到達度を少し変えることも検討します．受講者が学生であるのか，専門医であるのか，一般市民であるのかにより，伝える内容の深さは自ずと変わってきます．また受講者が有床診療所で働いているのか，高次医療施設で働いているのか，教員であるのかによって教え方のアプローチも変わるかもしれません．受講者の名簿が事前に手に入るのであれば，受講者の背景を確認して指導プランを立てることができます．もちろん全ての受講者に最低限の到達目標を達成してもらう必要はありますが，その最低限の目標をすでにクリアしているようであれば，もっと深い内容を指導してもかまいません．ただし基本的事項であっても「知っているだろう」「実行できるだろう」という憶測だけで指導を進めると失敗することがあります．相手の到達度を具体的に確認しながら指導を進めることが必要です．

基本が身についているか？

　例えば跳び箱の指導を考えてみましょう．初心者にいきなり10段の跳び箱を飛べと言っても，拒否感や恐怖感が強くなるだけで，実際に飛べるようにはなりません．まずは2段か3段から練習を始め，基本的な飛び方をマスターすることが必要です．ベテランに見える人でも一度は初心者と同じ高さを飛んでもらうと，基本的な飛び方が身についているか確認できます．中には走り幅跳びのような予想外の飛び方をする人がいるかもしれません．基本的な飛び方が身についていれば，より高い段を飛んでもらうことで到達度を上げるのも一つの方法ですし，前転宙返り飛びという高度な技にチャレンジしてもらうのも一つの方法です．初心者への指導方法を一緒に考えてもらうのも有意義な時間の使い方です．

多職種の相互理解

　多職種が参加している場合，シナリオシミュレーションの場では実際の職種に限定せず，さまざまな職種の役割を担当してもらうことにより，新たな気づきも生まれます．例えば助産師が医師役を担当した場合，「いつもドクターの指示を待っているけれど，指示を出す側に立つとそれが大変なことなんだとよくわかりました」などの意見が聞かれます．このような気づきがあることでお互いの職種への理解が深まると，現場でのチーム力がさらにアップして対応能力が向上します．

5）指導の具体的なコツ
頑張ってしゃべりすぎない

慣れないうちに陥りやすいのが，事前に準備してきた内容を一所懸命に語ってしまうことです．覚えてきたことは全部話さないといけないと思わずに，限られた時間の中で受講者に<u>最も届けたいエッセンスは何か？</u>を考えながら話すと，より伝わりやすいでしょう．

スライドを準備してきた場合も，スライドに書いてある文字を逐一読み上げていくだけになると非常に退屈な講義になります．<u>大切なポイントを強調する</u>ように意識しましょう．

レクチャーや指導を行うときは，単に何をするかを伝えるだけでなく，<u>「どうしてその行動が必要なのか」という「なぜ」を付け加えながら説明する</u>と，受講者の理解度が上がります．意識して活用してみてください．

双方向型で指導する

受講者が何を求めているか，受講者が指導内容を十分に理解しているかを常に考えながら指導してください．一方的にしゃべり続けるのではなく，自分が最も届けたいポイントが伝わっているか，<u>質問を活用</u>しながら指導するとよいでしょう．

また，自分が100のことを伝えていると思っても，実は10しか表現できておらず，さらにこの10の表現のうちの1しか受講者には伝わっていないと考えてください．そうすれば，大切なポイントを丁寧に伝えられるはずです．

実技指導では体験を十分に

　慣れないうちに陥りやすいのが，事前に準備してきた内容を一所懸命に語ってしまうことです．あれ？　どこかで聞いた説明ですね．特に，実技指導の場では，指導者がしゃべる時間をできるだけ短くして，受講者が体験する時間をとってください．スキルの手本を示す場面では，指導者が行うよりも受講者に実施してもらい，指導者は解説を行うほうがよいと思います．説明するだけの内容であれば，講義室で多数を相手に話すほうが効率がよいでしょう．せっかくの少人数実技指導の場ですから，できるだけ受講者に体験させてあげてください．

実習時には体の接触に配慮を

　実技指導の際には，体を近づけて接触せざるをえないことがあります．このとき，セクハラとの誤解を受けないよう，十分に配慮してください．みなさんはその講習会の一員として指導にあたっています．あなたへの評価が講習会全体の評価につながるという自覚を持ちましょう．受講者への事前連絡時に，注意事項として服装への配慮を記載しておくのもよいでしょう．

実技訓練を行うので動きやすい服装でお越しくださいスカートは避けてください

6) 事前に資器材の動作チェックを

　レクチャー，実技指導，シナリオシミュレーションのいずれにおいても，指導時にはさまざまな資器材を使用します．開始前には資器材が正常に作動するか，必ずチェックを行ってください．資器材のトラブルで時間を浪費すると，受講者の貴重な時間を奪ってしまいます．もちろん，突然の機器トラブルは常に起こりうるので，代替手段を考えておく必要があります．受講者の理解をサポートするためのものですから，事前のチェックは怠らないようにしましょう．

映写・音響機器の事前チェック

　スライドを用いたレクチャーの場合，必ず映写の事前チェックを行いましょう．スライドのファイルのみを持ち込んで会場のパソコンで映写する場合，文字化けやフォントのズレが生じることがあります．スライドにアニメーションや動画を埋め込んでいると，うまくスライドファイルを持ち運ばなければ，動画が再生できない，音声が出ないなどのトラブルが生じることがあります．自身のパソコンを持ち込んでプロジェクターや液晶画面などに接続する場合，機器の相性が悪くて映写できなかったり，特別なコネクターやコードが必要となる場合があります．自身のパソコンから外部出力する場合には何が必要なのか，把握しておきましょう．

　音声についても，外部出力されたスピーカーから音声が出るか，音量は適切かなど，スムーズなレクチャーのためには事前チェックが必要です．マイクを使用する場合にはマイクの音量や指向性も確認しましょう．またレクチャー時にスライドを指すためのポインターやスライド操作のリモコンを用いるなら，それらの動作チェックも行います．

シミュレーターの事前チェック

　実技指導やシナリオシミュレーションにはトレーナーやシミュレーターを使用します．特に高機能シミュレーターでは操作用の端末とシミュレーター人形とが無線でつながるものがあり，操作端末からの指示に反応するかは必ず確認しておきましょう．いざシナリオが始まってから模擬患者モニターがうまく出せずにシナリオがストップするようなことがあっては興ざめです．実際のシナリオの流れに応じて操作できるか，講習会開始前に一度シナリオを流しておくことをお勧めします．AEDトレーナーは電池が切れていないか，リモコンを用いる機種であればリモコンがあるか，シナリオはショック適応になっているかなど，必ず確認しましょう．

小物類も事前にチェックが必要

　シナリオシミュレーション時には，実際の臨床で用いる資器材も扱います．物品がそろっているか，正常に使えるか，事前にチェックしてください．意外と盲点になるのが点滴セットです．中身の入っている輸液ボトルに実際のルートを刺している場合はルート先端を閉じておくなど適切に準備しておかないと，流れ出た輸液でベッドや床が水浸しになることがあります．最悪の場合，シミュレーターが水に浸かって故障することも考えられます．

　また，針やメスなどの鋭利な刃物を使う場合は，絶対に針刺しなどで怪我をすることがないように留意し，ブース指導時も注意喚起してください．鋭利な物は使わず，その部分だけは代用品を使う（静脈留置針の代わりに髪留めゴムを使うなど）というマネージメントをしてもよいでしょう（詳細はPart3-2を参照してください→237p〜）．

2 シナリオシミュレーションのポイント

1) 指導スタッフの役割分担

　シナリオシミュレーション時の指導スタッフの役割として，プレゼンター・オペレーター・チェッカー・家族役・患者の声役などがあります（**表3**）．このほか救急隊役や高次医療施設の医師役などがありますが，全ての役割を個別の指導者に割り当てようとするとたくさんの人数が必要になってしまうため，一部の役割は兼任しましょう．救急隊役や高次医療施設の医師役は，プレゼンターが兼任することが多いです．

表3　シナリオシミュレーション時のスタッフの役割

プレゼンター	想定付与，フィードバック
オペレーター	シミュレーター人形（モニター）操作
チェッカー	チェックリストにチェックする
その他	患者，家族，夫，救急隊など

　役割の中心になるのはプレゼンターとオペレーターです．家族役もプレゼンターと協力してシナリオを進行させる重要な役割を担うため，専任の担当者がつくとシナリオを運営しやすくなります．シナリオの主役，すなわち医師役・助産師役・看護師役は受講者に振り分けます．
　指導者の人数が少ない場合は，オペレーターがチェッカーを兼任し，プレゼンターが家族役を兼任することができます．指導に慣れてくると，プレゼンター＋オペレーター＋家族役の兼任も可能です．ただし家族役と患者役は別々の人が担当しないと，一人漫才になってしまうので注意してください．チェッカーは省略して，シナリオ終了後にチェックリストのみを配布する方法もあります．

プレゼンター

シナリオ開始前に想定を付与し，開始と終了を宣言します．シナリオ中はシナリオの進行を担当し，終了後の振り返りの進行役にもなります．つまりシナリオ全体の責任者となる役割です．シナリオをうまく進行させるためには，オペレーターや家族役とシナリオ進行について打ち合わせをしておく必要があります．振り返りの際にはチェッカーに補助してもらうことも可能です．

オペレーター

シミュレーター人形や模擬患者モニターをシナリオの進行に従って操作します．シナリオの進行と操作のタイミングの息が合っていないとうまくシナリオが流れませんので，事前の打ち合わせをしっかり行います．慣れてくると人形からうめき声を出したり，心電図波形を変化させたりと，よりリアルな状況提示が可能です．具体的な操作方法はPart3-4（→246p～）を参照してください．

チェッカー

シナリオに沿った行動チェックリストにチェックをつける係です．行動化できたところにチェックをつけ，振り返り時に未チェックの項目についてフィードバックを行います．指導者の数が少ない場合は省略することもあります．具体的なフィードバックの注意点については22p～を参照してください．

船頭多くして船山に登る

「船頭多くして船山に登る」ということわざがありますが，たくさんの人が同時にあれこれ口を出すとシミュレーションの進行がごたついて，受講者の混乱を招くことがあります．あくまでもシナリオ進行はプレゼンターが中心となり，家族役などは補助に徹するのが原則です．受講者が予想外の行動をとったときは，予定のシナリオ進行を変更して患者の状態を変えることもあります．

2）設定はできるだけリアルに

　シナリオシミュレーションを行うときには，シナリオの世界を実際の臨床現場に近づけることが望ましいです．リアルに妊産婦を再現できる高機能な患者シミュレーターがあれば活用するとよいでしょう．ない場合も，簡易的な蘇生人形と母体のバイタルサインを表示できる模擬患者モニターとを準備することをお薦めします．モニターを表示することでモニタリングの重要性を強調できるとともに，表示された波形や耳から入るモニター音から異常を察知するための訓練になります．患者シミュレーターと模擬患者モニターについて，詳しくは Part3-4 で解説しています（→ 246p ～）．

　こうした機器がない場合には，大きめの紙やホワイトボードに心電図波形やバイタルサインの数字を書き込み，指導者が模擬患者を演じることでシナリオ進行は可能ですが，模擬患者モニターを表示すると，シナリオの世界をよりリアルに表現できます．J-CIMELS 公認講習会ベーシックコースでは胎児の状態よりも母体の状態を優先して評価するため，胎児モニターの表示は必須としていません．

　また，実際に臨床で使用する道具を準備してシミュレーションを行うとよりいっそうリアルになり，スキルも上達して，臨床現場に戻ってから活用してもらいやすくなります．バッグ・バルブ・マスクや酸素マスクなどは実物を，AED はトレーナーを準備し，可能な限り「あるものとして言葉だけで演技する」ことは避けましょう．

現実にあり得ない設定は避ける

　シナリオで扱う症例を，現実にあり得ない設定にはしません．あり得ない設定にしてしまうと，シナリオに対して真剣に取り組めなくなります．病態生理的に矛盾したシナリオ進行を前にすると，途端に受講者はやる気をなくします．担当するシナリオは事前にしっかり読み込んで，病状の進行を把握しておきましょう．慣れてくれば，受講者の行動に対して患者の状態を変化させるという臨機応変な対応で，リアルな表現にチャレンジしてみてください．

3) シナリオの世界に入りやすくする

　シナリオシミュレーションの実施においては，受講者にシナリオの世界に入り込んでもらう必要があります．そのためには，場となる施設が有床診療所なのか総合病院の産科病棟なのか，夜勤帯にスタッフは何人いるのかなどの設定を明らかにしておきます．施設名なども具体的に決め，高次医療施設までの距離を設定しておくと臨場感があります．患者にも名前をつけて，妊娠歴や既往歴も表示し，分娩前か分娩後なのかも伝えます．不要な混乱を招かないよう，なるべく設定は単純にするとともに，情報を掲示して常に認識できるようにしておきます．

ここは〇〇クリニックという有床診療所で夜間勤務は当直医が1名，病棟には助産師1名と看護師1名という3名体制です

まず助産師が分娩の介助にあたり必要であれば医師と看護師に応援を依頼してください

高次搬送先の病院として▲▲大学病院が20分の距離にあります受け入れが決まれば消防に救急車を要請してください

　シナリオの始まりと終わりを明確にするというのは需要なポイントです．開始時は「今からシナリオを始めます」「夜中の11時に家族から電話がかかってきました」などはっきり伝え，受講者をシナリオの世界に入りやすくします．終わるときには「ではシナリオはここまでにします．おつかれさまでした」など明確に示します．終了時に拍手をするのも一つの方法です．受講者も一緒に拍手をすることでhands-offでき，シナリオの世界から離れられます．

　シナリオの中では普段一緒に働いていない他の受講者とチームを組んだり，実際の自分の職種と違う職種の役割を担ったりします．チームメンバーの役割を把握しやすいように「医師」「助産師」「看護師」など，役割を明記したビブスやゼッケンを準備すると役に立ちます．

　患者の状態を把握しやすいように，呼吸困難を訴えるシナリオでは患者役はできるだけ苦しそうにあえぎ，痙攣の症例ではマネキンを揺すって臨場感を醸し出すなど工夫しましょう．特にアナフィラキシーのシナリオでは，症状の表現がうまくできていないと受講者には何が起こっているのか伝わりません．出血量を伝えるときは「どんどん出てきます」「シーツまで汚れるほど血が出ています」など，数字以外にも程度を表す表現があります．ただし，こうした臨場感のある表現ばかりでは，受講者によって評価の仕方が変わってしまうことがあるので，具体的な数字を告げることも忘れずに行いましょう．

4) フィードバックは重要

　シナリオシミュレーションの目的は，実際の臨床行動の改善や強化，メンバー間のコミュニケーションの改善などであり，シミュレーションの実施後には振り返りを行うことが重要です．J-CIMELS公認講習会ベーシックコースは，急変に対しプロトコールに沿った対応を訓練する講習会ですので，振り返りはプロトコールを軸にして行います．重要なポイントについてはシミュレーション実施中にも介入を行って，その場で気づきを促します．正しい行動をシミュレーションの中で行動化することで，臨床行動の改善や強化をはかることができます．以下に具体的な振り返りや介入のポイントをご紹介します．

フィードバックの種類

　指導者として伝えたいことがたくさんあると，受講者が行動できていなかった点に着目しがちです．終了後の振り返りで，いきなりできていなかった点を指摘してしまうと（＝ネガティブフィードバック），受講者は自信をなくしたり，傷ついたりします．その結果，コースにネガティブな印象を抱く，実際の臨床現場で実行されない，となれば本末転倒です．チェックリストを見ながらフィードバックを行うと陥りやすい穴ですので，注意してください．

　シミュレーション終了時，受講者自身が「あれを忘れていた」「あそこでうまく行動できなかった」などのネガティブな思いを抱いています．振り返りの最初には，まず行動できていたことを誉めると（＝ポジティブフィードバック）よいでしょう．できている点を誉められれば自信がつきます．その上で，改善が必要な点については「こうすればもっとよくなる」と建設的に伝えると（＝コンストラクティブフィードバック），やる気が出てきます．振り返りはポジティブ＋建設的，を標準としましょう．

　受講者の状況を考慮し，受容的な態度を示すと（＝レセプティブフィードバック），受講者のやる気の後押しになります．当直明けに駆けつけてくれた受講者には「当直明けでお疲れのところ参加していただき，ありがとうございます．疲れているととっさの判断力が低下することもありますが，実際の臨床でも連直の機会などあると思いますので，半日がんばってください」などの声かけをします．

伝えるポイントは3つまで

本当は言いたいことが10個あったとしても，振り返りで伝えるポイントは多くとも3つに絞りましょう．あまりたくさん話しても，受講者の記憶には残りません．大切なことから順に3つ程度を上限に伝えるとよいでしょう．シナリオを繰り返していく中で全てが伝わればいいので，一度で欲張らないようにしましょう．

気づきを促す

重要なポイントについてはシミュレーション実施中にも介入を行い，その場で気づきを促します．「正しい行動はこうです」と指導者が正解を言ってしまうと，受講者の考える機会を奪うことになります．受講者が臨床現場で行動化するためには，その行動の必要性を急変対応中に思い出す必要があります．重要なポイントほど，自ら思い出して行動化する練習をしてもらいたいので，指導者は受講者自身が気づけるようにヒントを出しながら誘導してください．

振り返りの手順

振り返りにおいては，まずシナリオでの行動をサマライズし，どんなことに気をつけたのか，どうすればよかったのかを受講者から話してもらうとよいでしょう．ビデオを活用する方法もありますし，受講者の一人に記録係を担当してもらい，その記録に基づいて行う方法もあります．プロトコール通りにできていたかをシ

心肺蘇生は始まったが，
子宮左方移動が行われていない場面で…

ナリオ参加者自身に評価してもらい，その後ポイントを指導者が示し，できていた部分は誉め，できていなかった部分は建設的に伝えます．

最後に質問の時間を設けて疑問を解消します．繰り返しになりますが，受講者の能力を見極め，いまできていることと，まだできていないこととを把握した上で，少しずつレベルアップしていけるように，効果的にフィードバックを行ってください．一気に高い山を登るのではなく，一歩ずつ進んでいき，最終的に山の頂上に到達させられるのが良い指導者です．

5) 受講者の質問に答える

　レクチャーの最後やシナリオシミュレーションの振り返り，シナリオブースのまとめの時間には，受講者から質問を受け付けてください．質問の内容によって受講者の理解度のレベルが把握できますし，重要なポイントが伝わっているかどうかを確認することもできます．

あやふやな答えを返さない

　質問に答えるとき，テキストに書いてあることは，その記載に沿って答えてください．「テキストにはこう書いてあるけど，自分は経験的にこうしている」などと言うと混乱の元になります．決してあやふやな答えを返さないでください．多くのコースでは産婦人科医と全身管理医（救急医，集中治療医，麻酔科医など）とが指導者として参加しています．救命処置の不明点は全身管理医に，産科的問題は産婦人科医に，それぞれ当日中に確認することができるので，いったん回答を保留にし，確認後に正確に回答する旨を伝え，実行してください．

議論とその結果に固執しない

　質問によっては，統一した見解が出ていない問題が含まれることがあります．受講者によっては，自らが実践していることが絶対の正解であると思い込んでいる場合もあります．「今の質問のポイントに対しては議論Aと議論Bとがあって，現時点ではどちらがよいのかは決まっていません」と答えるのがより正確な回答であり，不毛な議論は避けるようにしてください．

　逆に言えば，地方・地域によって対応のコンセンサスが異なるようなことは多々あります．さまざまな背景の受講者が参加している講習会では，それぞれの所属先での対応状況について尋ねてみると，マイナーな相違点や各地での工夫などを共有できるというメリットがあります．

　ただし，J-CIMELS公認講習会ベーシックコースで伝えたいのは母体の急変の感知と急変対応ですので，産科的な細かい手技についてはあまり取り上げすぎないほうがよいでしょう．枝葉の部分に時間を取られすぎて本質が伝わらなくなるということを避けるため，「母体急変に対してまず何をするか」というところに焦点を絞ると，議論もシンプルになると思います．

産科的処置に議論が及んだときは，自分の経験をもって論争するのではなく，あくまでも日本産科婦人科学会のエビデンス集に沿って対応しましょう．また，本質からは外れるけれども，受講者にとってどうしても気になるポイントがある場合は，その場で議論を進めるのではなく，休憩時間などを使ってディスカッションすることとし，プログラムを予定通り進行させてください．

グループ全体への配慮を

　受講者は複数人数で来るため，質問に回答する場合もグループ全体への配慮が必要です．質問者と指導者2人だけの会話になってしまうと，残りの受講者が退屈したり，興味を失ったりしてしまいます．

　質問に回答するときには1対1の関係にならないように，質問を一般化して他の受講者にも興味が持てるように配慮する必要があります．質問が専門的である場合でも，その質問の意図を簡単に解説しながら全体に対して回答すると，多くの場合は興味を持ってもらえます．ただし，コースの指導範囲から大きく逸脱するような質問であれば，その旨を明らかにしながらその場では回答せず，休憩時間などに回答するようにしてください．講習会の本質から外れたところに時間をかけてしまうと，他の受講者の時間を奪うことになります．限られた講習会の時間の中で，本来伝えたい内容を，多くの受講者に最大限伝えられるようにしましょう．

3 いろいろな受講者・状況への対応

　講習会に指導者として参加すると，いろいろな困った状況に出会うことがあります．本項では，実際に遭遇する可能性がある受講者や状況を例にとり，指導者がどのように対処してきたか，実際の声をご紹介します．もちろん，ここに挙げたもの以外の状況や受講者に出会うことがあるとは思いますが，まずはよくあるパターンを知っておくと役に立つでしょう．

1) ベテラン受講者への配慮と対応

　産婦人科領域では，医師も助産師も，症例の経験を積み重ねる過程で先輩から技術や知識を叩き込まれ，一人前になってきたという一面があります．臨床経験が長くなれば，自分の成功あるいは失敗から強い影響を受けているものです．そうした経験豊富な受講者に対し新しい知識や技術の修得を促すとき，これまで積み上げてきた経験則を一蹴するような言動は慎みましょう．受講者にエビデンスに基づいた対処を促し，学んでいただくことは必要ですが，ベーシックコースの目的は母体救命のための蘇生処置，すなわちABCの安定化の重要性を伝えることであり，限られた時間の中で産科的処置の優劣について議論することは避けてください．

　有床診療所での経験が長い医師には，独力で緊急事態に対処してきたという自負があります．その現状に甘えることなく急変対応を学ぶ場を求めて自主的に参加している受講者に対しては，その意志を十分に理解・尊重した上で，なるべく自然に知識を修得できる雰囲気を作るよう努めましょう．これまで受講者が培ってきた知識や技術に，コースの受講によってさらに厚みが増すように感じてもらえるとベストです．そのためには，指導者側からの一方的な伝達ではなく，互いを認め合った上での双方向のコミュニケーションを持つ姿勢が不可欠です．

わしはこれまで，子宮内反症を5例経験したが
全て用手的に治し，特に困ったことにはなっておらん

さすがに臨床経験が豊富ですね
用手的に治す技法をマスターされているのですね
ただ，数時間後に，医師がいないときに内反が
再発するケースも報告されているんです

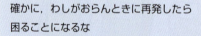確かに，わしがおらんときに再発したら
困ることになるな

めったに起きることではありませんが
まさかの事態に備えて，シナリオで学んだ内容を
ぜひ，スタッフの皆さんとも共有してください

ときには職場の指導医やプリセプターなど，自分の上司が受講者として参加してくることもあるでしょう．そのような場合は単なる受講者として接するのではなく，「コースの指導者になってもらうための下準備としての受講である」「初学者に対する教え方のコツを知るための場に参加してもらっている」と解釈すると，指導するときの緊張感が和らぎます．

2）臨床経験の少ない受講者への配慮と対応

全ての受講者に緊急の現場で指示を出したり，他科や他施設に応援を要請した経験があるとは限りません．高次医療施設で勤務している受講者の場合，搬送受け入れの経験はあっても，自ら消防に連絡して搬送を依頼した経験はないこともあるでしょう．皆にそうした現場経験があることを前提にシナリオを始めてしまうと，どのように行動すればよいか戸惑いが生じ，本来コースで伝えたいポイントである母体救命のための蘇生処置についてうまく伝わらなくなります．シナリオ開始の前に緊急対応の経験の有無を確認しておくと，配慮の一助となるでしょう．

また，シナリオでの役割分担として，臨床経験の少ない若手医師や助産師が医師役となり，ベテラン医師が助産師役あるいは看護師役となった場合，臨床経験の少ない側はどうしてもベテランに向かって指示を出し辛く，さらには自信が持てず手も口も出せなくなることがあります．このような場合は指導者が両者の潤滑油になるとよいでしょう．

さあ，若い先生が困っているようです
急変時はチームとして対応することが大切です
ベテラン看護師さん，何かアドバイスはないですか？

同じチーム内の3名とも臨床経験が少ない場合，全員に自信がなく，遠慮し合って次の行動を開始できずにフリーズしてしまうことがあります．このような場合，指導者がヒントを与えて行動を促す方法もありますが，シナリオを見学している別チームの受講者にアシストを依頼する方法もあります（見学をしているほうが，次にとるべき行動に気づきやすいものです）．可能であれば，受講者同士が助け合うような状況を設定し，指導者が過剰に介入しないように配慮しましょう．

急変コールを聞きつけて
隣の病棟からも医師がやってきてくれたようです！
さあ，助けてあげてください

3）予想外の行動への対応

指導者を当惑させる，受講者の予想外の行動として，「想定外の処置を行う」「すぐに搬送や応援を依頼し，ただ待っている」「一人の受講者が独断で指示を出し，他の受講者に発言の機会を与えない」などのパターンがあります．それぞれに対応を見てみましょう．

想定外の処置を行った場合

受講者の行動を頭ごなしに否定することは避け，いったんは受講者の判断によって行動してもらってもよいでしょう．その上で，実施した処置で患者の状態が改善しなかった場合，次はどのような処置を行いますか？と問いかけるほうが，言葉で相手の行動を否定するよりも有効です．患者にとって危険な行動をとった場合や，必要な行動を取らなかった場合には，設定に手を加えて患者の状態を悪化させ，気づかせるというのも一つの方法です．

産後危機的出血のシナリオにて……

受講者

出血が止まらないので，経皮的に子宮に直接プロスタグランジン製剤を筋注して

その処置にはエビデンスがありませんのでやめてください

インストラクター

受講者

出血が止まらないので，経皮的に子宮に直接プロスタグランジン製剤を筋注して

はい，プロスタグランジンを筋注しました
それでも出血は止まらないようです
次にどうするか，プロトコールを見てみましょう

シナリオ実習は，シミュレーションを通じてプロトコールの内容を修得してもらうことを目的としています．産科的処置内容のエビデンスの有無については極力議論を避けましょう．ただし，有害であるというエビデンスが存在する処置についてはこの限りではありません．

振り返り時には，少ない人数で急変対応をする場合，どの処置を優先するべきかを丁寧に説明しましょう．個別の処置に伴うリスクについては，このときにディスカッションしてもよいですし，時間がなければコース終了後に説明してもよいでしょう．

出血性ショックに対してプロスタグランジンを大量に筋注すると，血中濃度が急激に上がることがあります．どんな反応が起こるでしょうか？

すぐに搬送や応援を要請し，ただ待っている場合

　シナリオシミュレーションに慣れてしまい，シナリオ開始後すぐに患者状態の評価も不十分なまま救急隊や他科への応援を依頼し，自らは初期対応を行動化することなくただ応援を待つ，という受講者が出てくることがあります．指導者としてどう対応すればよいでしょうか？

　もちろん，急変時には早期に応援を呼ぶというのは重要な行動ですので，それ自体を否定する必要はありません．まずは応援を待つ間に行うべき処置を促しましょう．それでも受講者の行動が不十分な場合は設定に手を加え，受講者が自ら初期対応に着手せざるを得ない状況を作り出してください．こうなると多くの受講者は「とりあえず今できることをやらねば」と動き始めます．「このまま見てるだけでは死んでしまいます．早くなんとかしてください」などと行動を強制すると，萎縮してかえって行動を起こせなくなることがあるので注意しましょう．

受講者

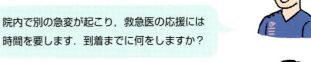
急変と判断して〇〇大学病院に搬送連絡をしました
あとは救急車の到着を待ちます

○ 渋滞のために救急車の到着は遅れそうです　どうしましょうか？

○ 院内で別の急変が起こり，救急医の応援には時間を要します．到着までに何をしますか？

 応援を呼んでも見てるだけだと死んでしまいます　早くなんとかしてください．ほら早く早く

インストラクター

一人の受講者が独断で指示を出し，他の受講者に発言の機会を与えない場合

HELLP症候群からの脳出血シナリオにて……

受講者A

おっと，子癇発作だな！
マグセントとペルジピンを始めないと
部屋も暗くして！
バイトブロック入れて，挿管も準備して！

え，まずマスク換気をしたほうが……

受講者B

血管確保ができてないので，
マグセントは投与できませんが……

受講者C

受講者A

とりあえず早く挿管準備して！

　こんなとき，あなたならどう対応しますか？　まず，受講者Aの指示を頭ごなしに否定することは避け，指示を順に確認していくとよいでしょう．このとき指導者は，受講者全員に尋ねながら進めていくことがポイントです．そうすれば，シナリオについての考えを発言する機会を全員が得ることができます．シナリオ内容の確認後はそれ以上議論に時間を費やさず，シナリオを再開して進行させていきます．議論すべきポイントがある場合は，振り返りの中で行いましょう．その時の論点としては「原因疾患の確定診断がついていなくても，プロトコールに沿って急変対応ができたか」を中心に据えてください．

受講者

おっと，子癇発作だな！
マグセントとペルジピンを始めないと
部屋も暗くして！
バイトブロック入れて，挿管も準備して！

 診断が間違っています
神経学的所見の取り方を練習しましたよね？
マグセントなんかでは止まりませんよ

インストラクター

○ 子癇発作に限定してよいでしょうか？
他に痙攣の鑑別疾患はありませんか？

○ 痙攣が続いているため，血管確保が困難です
他にいい方法はありませんか？

○ 部屋を暗くしました．次の処置はできますか？
他に光刺激を防ぐ手段はないでしょうか？

○ プロトコールでは気道確保の方法について
どのように記載されているでしょうか？
プロトコールを見てみましょう

4）模擬患者モニターやシミュレーターが動かなくなった場合

　準備段階では作動していた模擬患者モニターやシミュレーターに突然不具合が生じ，バイタルサインを表示できなくなることがあります．復旧に時間を取られると，せっかくのシナリオシミュレーションの時間が短くなったり，予定時間内にシナリオを終えることができなくなったりします．こんなときは大きめの紙やホワイトボードを活用して数値を記載し，簡易的なモニター表示を受講者に提示するとよいでしょう．これで十分に代用することができます．機器の修復は，シナリオ進行中にプレゼンター以外の指導スタッフが試みるか，休憩時間に行います．機器のトラブルシューティングについてはPart3-4（→ 250p〜）を参照してください．

5）指導に慣れないうちのピットフォール

　シナリオ進行のための台本が準備されていたとしても，台本にかじりついて「台本読み朗読」をしてしまわないように注意してください．シナリオは，細かい台詞の暗記に努めるのではなく，シーンの変化としてとらえると進行させやすくなります．各シーンを症状の変化とそれに伴うバイタルサインの変化として把握すると，イメージしやすくなるでしょう．

　台本から目を離してシナリオを進められれば，受講者の行動に目を配ることもでき，受講者が間違えやすいポイントも把握できます．J-CIMELS公認講習会ベーシックコースで取り上げている疾患は，公認テキスト（『母体急変時の初期対応　第3版』）で紙上シナリオとしてイラスト入りで紹介されていますので，参考にしてください．

　反対に，指導に慣れてくると，今度は準備されたシナリオを逸脱し，あれもこれも取り入れたくなってきますが，基本的なシナリオの枠組みとシナリオを通じて伝えたいメッセージは変えないように注意してください．各シナリオの詳細はPart2-4（→ 77p〜）で紹介します．

（山畑佳篤・橋井康二）

Part 2 実習編

1　J-CIMELS公認講習会ベーシックコースの運営

1　標準的なプログラム

　J-CIMELS公認講習会ベーシックコースは忙しい臨床の合間でも参加がしやすいよう，4時間で開催できるように構成されています．コースの構成は，知識の確認としてのレクチャーパート，急変対応に必要なスキルパート，シナリオトレーニングパートの3つのパートからなり，これまでは標準的に「羊水塞栓症」「肺塞栓症」「弛緩出血」「子宮内反症」「アナフィラキシー」「痙攣／脳出血／HELLP」の6つのシナリオを実施してきました．

　2021年からは，これまでの開催実績と感染対策を踏まえ，受講者が集まる機会はできるだけ実技トレーニングに使いたいと考えて，webシステムを整備しました．受講者は事前にwebシステムに登録の上，プロトコールの解説および心肺蘇生法の解説のレクチャーをweb上で視聴して学習し，プレテストを受けることでコースへの申し込み資格が得られます．コース終了後のポストテストも事後にweb上で受けてもらい，これは合格点に達するまで繰り返し受けることができます．このようにweb上での学習を組み合わせることにより，コースプログラムからレクチャーとプレテスト・ポストテストの時間を減らすことができ，その分スキルやシナリオの時間を増やすことが可能となります．コースを修了して帰宅後にweb上でポストテストを受けて合格点をとることで，受講認定証が発行できるようになります．事後のアンケートもweb上で回答していただきますので，コース修了時にポストテストとアンケートについての案内を忘れずにお願いします．

　Webシステムを利用した場合の標準プログラム例を**表1**に示します．3ブースよりも少ないブース数で開催する場合は，ブースで使用するシナリオの組み替えが必要となります．標準プログラム例を2ブースに組み替えたプログラム例を**表2**に示します．胸骨圧迫のスキルは，マネキンの数が十分に準備できるのであれば全員で行ってもよいですし，マネキンの数が限られている場合は，各グループごとに行うことも可能です．

　インストラクターマニュアルの初版では，標準プログラムの6つのシナリオ「新1-1 分娩進行中の羊水塞栓症」「新1-3 帝王切開後の肺塞栓症」「新2-1 子宮収縮不全／産後過多出血」「新2-2 子宮内反症／産後過多出血」「新1-2 抗菌薬によるアナフィラキシーショック」「新3-1 HELLPからの脳出血による痙攣」に加えて，追加シナリオとして「新1-4 周産期心筋症による肺水腫［病棟］」「新2-3 帝王切開後の後腹膜血腫」「新2-4 常位胎盤早期剥離」「新2-5 分娩進行中の子宮破裂」「新3-4 分娩後のてんかん発作」を掲載し，硬膜外麻酔時の追加講習用シナリオとして「新4-1 局所麻酔薬のくも膜下大量投与による全脊麻」「新4-2 血管内誤投与による局所麻酔薬中毒」を掲載しました．本書第2版ではさらに追加して「**新1-5 周産期心**

表1 J-CIMELS公認講習会ベーシックコース　webシステムを利用した場合の標準プログラム

指導者用	ブースA	ブースB	ブースC
＊事前学習	＊webシステム上でレクチャーを視聴し，プレテストを受験		
〜09：00	受付		
09：00-09：15	レクチャータイム		
09：00-09：05	オリエンテーション		
09：05-09：15	京都プロトコール2020 ポイント概説		
09：20-09：50	スキルブース		
スキル	胸骨圧迫／AED	経鼻エアウェイ／BVM換気	神経学的評価／簡易心エコー
09：20-09：30	グループ1	グループ2	グループ3
09：30-09：40	グループ3	グループ1	グループ2
09：40-09：50	グループ2	グループ3	グループ1
10：00-12：20	シナリオブース		
シナリオ	心・血管系急変への対応	産科危機的出血への対応	急変の気づきと初期行動
10：00-10：45	グループ1	グループ2	グループ3
10：50-11：35	グループ3	グループ1	グループ2
11：40-12：20	グループ2	グループ3	グループ1
12：20〜	質疑応答・修了式		
＊ポストテスト	＊webシステム上でポストテストを受験，合格点に達したら認定証発行可能		
	新1-1 分娩進行中の羊水塞栓症　　新1-2 抗菌薬によるアナフィラキシーショック	新2-1 子宮収縮不全／産後過多出血　　新2-3 帝王切開後の後腹膜血腫	新3-1 HELLPからの脳出血による痙攣　　新3-3 A群溶連菌感染による敗血症［分娩後］

表2 J-CIMELS公認講習会ベーシックコース　2ブースに組み替えたプログラム例

指導者用	ブースA	ブースB
＊事前学習	＊webシステム上でレクチャーを視聴し，プレテストを受験	
〜09：00	受付	
09：00-09：15	レクチャータイム	
09：00-09：05	オリエンテーション	
09：05-09：15	京都プロトコール2020 ポイント概説	
09：15-09：50	スキルブース	
09：15-09：25	胸骨圧迫とAED（全員）	
スキル	神経学的評価／簡易心エコー	経鼻エアウェイ／BVM換気
09：30-09：40	グループ1	グループ2
09：40-09：50	グループ2	グループ1
10：00-12：20	シナリオブース	
シナリオ	心・血管系急変への対応	産科危機的出血への対応
10：00-11：00	グループ1	グループ2
11：10-12：10	グループ2	グループ1
12：10〜	質疑応答・修了式	
＊ポストテスト	＊webシステム上でポストテストを受験，合格点に達したら認定証発行可能	
	新1-1 分娩進行中の羊水塞栓症　　新1-2 抗菌薬によるアナフィラキシーショック　　新3-3 A群溶連菌感染による敗血症［分娩後］	新2-1 子宮収縮不全／産後過多出血　　新2-3 帝王切開後の後腹膜血腫　　新3-1 HELLPからの脳出血による痙攣

表3 J-CIMELS公認講習会ベーシックコース　webシステムを利用した9シナリオプログラム

指導者用	ブースA	ブースB	ブースC
＊事前学習	＊webシステム上でレクチャーを視聴し，プレテストを受験		
〜09：00	受付		
09：00-09：15	レクチャータイム		
09：00-09：05	オリエンテーション		
09：05-09：15	京都プロトコール2020ポイント概説		
09：20-09：50	スキルブース		
スキル	胸骨圧迫／AED	経鼻エアウェイ／BVM換気	神経学的評価／簡易心エコー
09：20-09：30	グループ1	グループ2	グループ3
09：30-09：40	グループ3	グループ1	グループ2
09：40-09：50	グループ2	グループ3	グループ1
10：00-12：55	シナリオブース		
シナリオ	心・血管系急変への対応	産科危機的出血への対応	急変の気づきと初期行動
10：00-10：55	グループ1	グループ2	グループ3
11：00-11：55	グループ3	グループ1	グループ2
12：00-12：55	グループ2	グループ3	グループ1
12：55〜	質疑応答・修了式		
＊ポストテスト	＊webシステム上でポストテストを受験，合格点に達したら認定証発行可能		

新1-1 分娩進行中の羊水塞栓症	新2-1 子宮収縮不全／産後過多出血	新3-1 HELLPからの脳出血による痙攣
新1-2 抗菌薬によるアナフィラキシーショック	新3-3 A群溶連菌感染による敗血症［分娩後］	
新1-4 周産期心筋症による肺水腫［病棟］	新2-2 子宮内反症／産後過多出血	新3-5 分娩時裂傷縫合時の局所麻酔薬中毒

筋症による肺水腫［外来］」「新3-2 A群溶連菌感染による敗血症［分娩前］」「新3-3 A群溶連菌感染による敗血症［分娩後］」「新3-5 分娩時裂傷縫合時の局所麻酔薬中毒」「新4-3 硬膜外鎮痛分娩下の子宮破裂」のシナリオを掲載しています．

　シナリオは全部で18本となりましたが，グループ化してわかりやすくするために，上記の通り一部のシナリオの番号が変更されています．旧プログラムでの指導に慣れたインストラクターは，シナリオ番号の変更に注意してください．新1-のグループは心・血管系がかかわる急変，新2-のグループは大量出血がかかわる急変，新3-のグループはその他の緊急治療を要する急変，新4-のグループは硬膜外麻酔にかかわる急変でまとめています．

　標準的な6つのシナリオに加え，追加シナリオから3つのシナリオを選択して合計9シナリオにしたコース開催も可能です．webシステムを利用した9シナリオプログラム例を**表3**に，2ブースで行う場合のプログラム例を**表4**に示します．なお，新4-のグループのシナリオは硬膜外鎮痛急変対応コース専用ですので，標準プログラムや9シナリオプログラムでは使わないでください．

表4 J-CIMELS公認講習会ベーシックコース　webシステムを利用した9シナリオプログラム（2ブース）

指導者用	ブースA	ブースB
＊事前学習	＊webシステム上でレクチャーを視聴し，プレテストを受験	
〜09：00	受付	
09：00−09：15	レクチャータイム	
09：00−09：05	オリエンテーション	
09：05−09：15	京都プロトコール2020 ポイント概説	
09：15−09：50	スキルブース	
09：15−09：25	胸骨圧迫とAED（全員）	
スキル	神経学的評価／簡易心エコー	経鼻エアウェイ／BVM換気
09：30−09：40	グループ1	グループ2
09：40−09：50	グループ2	グループ1
10：00−12：20	シナリオブース	
シナリオ	心・血管系急変への対応	産科危機的出血への対応
10：00−11：20	グループ1	グループ2
11：30−12：50	グループ2	グループ1
12：50−.	質疑応答・修了式	
＊ポストテスト	＊webシステム上でポストテストを受験，合格点に達したら認定証発行可能	

新1-1 分娩進行中の羊水塞栓症　　　　　　　　　新2-1 子宮収縮不全／産後過多出血
新1-2 抗菌薬によるアナフィラキシーショック　　新2-3 帝王切開後の後腹膜血腫
新1-4 周産期心筋症による肺水腫［病棟］　　　　新2-2 子宮内反症／産後過多出血
新3-3 A群溶連菌感染による敗血症［分娩後］　　新3-1 HELLPからの脳出血による痙攣
（新3-5 分娩時裂傷縫合時の局所麻酔薬中毒）　　（新3-5 分娩時裂傷縫合時の局所麻酔薬中毒）

2 レクチャータイムの運営

　J-CIMELS公認講習会ベーシックコースでは，プロトコールに基づいて急変対応のトレーニングを行います．具体的には，ABCの異常に対する介入を迅速に行い，早期に高次医療施設への搬送または集中治療室への移動を行うことを目標とします．そのためにはまず最初にプロトコールの構成と内容とを知っていただく必要があります．受講者は事前にweb上で学習してプレテストも受けてきていますが，コースの最初にもプロトコールの構成とポイントを確認する時間をとっています．qSOFAとCENTOR criteriaについてはプレテストの点数が低い傾向にありますので，ここで再確認してください．

　プロトコールの構成とポイントのレクチャーについては医師が担当し，スライドはJ-CIMELSで準備したものを使用してください．Web上に収載された参考動画を流すことで代用することも可能です．スライド解説の詳細はPart2-2を参照してください（→50p〜）．レクチャーを実施する上での留意点を表5にまとめました．

　これまでのコースでは，プロトコール解説の前にデモンストレーションを行ってきました．2020年からはweb上で事前学習してくるシステムになりましたので，プログラムからは削除

表5 レクチャーを実施する上での留意点

最初にあいさつと自己紹介，受講者背景の確認，講義の目的の説明を行う
可能な限りスライドや原稿を見つめず，受講者を見渡して話す
強調すべき点をしっかり強調する
接続詞に「それから」「そして」「後は」を多用しない
最後に質問とまとめの時間を持つ
質問に答えるときは特定の個人との会話にならないよう，全体に伝わるように話す

詳しくは「Part1 教育編」を参照のこと

しました．アイスブレイクとしてデモンストレーションを行う場合は，長くなりすぎないように時間管理に留意してください．

1) プロトコールの構成

以下の3点を受講者に伝えてください．

- プロトコールは「急変の感知」「母体の急変対応」「母体の心肺蘇生」「急変に対する準備」の4枚からなる
- 急変の感知では具体的な基準を明示してある
- 早期の高次医療施設への搬送または集中治療室への移動を意識して対応する

2) プロトコールの内容のポイント

以下の3点を受講者に伝えてください．

- 母体のモニタリングの重要性
- 急変の感知における具体的な基準とその内容
- 2020から呼吸数が入ったことと，その理由（敗血症とqSOFA）

3) 妊産婦用の qSOFA と CENTOR criteria のポイント

オリジナルの qSOFA や CENTOR criteria から，妊産婦用に変更を加えてあります．

4) 母体の心肺蘇生

以下の2点を受講者に伝えてください．

- 心肺蘇生の中心となるのは有効な胸骨圧迫であること
- 妊婦の心肺蘇生時の子宮左方移動実施と死戦期帝王切開の考慮

3 スキルブースの運営

知識の確認に引き続き，急変対応に必要なスキルを身につける時間をとります．これまでのコースでは，シナリオブースの中でスキル指導の時間をとっていましたが，webシステム導入後のプログラムでは，スキルブースとして独立して時間をとることとしました．標準プログラ

ムでは3ブースで運営することを基本としています．受講者がプログラムに沿って正しい順序で回ることができるよう，ブース番号を明示してください．

スキル指導を行う上では，インストラクターが見本を見せる時間を省き，できるだけ受講者が実技を行う時間を確保するように留意してください．また時間をうまくマネージメントし，受講者全員がスキルを体験できるようにしてください．Web上に収載された参考動画をブースで提示しながら進行することも可能です．指導のポイントは事前に本書と参考動画で確認しておいてください．スキル指導を行う上での留意点を**表6**にまとめました．

1) 胸骨圧迫スキル実習の運営

有効な胸骨圧迫を現場で実施するには，スキルを体で覚える必要があります．この実習では受講者3人につき1体のBLS用マネキンを用いることを基本とし，5分間連続で胸骨圧迫だけを続けてもらいます．準備が可能であれば，胸骨圧迫の測定機能があるマネキンを使うとより効果的です．マネキンの数が不足する場合は6人に1体で実施することもありますが，その場合は連続で圧迫を続ける時間を延長して，十分な練習時間を確保してください．

5分間連続の胸骨圧迫を3人で交替しながら行うことで，交替の必要性および交替時の中断をできるだけ短くすることを意識付けます．適切なテンポをキープするには，音楽をガイドにするとよいでしょう（「Diamonds」「オブ・ラ・ディ，オブ・ラ・ダ」など→66p）．胸骨圧迫実施中にはインストラクターが胸骨圧迫の位置，深さ，圧迫解除，速さなどをチェックして指導してください．

2) AEDの使い方

多くの受講者がどこかで一度はAED操作の実習を受けたことがあるはずですが，繰り返し実習する機会に乏しく，忘れてしまっているかもしれません．受講者グループの中でまだAED操作の実習を受けたことがない人がいれば，「胸骨圧迫を続けているところにAEDが到着した」という設定で操作体験をしてもらってください．まず電源を入れること，電気ショックを実施するときには周囲の安全確認を行うことを強調し，安全確認が不十分であれば感電したふりをしてください．全員がAED操作に習熟している場合は，スキルとしての指導は省略することも可能です．

表6　スキル指導を行う上での留意点

最初にあいさつと自己紹介，指導項目の概説を行う
インストラクターが見本を見せるのではなく，受講者にやってもらい，言葉で補う
受講者全員がスキルを体験できるようにする
可能な範囲で前後のストーリーを設定し，スキルを適用する場面を想起させる
シナリオの中でスキルが必要な場面があれば，判断して実施するように強調する

3）経鼻エアウェイの使い方

　一般名称は鼻咽頭エアウェイであることを説明した後は，経鼻エアウェイと呼んでもかまいません．継続して気道確保が必要な場合，鼻から挿入して舌根の裏側に留置することで簡単に気道確保できる器具であることを伝えてください．挿入前にはサイズ確認（太さは 6 ～ 7mm，長さは鼻尖部から耳の付け根まで）を行い，右の鼻腔から顔に対して垂直に挿入することを基本とします．左の鼻腔から挿入する場合は先端の鈍なほうを鼻中隔に向けて挿入を始め，咽頭後壁に達したところで 180 度向きを変えます．

4）バッグ・バルブ・マスクの使い方

　酸素投与だけでは酸素化が十分でない場合，バッグ・バルブ・マスクによる補助換気が必要となるため，ぜひ身につけていただきたいスキルです．1 人でマスクの密着とバッグ換気を行うのは難しく，2 人法が推奨されていることを伝えてください．2 人法では 1 人が両手でマスクを顔に密着させながら気道確保し，2 人目がバッグで換気します．リザーバーがついていること，流している酸素でリザーバーが常に膨らんでいることの確認が必要であることを伝え，全員に 2 人法での換気を経験してもらってください．

5）神経学的所見の取り方

　高年齢出産の増加とともに脳出血の症例も増えているため，簡易的な神経学的所見を取る必要があることを説明してください．神経学的所見の取り方の基本として「顔面の左右差」「構音障害」「上肢の左右差」を確認し，1 項目でも異常があれば脳卒中の可能性があること（シンシナティ脳卒中スケール），脳卒中の可能性があれば紹介先が変わるため痙攣後には評価することが望ましいことを伝えてください．高度意識障害があるときには麻痺の確認は困難ですが，両上肢の指先に痛み刺激を与えたときの反応を観察すれば，大きな異常は認識できるであろうことにも触れてください．事前学習ビデオを再度見せながら実習するのも効果的です．

6）簡易心エコーのやり方

　産婦人科医は妊婦健診などで腹部プローブを使い慣れており，胎児心拍は見慣れています．そのプローブを胸部に当てることで簡易的に母体の心エコーを診ることができます．左半側臥位にして，肋間に肋骨の走行に合わせてプローブを当てると心臓の動きを目視することができるはずです．ほねプロン®があれば，プローブを当てる位置がわかりやすくなります（→ 75p）．

　異常の有無は見た目の心収縮率で判断します（visual EF）．動画資料も準備していますので，活用してください．実機のエコーを準備できる場合は，男性インストラクターが被験者になり，実際に当ててもらうとよいでしょう．普段の健診のときから，妊産婦ご本人の許可を得て簡易心エコーを当てて正常な心収縮を見慣れていると，心収縮能が落ちるような異常があれば早期に感知できるということを強調してください．

4 シナリオブースの運営

　標準プログラムでは，シナリオブースは3ブースで運営することを基本としています．各ブースのテーマ・シナリオは下記の通りです．受講者に配るプログラムや各ブースの<u>指導開始時には，ブースのテーマやシナリオで想定する疾患名は受講者に知らせない</u>ようにし，シナリオシミュレーション実施後の振り返りの中で伝えるようにしてください．シナリオシミュレーションの開始にあたり，最初のグループには準備された物品や状況の詳しい説明を行ってください．準備すべき物品はPart3-2を参照してください（→ 236p～）．

- ●ブース1　テーマ：**心・血管系急変への対応**

　　（新1-1 分娩進行中の羊水塞栓症，新1-2 抗菌薬によるアナフィラキシーショック）

- ●ブース2　テーマ：**産科危機的出血への対応**

　　（新2-1 子宮収縮不全／産後過多出血，新2-3 帝王切開後の後腹膜血腫）

- ●ブース3　テーマ：**急変の気づきと初期行動**

　　（新3-1 HELLPからの脳出血による痙攣，新3-3 A群溶連菌感染による敗血症［分娩後］）

　1ブース運営の場合，すべてのシナリオを1つのブースで行います．2ブース運営の場合はブース1で新3-3を，ブース2で新3-1を行ってください．コースでは少なくとも6シナリオを実施することとし，ディレクターの裁量で追加してシナリオを行うことも可能です．

　Webシステムを利用したプログラムに移行した後は実習時間を長くとれるようになっており，各シナリオブースの時間を延長してシナリオを追加することも可能です．ブース1では「新1-4 周産期心筋症による肺水腫［病棟］」を，ブース2では「新2-2 子宮内反症／産後過多出血」を，ブース3では「新3-5 分娩時裂傷縫合時の局所麻酔薬中毒」を追加することを標準としますが，シナリオの選択はディレクターが最終的に判断します．シナリオブースを運営する上での留意点を**表7**にまとめました．各シナリオのポイントについては，Part2-4を参照してください（→ 77p～）．

　受講者は1グループ6人が上限です．1つのシナリオに3名の受講者が参加し，残りの受講者は見学します．シナリオに参加しているときは対応に必死で全体が見えにくくなりますが，外から見学するとやるべきことが見えてくるものです．見学の意義を明確に伝え，シナリオ参加と見学の両方を経験できるようにしてください．

　3名の受講者の役割は「医師役」「助産師役」「看護師役」です．ビブスやゼッケンなどを準備して誰がどの役割を担うのかを見てわかるようにしてください．J-CIMELSではシナリオ参加の際，受講者の本来の職種以外の役割も経験してもらうことを推奨しています．ただし受講者によってはそのことに抵抗感を抱くことがあります．その場合は役割を強制せずに本人の好きな役を選んでもらいましょう．シナリオ経験を重ねるうちに，多くの方が他職種の役割を経

表7 シナリオブースを運営する上での留意点

最初にあいさつと自己紹介，受講者背景の確認を行う
ブースのテーマを最初には説明せずに，まずシナリオから行う
状況設定，患者設定は明確にする（必要に応じてフリップなどを使用）
シナリオの開始，容態の変化，シナリオの終了を明確に示す
シナリオ中の受講者の行動をすぐに否定せず，自ら考えさせる
シナリオ中の受講者に行動の指示（正解）を与えず，ヒントを出して考えさせる
受講者からの指示は「具体的に」行うように誘導する（酸素投与や静脈路確保など）
振り返りは「講義」にならないように受講者から感想・意見を引き出す
最後に質問，まとめの時間を持つ
質問に答えるときは特定の個人との会話にならないよう，全体に伝わるように話す

詳しくは「Part1 教育編」を参照のこと

験することの重要性を認識し，最初の抵抗感を感じなくなります．

　急変対応に慣れていない受講者が真剣にシナリオシミュレーションに参加すると，相当な疲れを覚えます．指導に慣れていないインストラクターも同様です．ブースの合間には休憩時間をとり，できれば水分や糖分などを補給して[注]，集中力を維持できるよう配慮します．急変症例の経験が少ない受講者にとって，臨場感のあるシミュレーションは思いのほかストレスとなり，体調不良を訴えることもあります．変調を来した受講者がいれば声をかけ，場合によってはシナリオを抜けて休むよう配慮し，シナリオは他の受講者で続行しましょう．

　シナリオシミュレーションは実施することだけが目的ではなく，シミュレーション中にうまく行動できなかったことから課題を見つけ，スキルアップすべきポイントを認識してもらうことが重要です．そのためインストラクターは上手な振り返り，フィードバックの能力を身につける必要があります．フィードバック技術の詳細はPart1-2を参照してください（→22p～）．振り返り時はチェックシートを配布し[注]，ポイントを把握できるようにします．

　稀にですが，シナリオ内容に対して議論が白熱し，予想外に時間を費やしてしまうことがあります．本コースでは急変の認知，ABCのサポート，多職種・多機関の連携などを中心に指導していることを念頭に置き，シナリオ進行や振り返りもその内容を中心にしてください．特に標準治療が確立していない産科的な治療法の議論になると，他の受講者の実技時間を奪うことになってしまいます．参加者全員が学ぶ姿勢を保てるように意識して運営してください．

注）感染症蔓延期にはコース運営側では準備せず，個人で準備してもらう．

5 感染症蔓延期のコース開催

　ここでは飛沫感染・接触感染を起こす呼吸器感染症に対する注意点を主に示します．医療従事者が集まって行うセミナーでは，集団感染が生じないように感染予防策を取ることが必要になります．インストラクターも受講者も体調管理を万全にしてコース当日に臨んでもらうこと，体調面で問題があるときにはコースには参加できないことを事前に明確に伝えるようにします．手指衛生を頻繁に行うために，受付および各ブースに手指衛生の準備をしましょう．部屋の換気もこまめに行うように配慮します．部屋の2か所に常時換気できる開口部があればなおよいです．

　蔓延期にはインストラクターも受講者もコース中はマスクを着用してもらってください．実技を伴うスキルブースやシナリオブースでは，可能な限り受講者同士が正面を向き合わないようにしてもらい，インストラクターも可能な範囲で正面を向き合わないか，向き合うときは距離をとって指導するように努めます．飲食時はマスクを外す必要があり感染リスクが上がるため，蔓延期には飲み物やお菓子のコーナーは設置せず，個人管理にしてもらいましょう．接触感染を考慮する場合は物の受け渡しも最小限にし，実技で使用した物品はシナリオ終了ごとに清拭するとともに随時手指衛生を行ってください．役割表示についてはゼッケンの受け渡しを避けるため，受講者全員分のゼッケンを準備して着用した状態で役割用紙のみを貼り替えたり，使い捨てのシールにするなどの工夫を行ってください．感染症蔓延期にコースを開催する上での留意点を**表8**にまとめました．

表8　感染症蔓延期のコース開催の留意点

体調に問題があるときにはインストラクターも受講者も参加不可
コース中はインストラクターも受講者もマスクを着用する
受付と各ブースには手指衛生ができるように消毒薬を準備する
各ブースは十分に換気できるように常時2か所の開口部を確保する
受講者同士は正面を向き合わないように，インストラクターも近づきすぎない
物の受け渡しは最小限とし，チェックリストはブースでは渡さない
役割表示は用紙のみを貼り替えたり使い捨てのシールにするなどの工夫を
実技で使用した物品はその都度清拭する
飲み物やお菓子コーナーは設置せず，飲食中はおしゃべりしない

6 シミュレーショントレーニングの前提

　J-CIMELS 公認講習会ベーシックコースには，さまざまな背景を持つ受講者が参加します．職種は医師，助産師，看護師に加え，救急救命士や学生が参加することもあります．勤務先も一次施設，高次医療施設，大学病院などさまざまです．本コースでは最小限の医療スタッフ，最小限の医療資源で優先順位をつけて確実な急変対応を行うことを意識づけるため，基本的に産科単科医療機関の当直帯を想定してシナリオを作成しています（一部を除く）．

　シナリオ開始前にシナリオの現場が産科単科医療機関であることを伝え，医療機関や搬送先病院，患者の名前などを記したフリップ（図1）を貼り出す，またはホワイトボードに記載することなどでシナリオの前提を明確に示し，受講者が設定で戸惑うことなくシナリオ内容に集中できるように配慮します．加えて，最初に実施するシナリオの前には，以下の内容を明確にしておきましょう．

- 救急車で20～30分の距離に周産期センターがある
- プロトコールの「急変に対する準備」に書かれた資器材と薬剤は分娩室内にある
- 一般的に分娩時に準備する薬剤は分娩室内にある
- 尿の簡易定性検査は自施設内で実施可能，血液検査は外注を基本とする
- 輸血の院内在庫はなく，血液センターから取り寄せることを基本とする

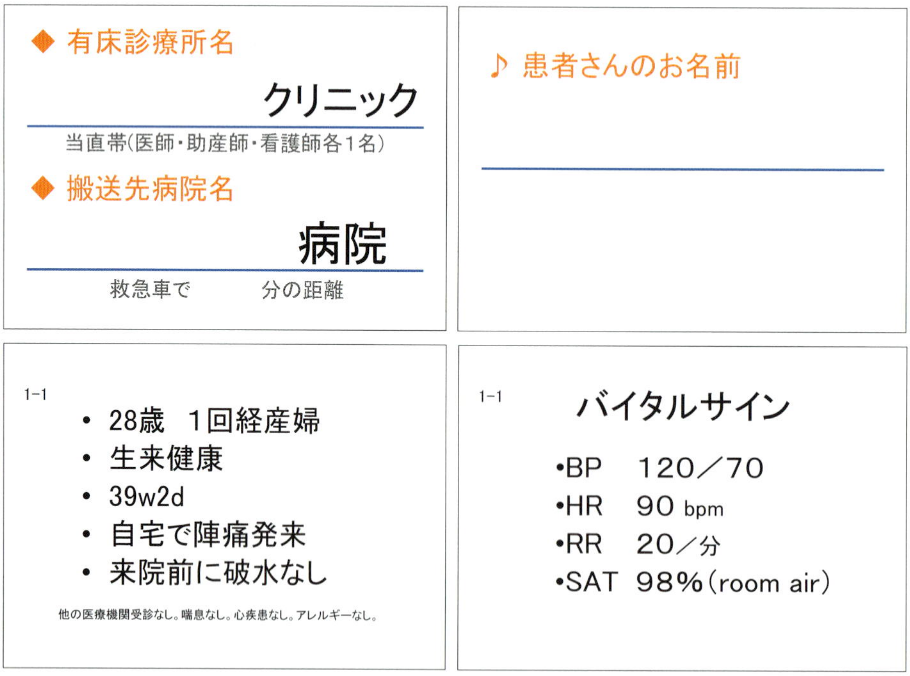

◆ 有床診療所名
　　　　クリニック
　　当直帯（医師・助産師・看護師各1名）

◆ 搬送先病院名
　　　　病院
　　救急車で　　分の距離

♪ 患者さんのお名前

1-1
- 28歳　1回経産婦
- 生来健康
- 39w2d
- 自宅で陣痛発来
- 来院前に破水なし

他の医療機関受診なし。喘息なし。心疾患なし。アレルギーなし。

1-1　バイタルサイン
- BP　120／70
- HR　90 bpm
- RR　20／分
- SAT　98％（room air）

図1 シナリオシミュレーションで使用するフリップ（例）

この「基本」はあくまで基本であり，受講者の施設状況に応じてアレンジ可能とします．

患者の声役や家族役はインストラクターが担当します．多くのシナリオでは助産師役が第一発見者となります．急変を認識して応援を呼ぶとき，単に「先生すぐ来てください」などと報告内容が十分でなければ，他の受講者が駆けつけるのを制止して具体的に（SBARに沿って）報告するよう誘導してください．処置の指示があいまいなときも，次の例に示すように具体的な指示を誘導してください．

先生，すぐ来てください

実際にその電話ですぐ訪室しますか？

先生，○○さんが急変です
すぐ来てください

もっと具体的に伝えると走って来てくれるかもしれません

先生，○○さんが急変です
SpO₂が86％になっています
すぐ来てください

輸液は生理食塩液を全開でお願いします

外の倉庫の冷え冷えのやつでいきます！

39℃に温めた生理食塩液でお願いします

ルートとってください

血管が細いので,24Gでとりますね?

できれば18Gでとってください

酸素投与してください

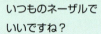
いつものネーザルでいいですね?

リザーバー付きマスクでお願いします

わかりました!
リザーバー付きマスクで1L流します

あ,10Lでお願いします

　シナリオ進行中,バイタルサイン測定とモニタリングの違いがわかるように,モニターの装着前はバイタルサインの値を声で読み上げる,ホワイトボードに書く,フリップで掲示するなどして,模擬患者モニター上に表示するのはモニター装着の指示が出てからにしてください.逆に急変発生後にモニター未装着のままでシナリオが進みそうであれば,モニター装着を促してください.血圧は受講者からの指示がなければ再測定しないことが基本ですが,モニター画面に表示された血圧が現在の血圧だと誤解され,シナリオが混乱しそうであれば,インストラクターの裁量で再測定してください.

7 硬膜外鎮痛急変対応コース

　硬膜外鎮痛による無痛分娩に関連する妊産婦死亡が報告され，急変時の適切な対応への注目が集まっています．硬膜外鎮痛下の分娩における母体のリスクには次のようなものがあります．

1　くも膜下腔への局所麻酔薬大量投与による全脊麻
2　血管内投与による局所麻酔薬中毒
3　産後過多出血の頻度が上昇
4　鎮痛による産道裂傷や血腫の早期発見の妨げ

　J-CIMELS公認講習会ベーシックコースのシナリオではショックの早期認知と即時の介入とが学べるようになっています．呼吸の異常に対しても，早期の酸素投与開始と換気補助を行うことの重要性が強調されています．万が一，心停止に陥った場合に対しては，心肺蘇生のスキルもトレーニングできるようになっています．

　以上の通常のベーシックコースに加え，硬膜外鎮痛下での分娩時に母体に起こる急変に対応するためのコースを用意しました．硬膜外麻酔の手技そのものは学習しません．硬膜外麻酔による合併症発生時の初期対応が母体の生死を左右します．このコースでは，講義で硬膜外麻酔施行時の注意点について知識の確認を行い，さらに合併症が生じたときの急変対応をシナリオシミュレーションで身につけられるよう構成しています（**表9**）．シナリオブースの受講者は，通常のベーシックコースと同様に1グループ6人が上限です．急変対応としての全体の流れは，ベーシックコースのプロトコールに則って進行します．

　全脊麻に対しては，ABCのサポートを早期から確実に行うことで心停止を防ぐことができます．局所麻酔薬の血管内誤投与による中毒症状に対しては，ABCのサポートに加えて脂肪乳剤投与を行い，痙攣や不整脈などの発症に備えます．硬膜外鎮痛分娩下の子宮破裂に対しては，痛みという非常に重要な所見が麻酔によってマスクされてしまうために診断が遅れてしまうことがあることを伝えます．いずれも胎児の状態だけに目を奪われず，母体のABCを同時に確認し，早期に異常に気付いて介入を行うことが重要です．

　開催を希望する場合は，J-CIMELS事務局へお問い合わせください．

表9 硬膜外鎮痛急変対応コースの内容（一部）

	内　容	担　当	時　間
講義1	硬膜外鎮痛下分娩の注意点	産婦人科	10分
講義2	無痛分娩の管理	麻酔科	40分
シナリオ	硬膜外麻酔中の合併症（全脊麻，局所麻酔薬中毒など）	認定インストラクター	90分

8 ベーシックコース更新コース

　J-CIMELS公認講習会ベーシックコースの受講を修了し，ポストテストで一定以上の点数を取れば，ベーシックコース認定証が発行されます．この認定証には有効期限がありますが，有効期限内に更新することができます．認定資格更新のためには

①ベーシックコース更新コースを受講する

②ベーシックコースを再受講する

という2通りの方法があります．ここではベーシックコース更新コースについて紹介します．

　ベーシックコース更新コースの受講対象者は，すでに通常のベーシックコースを受講して認定を受けた人ですので，コースの設定時間は通常のベーシックコースよりも短く，最短で2時間30分程度で開催できるようになっています．知識の確認としてのレクチャーパートは事前にweb上で視聴して学習し，プレテストを受けることでコースへの申し込み資格が得られます．コース終了後のポストテストも事後にweb上で受けてもらい，これは合格点に達するまで繰り返し受けることができます．

　Webシステムを活用することによって，コース当日はスキルとシナリオに集中できます．急変対応に必要なスキルは，まずスキルチェックとして評価した上で，正しく手技ができるように指導・修正を行います．シナリオはベーシックコースで使用する標準シナリオと新規シナリ

表10　ベーシックコース更新コースプログラム（2ブース）

指導者用	ブースA（グループ1）		ブースB（グループ2）	
	リードインストラクター：全身管理医		リードインストラクター：産婦人科医	
＊事前学習	＊webシステム上でレクチャーを視聴し，プレテストを受験			
〜10：00	受付			
10：00−10：30	スキルチェック			
スキル	BVM換気評価・指導		胸骨圧迫評価・指導	
12分	小グループ1a	小グループ1b	小グループ2a	小グループ2b
12分	小グループ2a	小グループ2b	小グループ1a	小グループ1b
10：30−12：25	シナリオシミュレーション			
シナリオ	心・血管系急変を中心に		産科危機的出血／急変の気づき	
10：30−11：25	グループ1		グループ2	
11：30−12：25	グループ2		グループ1	
12：25−12：30	まとめのセッション			
	webシステム稼動と登録料の説明・質疑応答・アンケート			
＊ポストテスト	＊webシステム上でポストテストを受験，合格点に達したら認定証発行可能			

　　　　　　　　　　　新3-3 A群溶連菌感染による敗血症［分娩後］　　新2-1 子宮収縮不全／産後過多出血
　　　　　　　　　　　新1-2 抗菌薬によるアナフィラキシーショック　　新3-2 A群溶連菌感染による敗血症［分娩前］
　　　　　　　　　　　新1-1 分娩進行中の羊水塞栓症　　　　　　　　新3-1 HELLPからの脳出血による痙攣
　　　　　　　　　　　（新1-4 周産期心筋症による肺水腫［病棟］）　　（新3-5 分娩時裂傷縫合時の局所麻酔中毒）

オから6シナリオを行うことを基本としています．新1-のグループ（心・血管系がかかわる急変）からは「新1-1 分娩進行中の羊水塞栓症」を，新2-のグループ（大量出血がかかわる急変）からは「新2-1 子宮収縮不全／産後過多出血」を，新3-のグループ（その他の緊急治療を要する急変）からは「新3-1 HELLPからの脳出血による痙攣」を実施してください．2ブースで行う場合のプログラム例を表10に示します．

なお，ベーシックコースの認定を更新する目的で通常のベーシックコースを再受講する場合，再受講者と新規受講者とで混合グループを作るのではなく，再受講者だけで受講者グループをまとめたほうが，シナリオシミュレーション進行や振り返りでの指導時にマネージメントしやすくなります．グループ分けを考える上でご一考ください．

9 救急科向けベーシックコース

救急関係者は急変対応やABCのサポートには慣れている反面，分娩介助やその前後に母体に起こりうる急変病態には慣れていないため，それらを知って身につけてもらうことを目標とした「救急科向けベーシックコース」が開発されています．受講対象は救急医だけでなく，救急当直に入る全ての医師も対象で，救急室看護師や救急救命士なども受講することがあります．

コース全体の枠組みは産婦人科向けベーシックコースと同じです．レクチャー部分（J-CIMELSと京都プロトコール，産科救急病態の基礎，分娩介助の基本）は事前にwebで受講してプレテストを受けます．当日は分娩介助および新生児蘇生のスキルと，救急室診療を想定したケーススタディをまず行います．スキル指導には助産師インストラクターに活躍していただきます．後半は産婦人科向けベーシックコースと同様にシナリオシミュレーションを行います．2ブースで行う場合のプログラム例を表11に示します．スキル指導のために分娩介助シミュレーターや新生児蘇生用のマネキンを準備する必要がありますが，救急医インストラクターを増やすためには本コースの開催も進めていく必要があるので，ぜひ各地で企画してみてください．開催を希望される場合は，J-CIMELS事務局へご相談ください．

（山畑佳篤・橋井康二）

表11 救急科向けベーシックコースの構成

10分	オリエンテーション	
190分	実技タイム	
	50分	Skill training	分娩介助体験とNCPR
	50分	Case study	妊産婦の救急診療
	45分	Simulation 1	妊婦の急変
	45分	Simulation 2	産後危機的出血
10分	Lecture 産婦人科ベーシックコース紹介	

計210分

2 プロトコールレクチャーのポイント

　京都プロトコールは，①急変の感知，②母体の急変対応，③母体の心肺蘇生，④急変に対する準備，の4つの柱で構成されています．2020年から受講者は事前にweb上でプロトコールレクチャーを学習し，プレテストを受けてくるシステムとなりました．そのため受講者全員を対象にレクチャーする時間はコースプログラムからはなくなりましたが，コースの冒頭にオリエンテーションの一環として京都プロトコールの構成と重要なポイントに絞って再確認する時間を取っています．この概説はディレクターもしくはディレクター見習いが担当してください．

　ここでは，コース内で行う「京都プロトコール2020 概説」のスライドと話す内容を示すとともに，web上で提供されている事前学習のスライドと解説内容を共有します．全てのインストラクターがその内容について熟知しておくようにしてください．

1 京都プロトコール2020 概説

■1 コースプログラムに先立ち，事前学習してきた京都プロトコールの構成とポイントとを再確認しておく．

■2 J-CIMELS公認講習会ベーシックコースは，母体急変時に第一発見者が行う初期対応をシナリオシミュレーションで学ぶコースである．急変発生現場がどこであれ，職種にかかわらず急変を早期に感知して早期に安定化させることを目標としている．

3 コースで用いる京都プロトコールでは，急変を早期に感知するために基準を明示し，即時介入して早期に転送を図る構成となっている．その内容は「母体安全への提言」や「産科危機的出血への対応ガイドライン」にも則っている．

4 京都プロトコールは「急変の感知」「母体の急変対応」「母体の心肺蘇生」「急変に対する準備」の4部から成り立つ．
心肺蘇生のスキルはこの後のスキルブースで実践して身につける．

5 急変の感知のためにはモニタリングが必要となる．バイタルサインのモニタリングと分娩出血のモニタリングに加え，京都プロトコール2020からは呼吸数のモニタリングが加わった．

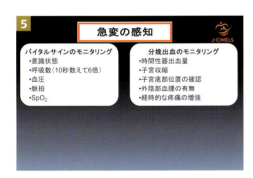

6 呼吸数は20回／分を超えれば頻呼吸，30回／分を超えれば超緊急事態となる．急変対応時には10秒で計測して6倍する．10秒間のうちに4回呼吸していればすでに頻呼吸であり、10秒間のうちに5回呼吸していれば超緊急事態である．ただし，陣痛で呼吸が荒くなっている妊婦にこの基準は当てはまらないため，陣痛が治まっているときや、分娩前・分娩後の適応となる．

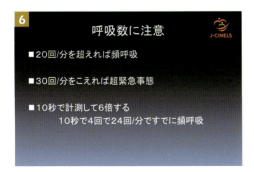

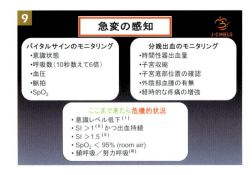

7 呼吸数のモニタリングが加わった背景には，近年敗血症による母体死亡が問題となっていることがある．敗血症を早期に感知する一つの方法としてqSOFAを確認することが必要になってきている．オリジナルの基準では収縮期血圧が100mmHg以下となっているが，妊産婦の場合は若い女性であることから，J-CIMELSの修正版では90mmHg以下としている．感染が原因だと思われる発熱を認めた場合，qSOFA（妊産婦修正版）の基準を満たせば，敗血症として迅速に高次医療施設へ搬送依頼する．

8 敗血症の死亡例の中でも特に問題視されているのが，劇症型A群溶連菌（GAS）感染症である．産科では分娩進行，産後処置などに集中するため，GAS感染の初期徴候である発熱と咽頭痛という非特異的な症状を見逃しやすい．発症からの病状悪化は極めて急速で，発症早期に抗菌薬治療を開始しなければ24時間以内に死亡しうる．
この溶連菌感染をスクリーニングするために用いられるのが，CENTOR criteriaである．J-CIMELSの妊産婦修正版では，オリジナルの基準に妊娠中か否かという項目を加えている．妊産婦に発熱＋咽頭痛があればCENTOR criteria（妊産婦修正版）を参考に，GAS咽頭炎の治療開始を検討する．

9 急変の感知の中心は，母体のバイタルサインのモニタリングと，子宮の状態や出血の観察である．基準として
・痛み刺激に開眼しない
・SIが1を超えてかつ出血が持続している
・原因がわからなくともSIが1.5を超えている

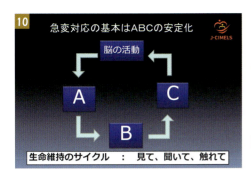

・SpO_2 が継続して95%を下回っている
・頻呼吸や努力呼吸を認める

いずれか一つでも当てはまれば危機的状況と考え，ただちに急変対応を開始する．

10 急変対応の基本は，生命維持のサイクルである「A：気道」→「B：呼吸」→「C：循環の安定化」と，脳の高次機能とを守ることである．
急変対応時には常にこのサイクルを維持することを意識して処置を行う．
ここからは少人数グループに分かれ，実際に体を動かして学習を進めていく．

2 webレクチャー：京都プロトコール解説

1 本コースは母体急変時の第一発見者が急変を早急に感知し，的確に救急処置を行いながら搬送するために必要な知識と技法を学ぶためのJ-CIMELS主催のMaternal Emergency Life-saving（J-MELS）ベーシックコースである．
一次施設のみならず，総合病院の産科病棟で院内発生した際にも，第一発見者が取るべき対応は同じである．

2 2015年10月，日本産婦人科医会，日本産科婦人科学会，日本臨床救急医学会，日本麻酔科学会，日本周産期・新生児医学会，京都産婦人科救急診療研究会，妊産婦死亡症例検討評価委員会の7組織は母体救命率の向上を目指し，共同で日本母体救命システム普及協議会（J-CIMELS）を設立した．2016年10月より日本看護協会，日本助産師会，日本助産学会も賛助組織となった．

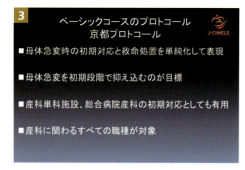

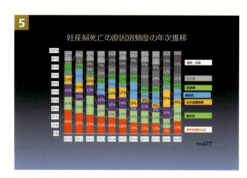

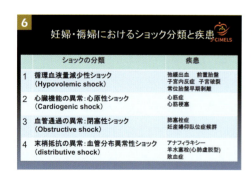

3 プロトコールの内容は，母体急変時に現場の第一発見者が迅速に救命処置を行うための手順を簡略化したものである．

母体急変は，原因疾患の診断に時間をとられ，初期対応が遅れると一気に全身状態が悪化する．原因検索と同時に救命処置を迅速に開始することを目標にしている．

有床診療所の医療資源だけで十分対応できる内容となっており，総合病院の産婦人科病棟での対応にも応用でき，分娩にかかわる全ての職種向けになっている．

4 母体死亡例の多くは妊娠後期に発生しており，分娩1期から産褥5日までが50％を占めている．分娩を取り扱っているすべての施設で発生しており，どこで勤務していても母体急変のリスクは同等に背負っているといえる．

5 産科危機的出血の頻度が減少傾向にあるが，脳出血，心・大血管疾患，感染症などは減少していない．

6 ショックは一般に次の4つに分類できる．
①循環血液量減少性ショック
②心臓機能の異常：心原性ショック
③血管通過の異常：閉塞性ショック
④末梢抵抗の異常：血液分布異常性ショック

母体に起こりうるショックの原因疾患は出血だけではなく，4つのショックのすべてが死亡原因になりうる．患者がショックの症状を呈した際に第一発見者がすぐに原因疾患を特定できるとは限らず，まずは適切な救命処置を行わなければならない．

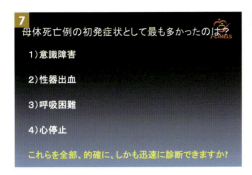

7 母体死亡症例の初発症状として多いのは、例年「2 性器出血」であるが、「1 意識障害」も多く、「3 呼吸困難」「4 心停止」も上位を占めている。常に重症患者を受け入れている施設のスタッフでもなければ、このような症状を発現する患者に接する機会は少なく、診断にも慣れていない。

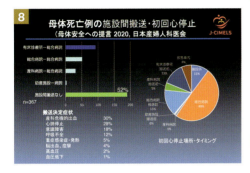

8 搬送決定症状は産科危機的出血以外に心肺停止や意識障害、呼吸不全も多く、感染症も増えている。心停止は全ての医療施設で発生しており、施設の大小にかかわらず、心肺蘇生の正しい手技を習得すべきである。

9 プロトコールは「急変の感知」「母体の急変対応」「母体の心肺蘇生」「急変に対する準備」の4部から成り立つ。急変をいち早く感知して適切な救命処置を行い、それでも心肺停止した際に的確な心肺蘇生を行うためのプロトコールである。

10 他の蘇生コースと同様、急変時に「A：気道の確保」→「B：呼吸と換気」→「C：循環の維持」により脳の高次機能を守ることを目標にしている。産婦人科医は出血に対する処置などの局所への対応に追われ、全身管理がおろそかになりやすい。急変時には常にこのサイクルがうまく回っているかどうかを意識しながら処置を行う必要がある。

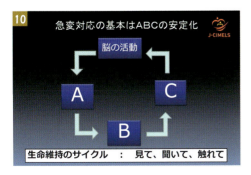

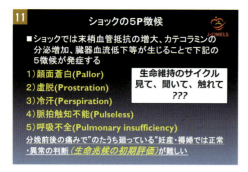

11 初発症状が現れる前にショックの徴候を感知し対応するためには，患者の生命維持のサイクルに異常がないかを詳細に観察する必要がある．
ただし，分娩前後の痛みで「のたうち回っている」妊産婦はすでに顔面蒼白で冷や汗をかいており，また分娩時間が長時間に及ぶと虚脱状態も表れるため，正常・異常の判断が難しい．

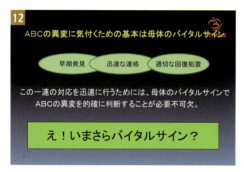

12 刻一刻と進行する病態をショックに陥る前に感知するためには，バイタルサインという単純で評価しやすい指標を，それも継時的にモニタリングすることが重要である．バイタルサインの異常を感知することで「早期発見」「迅速な連絡」「適切な回復処置」につながる．バイタルサインというとすでにわかり切ったことのようだが，重要性を常に意識していなければ正確な診断は難しい．

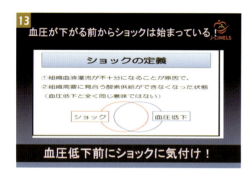

13 ショックとは，循環障害により臓器や組織の生体機能を維持するための酸素供給が不十分になった状態である．血圧が下がる前にショックは発症している．われわれは血圧低下を来してはじめて異常に気付くが，血圧低下の前に組織レベルではすでに生命維持に必要な血液灌流が不十分になっていることがある．

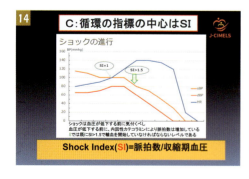

14 「産科危機的出血への対応ガイドライン」の中心となっているのも，循環の指標であるショックインデックス（SI）である．SIは脈拍数を収縮期血圧で割って算出する．血圧が低下する前にSIは1.0を超えている点が重要である．太い矢印の時点ではすでにSIは1.5以上で，2,500mL以上の出血が推定され，輸血を開始していなければならないレベルである．

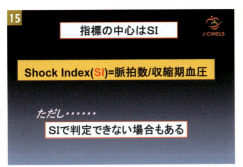

15 このように循環の指標としてSIは有益であるが，SIでは判定できない場合もあることには注意が必要である．

16 子宮内反症や子宮破裂では激烈な痛みのために徐脈となることがあり，出血で収縮期血圧が下がってもSIは1を超えない場合がある（その後も出血が続き，代償期を超えると一気に1を超えてくる）．
また，妊娠高血圧症候群で収縮期血圧が高いと，出血により少々頻拍になってもSIは1を超えないので注意が必要である．
ただし，これらの疾病では他のショックの徴候も発現するので，モニターだけを見るのではなく，臨床所見をも見ることでショックに気付くことができる．

17 京都プロトコールは4部構成となっている．
「急変の感知」で異常を早期に感知し，同時に「母体の急変対応」を迅速に行いつつ，高次医療施設への搬送準備あるいは院内急変コールを行うことを軸とし，その行動に必要な「急変に対する準備」，さらに心停止に陥った際の「母体の心肺蘇生」を加えている．

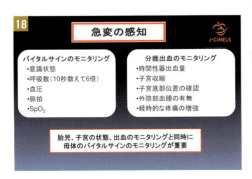

18 急変の感知の中心は，母体のバイタルサインのモニタリングと，胎児や子宮の観察である．
バイタルサインのモニタリングは，自動計測装置を使えば手間はそれほどかからない．正常分娩と思われる症例であっても，分娩室入室前から自室に戻るまでの間は15〜20分ごとに計測し，モニタリングする．

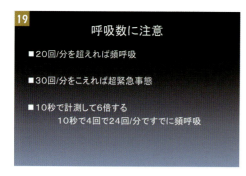

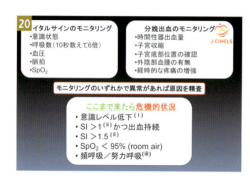

[19] 京都プロトコール2020からは呼吸数のモニタリングが加わった．呼吸数は20回／分を超えれば頻呼吸，30回／分を超えれば超緊急事態となる．急変対応時には10秒で計測して6倍する．10秒間のうちに4回呼吸していればすでに頻呼吸であり、10秒間のうちに5回呼吸していれば超緊急事態である．ただし，陣痛で呼吸が荒くなっている妊婦にこの基準は当てはまらないため，陣痛が治まっているときや、分娩前・分娩後の適応となる．

[20] モニタリングで以下の条件のいずれかに当てはまれば，危機的状況と考えて急変対応を開始する．この条件まで待つ必要はなく，より早期に対応を開始してもよいが，状況にかかわらずこの条件に達したら対応を必ず開始する．

SI＞1は臨床上よく経験する．この時点で1,500mL以上の出血が予測される．出血が止まり，バイタルサインがすべて正常化すれば自ずと1以下に下がる．出血が持続する場合は危機的状況として搬送または院内急変コールの適応である．妊娠中に循環血液量は40〜50％増加しており，出血があっても代償作用が働いている間はなかなか症状は発現しにくい．

SI＞1.5は原因が何であれ，ただちに搬送すべきレベルである．原因が循環血液量減少であれば2,500mLの出血が予測され，すでに輸血の適応である．

20〜30代の女性でSpO_2が継続して95％を切っているのは異常で，健常な新生児と混同しないよう注意する．

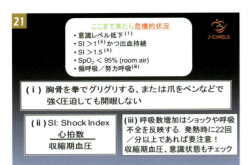

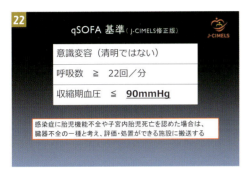

21 産科医が意識レベルのチェックを行う機会はそれほど多くない．痛み刺激に対して開眼しない場合はJapan coma scaleで3ケタのレベルであり，ABCに高度な異常があるか，脳の高次機能に障害が発生している可能性がある．ただちにABCのサポートを行うと同時に，脳神経学的診断が可能な施設に搬送すべき状態である．痛み刺激の方法として「胸骨を拳でグリグリする」と「爪をペンで強く圧迫する」は簡単で覚えやすい．呼吸数増加はショックや呼吸不全などABCの異常を鋭敏に反映する．呼吸数が10秒あたり5回以上になっていれば緊急度が高い．呼吸数が10秒あたり2回未満になっていればバッグ・バルブ・マスク換気が必要である．

22 呼吸数のモニタリングが加わった背景には，近年敗血症による母体死亡が問題となっていることがある．敗血症を早期に感知する一つの方法としてqSOFAを確認することが必要になってきている．オリジナルの基準では収縮期血圧が100mmHg以下となっているが，妊産婦の場合は若い女性であることから，J-CIMELSの修正版では90mmHg以下としている．感染が原因だと思われる発熱を認めた場合，qSOFA（妊産婦修正版）の基準を満たせば，敗血症として迅速に高次医療施設へ搬送依頼する．

23 敗血症の死亡例の中でも特に問題視されているのが，劇症型A群溶連菌（GAS）感染症である．産科では分娩進行，産後処置などに集中するため，GAS感染の初期徴候である発熱と咽頭痛という非特異的な症状を見逃しやすい．発症からの病状悪化は極めて急速で，発症早期に抗菌薬治療

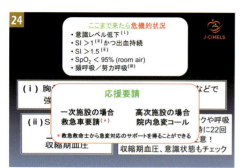

を開始しなければ24時間以内に死亡しうる．この溶連菌感染をスクリーニングするために用いられるのがCENTOR criteriaである．J-CIMELSの妊産婦修正版ではオリジナルの基準に妊娠中か否かという項目を加えている．妊産婦に発熱＋咽頭痛があれば，CENTOR criteria（妊産婦修正版）を参考に，GAS咽頭炎の治療開始を検討する．

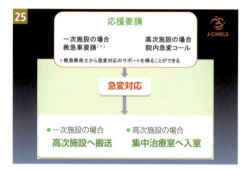

24 いずれにしてもこの基準に当てはまればただちに院内急変コールで他科の医師も含め応援を呼ぶ．有床診療所では高次医療施設および119番に連絡し母体搬送を依頼する．救急救命士は急変対応の手技に慣れており，早期に救急車を要請すれば救急救命士から急変対応のサポートを得ることも可能である．応援要請や搬送依頼については，普段から院内の全身管理医や基幹病院と協議しておくことも必要である．

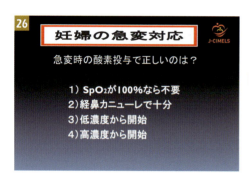

25 総合病院であれば院内急変コールで応援が来るまでに約3分，有床診療所であれば救急隊の到着までに約8分を要する．患者の脳の高次機能を守るには，この数分の間に的確な救命処置を始める必要がある．

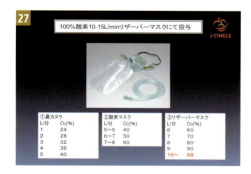

26 出血による貧血でヘモグロビンが低値であっても酸素飽和度は100％になる．SpO_2が正常値であっても他の所見からショックの可能性があると考えられる場合は酸素を投与する．最初はできるだけ高濃度から開始する．新生児蘇生と混同しないように注意する．

27 吸入酸素濃度を上げるには，リザーバー付マスクが必須である．経鼻カニューレは投与量を増や

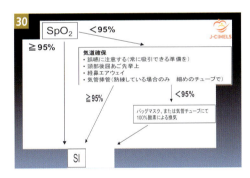

すと鼻粘膜に強い刺激が加わり痛みを伴う上，吸入酸素濃度は高くならない．急変対応時にはリザーバー付マスクで10L以上の酸素を投与する．

28 自発呼吸の有無をチェックするのはプロトコールの分岐点である．「自発呼吸がはっきりしない場合は胸骨圧迫開始」は非常に重要である．確認に手間取ってはならない．自発呼吸や脈の有無を確認することに時間をかけるより，判断に自信がなければただちに心肺蘇生を開始する．仮に胸骨圧迫を開始して患者が苦しがったり，意識があるとわかった時点で中断すればよい．

29 酸素投与を行っても十分なSpO_2上昇がなければ気道確保を行う．基本は用手気道確保であり，慣れない気管挿管はかえって危険である（どのような症例に対しても高い確率で挿管を成功させるには，60例以上の気管挿管の実績が必要である）．

妊娠高血圧症候群などで浮腫のある患者では，挿管に失敗すると喉頭浮腫が増悪し，換気がますます困難になる．外科的気道確保を行う自信がなければ気管挿管を行うべきではない．発声があれば気道は開通していると判断してよい．

口腔内に吐物を認めれば吸引チューブで吸引する．口腔エアウェイは意識がある患者では嘔吐を誘発するため，経鼻エアウェイ（6.0〜7.0mm）を使う．

30 気道確保を行っても十分なSpO_2上昇がなければバッグ・バルブ・マスクで換気を行う．続いてSIを確認し，SIが1を超えていれば急速輸液を行う．

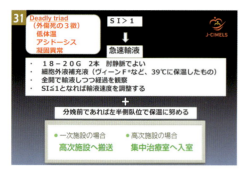

31 急速輸液が必要な場合は太いゲージの静脈留置針を用いる．輸血を考えると20G以上の針が望ましい．ショックバイタルから改善すれば速度調節を行う．低体温・アシドーシス・凝固異常は外傷死の3徴といわれ，出血が止まらなくなり死亡率が高くなる．それを防ぐには輸液を冷たいまま投与することを避け，毛布などをかけて保温に努めることが重要である．左半側臥位が無理なら子宮の左方移動でよい．

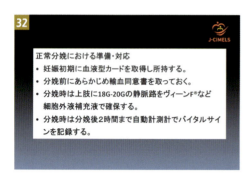

32 分娩室入室後は細胞外液補充液で輸液を開始する．それまでは生理食塩液でロックしておくのでもよい（ロックするのはヘパリン入りでなくてよい）．バイタルサインのチェックは少なくとも分娩室に入室する前から開始し，分娩後2時間までは15～20分ごとに自動計測機を用いて継続する．

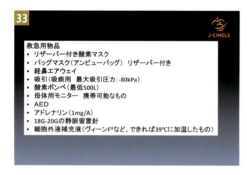

33 通常，分娩室に常備されている降圧薬（アプレゾリン®，ペルジピン®），エフェドリン®，子癇発作時のマグネシウム製剤やホリゾン®，過多出血時のトランサミン®，局所麻酔薬中毒に対する脂肪乳剤などに加え，アドレナリン（1mg/A）を準備しておく．他の物品は医療資源の少ない施設でも準備しておくべきものである．

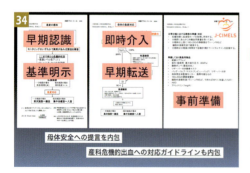

34 プロトコールは，施設の規模にかかわらず，急変の第一発見者が迅速に行動するための指針である．急変を早期に感知するための基準を明示し，即時介入して早期に転送することを促す内容になっている．事前準備に必要なものは一次施設でも用意できるものに限定している．適切に即時介入しても病状が悪化し，心停止に至る症例に対する心肺蘇生法については，全身管理医が解説を行う．

3 webレクチャー：母体の心肺蘇生

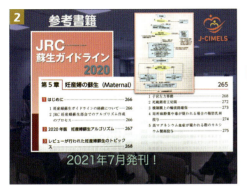

■1 京都プロトコールのうち「母体の心肺蘇生」について解説する.

■2 ここで解説する内容は，国際コンセンサスに基づいた『JRC蘇生ガイドライン2020』（日本蘇生協議会／2021年7月刊行）に則っている. 2020からの大きな変更点として，「第5章 妊産婦の蘇生」が加わり，妊産婦の蘇生に関わる5つのトピックが取り上げられている. 妊産婦蘇生のアルゴリズムも記されており，参考になる.

■3 日本の蘇生ガイドラインでは，救命処置の一連の流れは「救命の連鎖」として表される. 4つの鎖がつながることで救命につながるという考え方である.
1つ目の鎖は心停止の予防である. J-CIMELSでは，妊産婦が心停止に陥る前にくい止めることを最大の目標としている. ひとたび心停止に陥ると，社会復帰は非常に難しくなるからである. 一番の救命処置は心停止にしないことだが，心停止に陥ってしまう症例は一定頻度で存在する. 急変を早期に認識して周囲に知らせることが2つ目の鎖である. 3つ目の鎖は，第一発見者がその場でただちに心肺蘇生法（CPR）を開始しAEDを使うこと，そして4つ目の鎖が二次救命処置と心拍再開後の集中治療で，この治療の質により患者が社会復帰できるかどうかが変わってくることが明らかになっている. 本レクチャーでは，「早期認識と通報」「迅速なCPRとAED」について詳しく解説する.

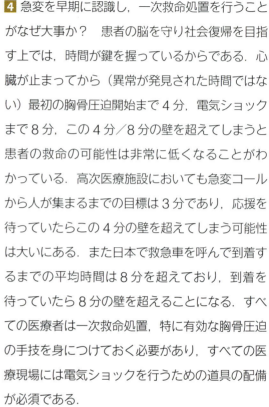

4 急変を早期に認識し，一次救命処置を行うことがなぜ大事か？ 患者の脳を守り社会復帰を目指す上では，時間が鍵を握っているからである．心臓が止まってから（異常が発見された時間ではない）最初の胸骨圧迫開始まで4分，電気ショックまで8分，この4分／8分の壁を超えてしまうと患者の救命の可能性は非常に低くなることがわかっている．高次医療施設においても急変コールから人が集まるまでの目標は3分であり，応援を待っていたらこの4分の壁を超えてしまう可能性は大いにある．また日本で救急車を呼んで到着するまでの平均時間は8分を超えており，到着を待っていたら8分の壁を超えることになる．すべての医療者は一次救命処置，特に有効な胸骨圧迫の手技を身につけておく必要があり，すべての医療現場には電気ショックを行うための道具の配備が必須である．

5 続いて，心肺蘇生法（CPR）の中心となる「有効な胸骨圧迫」について解説する．

6 心肺蘇生の中心となるのは，胸骨圧迫を続けることである．どのような胸骨圧迫であっても，やらないよりはやったほうが救命率は上がることがわかっており，自信がなくとも見よう見まねでも行うほうがよい．研究の結果，有効な胸骨圧迫とはどういうものかが明らかになってきており，より有効な胸骨圧迫を身につけてほしい．
救命率を上げるための有効な胸骨圧迫のキーワードは「強く」「速く」「絶え間なく」である．
withコロナ時代には，口対口の人工呼吸は推奨されない．患者さんには必ずサージカルマスクを装着してもらい，バッグ・バルブ・マスクで換気を

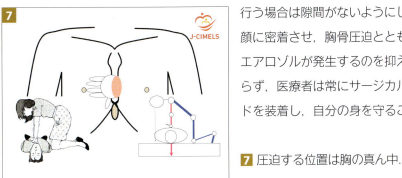

行う場合は隙間がないようにしっかりとマスクを顔に密着させ，胸骨圧迫とともに呼気が出てきてエアロゾルが発生するのを抑える．蘇生現場に限らず，医療者は常にサージカルマスクとアイガードを装着し，自分の身を守ることを心がける．

7 圧迫する位置は胸の真ん中．胸骨下半分の平らな部分に手の付け根を置き，もう一方の手を重ねる．臓器損傷を起こす可能性があるので，剣状突起やお腹を押さないよう注意する．ガイドラインでは，一般成人も妊産婦も方法は同じでよいとされているが，妊娠後期で子宮が気になる場合は，少し手を頭側にずらしてもよい．押すときは肩・肘・手の付け根が一直線になるような姿勢をとる．このときの目線は胸ではなく，向こう側の腋の下あたりを見下ろすつもりで押すと，垂直に圧迫することができる．妊娠後半の妊婦に対する蘇生の場合，子宮の左方移動も実施する．

8 胸骨圧迫の強さは胸の厚さが約5cm変形するくらい押し，1回押すたびに胸の高さが元に戻る（解除する）ようにする．押している時間と解除している時間は1：1になるようにすることが望ましい．6cmを超えると骨折や臓器損傷などの合併症が増えることがわかっているため注意する．速さは1分間に100〜120回／分の速さで押す．「絶え間なく」とは，できるだけ中断がないよう，中断せざるを得ないときには10秒以内にとどめることを意味する．バッグ・バルブ・マスクの準備ができたら，胸骨圧迫と換気を30：2の割合で行う．この胸骨圧迫を長時間続けると疲れるので，ガイドラインには1〜2分で交替することの重要性が明記されている．

9 テンポよく圧迫解除をしながら胸骨圧迫を続けるには音楽が役に立つ．テンポ112くらいで裏打ちのある曲がよい．歌詞を替え歌にして2曲用意している．1曲目はプリンセス・プリンセスの「Diamonds」，2曲目はビートルズの「オブ・ラ・ディ，オブ・ラ・ダ」である．QRコードでアクセスして聞いてみていただきたい．

10 胸骨圧迫を開始するタイミングについて，蘇生に慣れていない人は医師であっても脈の触知にこだわらないことになった．いざというときに短時間で正確に判断するのは非常に難しく，ここに時間をとられると，胸骨圧迫の必要がある人に対し開始が遅れてしまうためである．普段通りの呼吸をしていなければ心停止と判断し圧迫を始める．明らかに脈がふれる，胸壁越しに心尖拍動が見えるなど心拍が確認できる場合を除き，迷ったらすぐに胸骨圧迫を始める．

死戦期呼吸の例について，QRコードでアクセスして確認していただきたい．心停止した直後はまだ脳にわずかな酸素が残っており，脳は生命維持のための命令を出している．そのときにしゃくりあげるような顎の動きだけが残ることがあり，これを死戦期呼吸という．動画の例では顔色は土気色で，顎は動くが，胸はふくらんでいない．このときは心停止と判断し，胸骨圧迫の対象となる．AEDで電気ショックを行った後に循環が戻れば，体動が見られたり，胸が動いて呼吸運動を行っていることなどがわかるようになる．動画の後半では顔をしかめる，つばを飲み込むといった高次機能の徴候が見られ，循環があることを表している．血の気も戻っており，こうなると普段通りの呼吸だと判断してよい．

重要なのは判断に迷わないことである．判断は10秒以内に行い，迷ったときは胸骨圧迫を開始するということもガイドラインに明記されている．患者に循環があれば，胸骨圧迫は痛み刺激になるので，払いのけたり逃げたりする動きが見られる．そのときはいったん中止して再度判断すればよい．この間，何度か胸を押すことで重篤な合併症が起こることはないとも書かれている．

⓫ 最後に，withコロナ時代の注意点を追加しておく．医療機関の中では常にサージカルマスクとアイガードを装着し，飛沫感染から自らを守るとともに，自らが無症候性感染者であった場合に他人にうつさないようにする．合言葉は「うつらない，うつさない」．院外でも自覚を持って行動する．新型コロナウイルスは発症の2日前から感染性を持っているため，たとえ症状がなくても，感染している可能性を考えて常にマスクを装着する．自らが息を吹き込む人工呼吸は行わない．新型コロナウイルス感染が否定できない場合を想定して個人防護具を着用するとともに，応援と交代したら手洗いと手指衛生を優先し，手指衛生が終わるまでは絶対に自分の首から上を触らない．

⓬ バッグ・バルブ・マスク換気は，ガイドラインでは2人法が推奨されている．新型コロナウイルス感染が否定できない場合，バッグ・バルブ・マスク換気を行うときにはフィルター（人工鼻）を装着する．一回換気量が多すぎると蘇生率が下がるため，胸が軽くあがる程度に行う．

（橋井康二・山畑佳篤）

3 救命スキルトレーニング

　急変対応時にABCのサポートを行うためには，有効かつ正確な救命スキルを身につけておく必要があり，シナリオトレーニングの前にスキルトレーニングを行います．2020年から，受講者は救命スキルのポイントについて事前にweb上で解説動画を視聴できるようになっています．コース中にも動画を活用しながら指導してもよいですが，漫然と動画のすべてを視聴させるようなことはせず，受講者がスキルを体験できる時間を多くとるようにしてください．以下にweb上で提供されている解説動画の内容と指導ポイントを共有します．

1　有効な胸骨圧迫

　胸骨圧迫のスキルトレーニングにおいては，原則として受講者3人につき1体の蘇生マネキンを用いる．蘇生の座学から胸骨圧迫の実技へ移る際には，インストラクターが手際よく受講生を蘇生マネキンの場所へ誘導し，誰から開始するかを指示する．要領よく誘導しないと時間を浪費する．

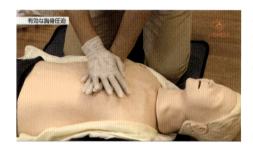

胸骨の下半分（胸の真ん中）に手を置き，もう一方の手を重ねる．そのまま重ねても，指を組み合わせてもよい．圧迫する手がお腹側にずれてしまうと，剣状突起という骨を折って内臓を傷つけることがあるため注意する．妊婦によっては妊娠子宮が胸骨の下近くまでせり出していることがあり，このような場合は子宮を直接圧迫しないよう，より頭側を圧迫してもよい．

肘を伸ばして曲がらないようにし，手の付け根・肘・肩が一直線になるような姿勢で行う．

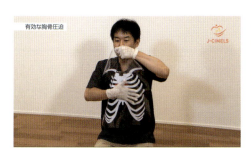

胸骨の後ろに縦隔が，その後ろに心臓があり，胸骨を押すことによって心臓がマッサージされるというイメージを持つとよい．

胸の厚さが5cm程度（6cmを超えない）沈み込むように押す．1回押すごとに圧迫を完全に解除し，胸に全く力がかからないようにする．速さは100〜120回／分で，トレーニングの際には適切なテンポをキープするため，音楽をガイドにする．

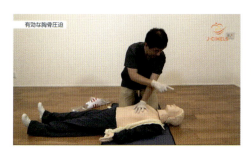

人工呼吸のための道具が届くまで胸骨圧迫を続ける．届いたら，30回の圧迫に対し2回の換気を組み合わせて行う．

　一人で続けていると，疲労のためにどんどん圧迫が有効でなくなってくる．1〜2分ごとに交替するようガイドラインにも明記されている．トレーニングを通して，交替の必要性を意識づけたい．

この後，5分間連続での胸骨圧迫トレーニングを行い，上記の内容を実践してもらう．

2　AEDの使い方

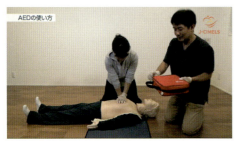

AED（Automated External Defibrillator：自動体外式除細動器）は，心停止に陥った患者にのみ用いる機器である．すなわち，すでに胸骨圧迫が始まっている状態で使用する．

AEDが到着したら，まず最初に電源を入れる．電源を入れると使い方の解説が始まるので，それを聞けば慌てているときでも使用できる．

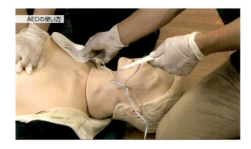

パッドを貼る前に衣服を脱がせ，皮膚とパッドの間には何もはさまらないようにする．パッドには装着する位置のイラストが描いてあるので，その通りに貼る．2枚のパッドで心臓を挟み込むようなイメージで貼る．このとき胸骨圧迫の邪魔にならないようにする．貼っている間も胸骨圧迫は中断しない．

パッドを貼ったら電源のコネクターを接続する．心電図の解析が始まったら，胸骨圧迫を中断して患者から離れる．

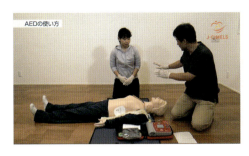

ショックが必要と判断されたら,電気ショックを行うので患者から離れる.周囲の安全を確認してから放電ボタンを押す.

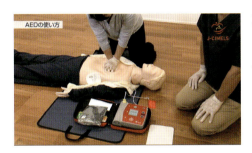

放電後は直ちに(音声メッセージを待たずに)胸骨圧迫を再開する.最初の電気ショックの後,2分経つと再び自動的に解析が始まるので,この間は胸骨圧迫と人工換気を続ける.

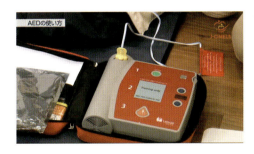

解析の結果,ショックの適応でなければ胸骨圧迫を再開する.

3 バッグ・バルブ・マスクの使い方

バッグ・バルブ・マスクは,酸素投与だけでは酸素化が保てないとき,もしくは呼吸数が少なくなって補助換気が必要な場合に用いる.バッグとバルブとマスクから構成され,一方向に空気が流れるような構造になっている.

まず，マスクを顔に密着させて気道確保を行う．とがっているほうを鼻側にしてマスクを顔に当てる．左手の親指と人差し指でCの形を作ってマスクを保持し，残り3本の指で下顎骨を引き上げ，気道を確保する．特に小指を下顎角に引っ掛けて持ち上げる．

右手でバッグをもみ，換気を行う．気道確保がしっかり行えていれば，換気を行うことができる．1回換気量は軽く胸が上がる程度とする．吹き込み過ぎると，蘇生にマイナスの影響があることがわかっている．

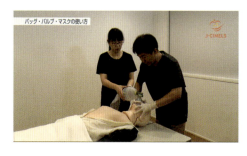

片手での気道確保は難しいため，現在のガイドラインでは，人手があるときは二人で行うことが推奨されている．1人目が両手で気道確保を行い，2人目が換気を行う．両手で気道確保を行うときは，片手で持つときと同じように両手でCの形を作ってマスクを持つと，マスクの密着度が上がって空気が漏れず，非常に換気しやすくなる．

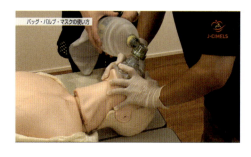

換気だけを補助する場合は，6秒に1回，1分間に10回程度の換気を行う．

マスクの持ち方には，両手の親指の付け根の部分でマスクを保持し，親指でマスクを密着させ，残りの8本の指で下顎骨を引き上げる方法もある（両拇指球法）．

Part 4-2

4 経鼻エアウェイの使い方

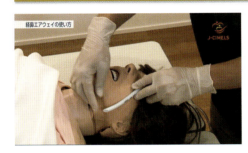

鼻咽頭エアウェイ（経鼻エアウェイ）は，鼻腔から挿入して舌根の裏側まで先端を通し，気道を確保するための器具である．妊産婦は少し粘膜浮腫を起こしているため，通常よりも細いサイズ（6～7mm）を使うことが多い．経鼻エアウェイは意識がある状態で挿入しても嘔気を誘発しにくいが，痛みを伴うので挿入時には先端にキシロカインゼリーを塗るとよい．

挿入の際にはコツがあり，普通に入れたのでは頭側へ先端が進み舌根の裏側まで届かなくなる．鼻尖部をブタ鼻のように押し上げて，顔に対して垂直に入れると，舌根の裏側まで通じる．

右の鼻腔から挿入するのが基本である．鼻中隔を擦って鼻出血を起こすことを防ぐため，器具は鼻中隔に対して角度が「鈍」になるように作られている．これを左の鼻腔から入れるときは，180度逆の方向へ向けて挿入し，鼻中隔を過ぎたあたりで180度回して挿入すると，鼻中隔を傷つけない．

挿入後はマスク換気を行い，胸の上がりを見て気道が確保されているか確認する．器具が鼻腔内に落ち込まないよう，エアウェイの先端側には安全ピンをつけておくとよい．

5　神経学的所見の取り方

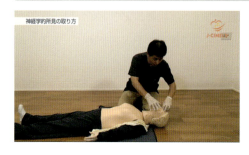

痙攣発作が落ち着いた後，その痙攣が子癇発作であったのか，それとも脳出血のような脳血管障害の結果起こったものであるのかを見るための簡易的な方法がある．なんらかの神経学的異常がないかどうかを，瞳孔径・対光反射・痛み刺激に対する四肢の動きの左右差を見て評価する．

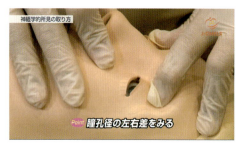

瞳孔径は，目を開けて両方の瞳孔の径を見て，左右差があるかどうかを確認する．

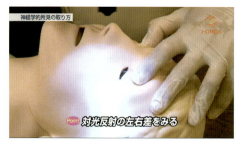

対光反射は，目を開けて光を当て，光に対する瞳孔の反応を見て，左右差があるかどうかを確認する．

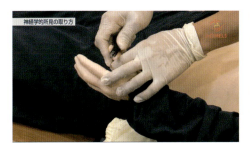

痛み刺激に対する四肢の動きの左右差は，両手の爪に痛み刺激を与えて反応を見るという方法がわかりやすい．爪床にペンを押し当てて同じような痛み刺激を与え，反応に左右差があるかどうかを確認する．

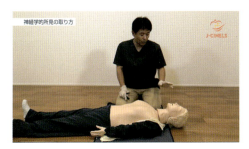

瞳孔径・対光反射・痛み刺激に対する四肢の動きのいずれかに左右差が認められた場合，脳血管障害の疑いがあると考える．

Part 4-6

6 母体の簡易心エコー

周産期心筋症の発症を，心電図波形だけから知ることは難しい．呼吸苦が認められたら，呼吸音の聴診に加え，腹部超音波検査と同じ要領で母体の心エコーを行う．通常使っている経腹壁プローブでかまわない．

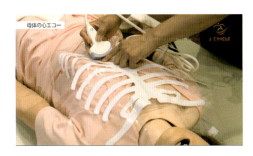

妊産婦の心臓の動きを評価する方法には2つある．ひとつは，剣状突起のあたりにプローブを当て，そこから心臓方向を見るという方法である．仰臥位の患者の季肋部にプローブを当ててやや上向きにし，のぞき上げる．

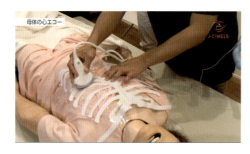

もうひとつは，肋骨と肋骨の間から心臓方向を見るという方法である．肋骨に当てるとビームが反射されて中が見えないので，骨に当たらないよう隙間を狙う．このように肋間から見るときには，患者を左半側臥位にするとよい．心臓の位置がずれ，見えやすくなる．

細かい計測はできなくても，収縮の度合いを見ることはできる．普段から健康な妊産婦の心臓を見慣れておくことが勧められる．正常を知っていると，異常に気付きやすくなる．

Part 3-6, 4-8

引用・参考文献
1) 一般社団法人日本蘇生協議会．JRC 蘇生ガイドライン 2015．東京，医学書院，2016．
2) 日本救急医学会 ICLS コース企画運営委員会 ICLS コース教材開発ワーキング編．改訂第 4 版日本救急医学会 ICLS コースガイドブック．東京，羊土社，2016．

（山畑佳篤）

4 シナリオシミュレーション

シナリオ資料の基本的な使い方と共通項目の紹介

　本項では各シナリオ資料の1ページ目に「概要」と「進行のポイント」とを記し，全体像を把握できるようにしてあります．2ページ目のチェックリストとあわせて，指導に慣れてきたインストラクターならこの見開きのみでシナリオを進行できるでしょう．次の「進行例」はあくまで一例であり，受講者の言動に応じて臨機応変に対応する必要があります．続く「ポイント」は，振り返りのための資料です．振り返りとマークされた項目については，振り返り中に必ず触れてください．以下に，全シナリオに共通した内容である「最初の挨拶や自己紹介」および「高次医療施設への搬送連絡」の一例を示しますので，活用してください．

1) シナリオ開始前の共通項目

インストラクター	ポイント
みなさん，こんにちは．このブースを担当する＿＿病院の＿＿です．よろしくお願いします． ここは有床診療所の＿＿クリニックです．○分の距離に＿＿総合病院があり，何かあったときには搬送などもお願いすることができます．医師・助産師・看護師の3名体制の当直帯という設定で進めます．	時間に余裕があれば受講者にも自己紹介してもらい，受講者の職種などを把握しておくとよい． 施設設定を共有する． 役割分担の際は，受講者の普段の職種以外の役割も経験してもらい，またコースの中でも複数の役割を経験するよう伝える．

2) 搬送連絡の共通項目

インストラクター	受講者
（高次病院）はい，＿＿総合病院です． どんな患者さんですか？ 出血量はわかりますか？ バイタルサインを教えてください．	（医師）（助産師）（看護師） こちら＿＿クリニックです． 搬送依頼の電話です．
（救急隊）はい，119番です．火事ですか？ 救急ですか？ どんな患者さんですか？ 受け入れ先病院は決まっていますか？ バイタルサインを教えてください． 必要な資器材はありますか？	（医師）（助産師）（看護師） こちら＿＿クリニックです． 搬送依頼の電話です．

4 シナリオシミュレーション
新1-1 分娩進行中の羊水塞栓症

シナリオ概要

陣痛発来で入院してきた初産婦．破水した後から呼吸苦が出現し，短時間のうちに急速に増悪する．搬送準備中に心停止に進行し，速やかな心肺蘇生の開始を要する症例．子宮左方移動を誰が担当すればよいかを考える．

シナリオ進行のポイント

1. 陣発来院からシナリオを始める．
2. 来院時のバイタルサイン測定を促し，有床診療所で分娩進行させる可否を確認する．
3. 入院する部屋および入院時に静脈路確保を行うか否かは受講者に任せる．
4. 破水後，いったん助産師が部屋から出るように状況を設定する．
5. 急変発生に合わせてバイタルを 急変時 にし，患者役は**呼吸苦を訴える**．
6. 医師が呼ばれて到着する頃にはバイタルを 増悪時 にし，患者役は**しゃべらなくなる**．
7. 血圧が下がると SpO_2 が測定できなくなる．受講者が戸惑っていれば末梢血流が低下して測定が困難である旨を説明する．
8. 搬送依頼を行い救急車が到着するまでの間にバイタルを 最終 にして**心停止にする**．
9. AEDの装着までの間に心電図波形を **VF** にする．
10. 家族役は「何か手伝えることはないですか」と言い続け，**子宮左方移動を促す**（胸骨圧迫や換気を依頼されれば，引き受けるが**わざと下手に実施する**）．
11. 受講者の対応がよければ，**心拍を再開させてよい**．

＊医師は3連続当直の3日目で疲れ切っていて不機嫌であり，報告内容が不十分であれば当直室から出てこない，などと設定しておいてもよい．

J-CIMELS公認講習会　ベーシックコース

シナリオ新1-1　ver 2.0 2021/7/10

疾患想定：分娩進行中の羊水塞栓症（28歳　生来健康　G2P1　39w2d）
入院時：JCS 1　BP 120/70mmHg　HR 90回／分　RR 20回／分　SpO_2 96％（room air）
想　定：自宅で陣痛発来　破水なし　陣痛間隔4〜5分　入院後に破水
気付き：破水後の呼吸苦の訴えで家族がコール→意識レベル低下進行
急変時：JCS 10　BP 100/70mmHg　HR 120回／分　RR 36回／分　SpO_2 86％（room air）
増悪時：JCS 100　BP 70/50mmHg　HR 130回／分　RR 36回／分　SpO_2 測定不能
●最終：JCS 300　BP 測定不能　HR 40回／分→VFに　RR 0回／分　SpO_2 測定不能
既往歴：他の医療機関受診なし　喘息なし　心疾患なし　アレルギーなし

Part 2　実習編
4　シナリオシミュレーション ● 新1-1　分娩進行中の羊水塞栓症

受講者 ＿＿＿＿＿＿　（行動チェックリスト）　評価者 ＿＿＿＿＿＿

Step 0：急変に備えた事前準備
- □ M：モニター装着を指示した
  - □ 心電図モニター　□ SpO_2 モニター
- □ I：静脈路を確保した（□ 細胞外液）
- □ 血液型，輸血同意書を確認した

Step1-1：何かおかしいと気付く
- □ 何となくぐったりしている
- □ モニターのアラームが鳴る
- □ 呼吸が明らかに速い

Step1-2：異常の同定
- □ 意識レベルを確認した（A / V / P / U）
- □ バイタルサイン（モニター）を確認した
  - □ 血圧　□ 心拍数　□呼吸数　□ SpO_2　□ 体温
- □ 自発呼吸と脈拍の有無を確認した
- □ 出血の有無を確認した

Step2-1：院内スタッフの招集
- □ ベッドサイドを離れなかった
- □ できるだけ多くの人を招集した
- □ 集まったスタッフに簡潔に状況を伝えた
- □ 急変対応のための物品を集めた
  - □ 酸素　□ BVM　□ 輸液　□ 緊急薬剤　□ AED

※以下は必要と判断したら随時開始する※

Step2-2：初期対応の開始
- □ O：酸素投与を開始した→開始後 SpO_2 90％
- □ O：酸素化が悪いのでBVMで換気した→95％
- □ 高度意識障害に進行し，緊急事態に気づいた
- □ 血圧低下時にエフェドリン10mgを投与した
- □ 頭部後屈あご先挙上で気道確保を行った
- □ 自発呼吸と脈拍の有無を確認した
- □ （呼吸がないと判断し）胸骨圧迫を開始した
- □ 子宮左方移動を考慮した（実施した）
- □ M：AEDの電源を入れ，装着した→波形VF
- □ I：細胞外液の全開投与を開始した
- □ アドレナリン1mgを3〜5分ごとに反復投与した
- （□ 熟練していれば気管挿管を考慮してよい）

Step3：搬送準備
- □ スタッフに転送となる旨を伝えた
- □ 家族に転送となる旨を伝えた
- □ 急変の内容を簡潔に説明した
- □ 119番に搬送の依頼をした
- （□ 必要な情報を手元に準備して連絡した）
- □ 高次医療施設に搬送依頼の連絡をした

知識確認
- □ 明らかな自発呼吸がなければ
    心停止と判断して胸骨圧迫を開始する
- □ AEDはまず電源を入れて指示に従う

行動目標
- □ 急変を認識したときに速やかに他の医療スタッフに報告できる
- □ 呼吸停止，循環停止を判断することができる
- □ 適切な胸骨圧迫を実施することができる
- □ 子宮左方移動について考慮できる
- □ バッグ・バルブ・マスクを用いて適切な補助換気ができる
- □ AEDを適切に用いて安全な電気ショックを実施できる

シナリオ進行例

インストラクター	バイタルサイン
それではシナリオを始めます． 患者は28歳，生来健康な1回経産婦です．妊娠39週2日の夜9時，詰所に電話がかかってきました． **患者** もしもし，●●と申します．二人目のお産なんですが，1時間前くらいからだんだん痛くなってきて，陣痛が始まった感じです……．**1** まだ破水はしていないようです．	
電話が来てから30分が経過しました．夜間の通用口のインターホンが鳴っています． **家族** 先ほど電話した●●の夫です．陣痛が来ているみたいなんですが，どうしたらいいですか？ どの部屋に入ってもらいましょうか？	
診察室に入って，横になってもらいました．普段やっていることを確認してください． **家族** 夫です．よろしくお願いします． 子宮口は2cm開大，まだ破水はしていないようです．胎児の状態も問題ないようです．このほか何か確認することはないですか？	
入院時のバイタルサインです．特に合併症や基礎疾患はなく，尿検査でタンパク（±）でした．このままこのクリニックで分娩を進めてよいですか？**2** どの部屋に入院してもらいましょうか？ **患者** あ，下からお水が流れてるみたい．あなた，助産師さん呼んで． **家族**（ナースコールで）助産師さん，なんかお水が流れてるみたいなので，診てもらえますか？	**入院時** JCS 1 BP 120/70mmHg HR 90回／分 RR 20回／分 SpO$_2$ 96％（room air）

受講者	ポイント
助産師 はい，＿＿クリニックです． 助産師 わかりました．一度来ていただいて，診察してみましょう．	患者設定を共有する． ハッキリとシナリオの開始を告げる． （時間短縮のため，入院後の陣痛室から始めてもよい）
助産師 ●●さんですね．いま車椅子でお迎えに上がります． 助産師 診察室に入ってもらいます．	入る部屋については受講者に任せる．3
助産師 いかがですか？　診察してみますね． 助産師 母体のバイタルを計測します．	モニター装着ではなくバイタルサイン測定なのでフリップで提示する．2
助産師 はい，大丈夫そうです． 助産師 陣痛室に入ってもらいます． 助産師 はい，いま行きますね．	入る部屋については受講者に任せる．3 この時点で母体に持続モニターをつけるかどうか，静脈路を確保するかについては受講者に任せる．3 いったん妊婦と家族だけの状態にもっていく． 破水したことを明示する． その後，また妊婦と家族だけの状態にもっていく．4

> **患者** うーん……あなた，何か息がしにくい．ハァハァ
> **家族** 大丈夫か？　助産師さんに来てもらったほうがいいか？（ナースコールで）助産師さん，何か苦しがってます！ 5
> **患者** 息が……息が……苦しい……ハァハァ
> **家族** 大丈夫なんですか？　すごく苦しそうで．●子！　しっかりしろ！

急変時

JCS 10
BP 100/70mmHg
HR 120回／分
RR 36回／分
SpO₂ 86％（room air）

酸素RM 10Lの指示が出れば，SpO₂を90％に改善させる

> **患者** ハァ……ハァ……ハァ……
> **家族** なんか返事しなくなったんですけど，大丈夫なんですか？　どうなってるんですか？
> このままこのクリニックで診療しますか？

増悪時

JCS 100
BP 70/50mmHg
HR 130回／分
RR 36回／分
SpO₂ 測定不能

> **患者** （いびき様）グァァァァ……グァァァァ……
> 痛みに反応はないようです．
>
> **家族** どうしたんですか？　妻はどうなってるんですか？
> **家族** 私に何かできることはないですか？　なんでも手伝います．

最終

JCS 300
BP 測定不能
HR 40回／分→VFへ
RR 0回／分
SpO₂ 測定不能

蘇生手順が非常に良好であれば，AEDのショックで心拍再開させてもよい．
→再急変バイタル

> 救急隊が到着しました．
> それではここでシナリオを終了します．おつかれさまでした．

> **助産師** すぐ見に行きます！
> **助産師** どうしました？　大丈夫ですか？
> **助産師** （看護師に）モニターと救急カートを持ってきてください．
> **助産師** 酸素投与します．
> **助産師** 静脈路を確保して輸液します．
> **助産師** （看護師に）医師を呼んでください．

急変時 バイタルに変更する．5
訪室時にバイタルサインを確認しないようであれば促す．
人を呼ぶのが遅れるようであれば促す．
酸素の投与方法と流量を確認する．
輸液の指示が出なければ促す．
輸液の方法と速度を確認する．
医師への報告内容が不十分であればその報告内容で本当にすぐに見に行くか確認する．

> **医師** 補助換気をしましょう．
>
> **医師** 高次医療施設へ搬送します．

医師が到着する前に **増悪時** バイタルに変更する．6
補助換気の指示が出なければ，呼吸苦を強調するなどして行動を促す．7
搬送の判断が出なければ，搬送連絡を促す．
高次医療施設への搬送依頼，119番への救急車要請，家族説明などを行っている間に **最終** バイタルに変更する．8

> **医師** ●●さん，わかりますか？　痛み刺激を与えます．
>
> **医師** 心停止と判断して胸骨圧迫を開始します．AEDを持ってきてください．
>
> **医師** いま，心臓が止まった状態です．できる限りの蘇生を行っています．これから大きい病院に行きます．
>
> **医師** アドレナリンを投与しましょう．

心停止に気付かなければ，いびき様の死戦期呼吸も止めてしまう．
AEDの指示が出なければ促す．
AEDの指示が出れば，波形をVFにする．9
子宮左方移動を家族に依頼することを考えさせる．他の処置を依頼されたときは引き受けるが，わざと下手に行う．10
胸骨圧迫を適宜交代しているか．
BVM換気は2人で行っているか．
胸骨圧迫と換気を30：2で行っているか．
AEDを安全に使用できるか．
アドレナリンの投与を促してもよい．

ハッキリとシナリオ終了の合図を出す．

このシナリオのポイント

- 羊水塞栓症は発症してから容態変化が早く，実際の症例においてもシナリオと同じくらいの時間経過で心停止になりうる．
- 早期発見のために「急変の感知」で SpO_2 の基準を設定している．　振り返り
- 対応の開始と搬送判断が早ければ，心停止前に高次医療施設に到着できる可能性があり，救命の可能性が大きく変わる．　振り返り
- 現場で羊水塞栓を確定診断する方法はなく，まずは ABC のサポートが重要である．
  → 採血して浜松医科大学へ送り，後日血清学的に診断を確認することは可能である．
- アナフィラキシー型と DIC 型とがあるが，どちらもプロトコールに則った対応で初期対応が可能である．
- 胸骨圧迫をどのタイミングで開始すべきであったかについて討議する．　振り返り
  → モニターに心電図波形が出ていることに惑わされない．反応がなく，正常な呼吸や明らかな脈拍がなければ，胸骨圧迫を開始する．
- AED の使用をいつ行うべきだったかについて討議する．
- 現時点では，電気ショック時には胎児モニターのベルトは除去するよう指導する．
- 妊婦の心肺蘇生時には子宮左方移動を推奨し，人手が足りない場合は家族にお願いすることを考える．　振り返り
- 次の一手として，死戦期帝王切開という手段についても討議する．　振り返り
  (ABC の適切なサポート，多職種・多機関の連携，家族説明などは共通項目)

FAQと解説　胸骨圧迫と子宮左方移動，どちらが優先？

Q 心停止発見時に一人しかいないときは胸骨圧迫開始と子宮左方移動のどちらを行えばいいでしょうか？

解説 心停止に気づいたときは，まずは何をおいても胸骨圧迫を開始します．ショックの段階で子宮左方移動や左半側臥位を行っていても，心停止に進行したと気づいたら直ちに仰臥位に戻して胸骨圧迫を開始してください．

FAQと解説 アドレナリンの投与量は？

Q 心停止時とアナフィラキシーショック時のアドレナリンの投与量が違うのはなぜですか？

解説 心停止時のアドレナリン投与は心臓に作用して冠動脈の血流が増えることを期待して行われます．アナフィラキシー時は肥満細胞からのヒスタミンの放出を抑制し，これ以上の悪化を防ぐことを目的としています．同じ薬ですが，作用点と作用機序が異なるため，投与量・投与方法も違うのです．

FAQと解説 心電図波形が出ていても心停止？

Q 心電図波形は出ていますが，心停止なんでしょうか？

解説 心電図波形は心臓の電気的興奮を表したもので，心臓が収縮しているかどうかは評価できません．特にモニタリング中の患者では心停止に気づくのが遅れることがありますので，モニター波形ではなく，患者の状態に注意しましょう．

FAQと解説 急変対応時，ご家族は……？

Q 急変対応時，ご家族は部屋の外に出てもらったほうがいいのでしょうか？

解説 もし，ご家族の存在が処置の妨げになるようであれば，部屋の外に出てもらってもいいかもしれません．でも，最小限の人数で急変対応を行っているときに，ご家族への説明にまで人手をさけるでしょうか？ ご家族に対応を見てもらったほうが，結果の受け入れがよかったという研究もあります．このシナリオのように，子宮左方移動をお願いできるかもしれません．落ち着いているご家族なら，部屋の中にいてもらってもよいでしょう．

4 シナリオシミュレーション
新1-2 抗菌薬によるアナフィラキシーショック

シナリオ概要

　37週の前期破水で入院してきた経産婦．健診でGBS陽性が確認されており，医師の指示で抗菌薬投与が開始された．開始15分後から呼吸苦・気道狭窄音が出現し，全身の発赤も出現する．アナフィラキシーとしてアドレナリン0.3〜0.5mg筋注を繰り返すと改善する．

シナリオ進行のポイント

1. 入院からシナリオを始める．医師から抗菌薬投与の指示あり．
2. 入院時のバイタルサイン測定を促し，有床診療所で分娩進行させる可否を確認する．
3. 抗菌薬投与開始後の観察間隔は受講者に任せる．
4. 抗菌薬投与開始後15分でバイタルを 急変時 にし，患者役は**呼吸苦を訴える**．
5. 皮膚の確認を行ったら、全身に発赤があり，体幹部には膨疹もあると伝える．
6. 上気道の聴診を行ったら，吸気時にストライダーが聴取されるように表現する．
7. 医師が呼ばれて到着する頃にはバイタルを 増悪時 にし，患者役は**しゃべらなくなる**．
8. 血圧が下がるとSpO₂が測定できなくなる．受講者が戸惑っていれば末梢血流が低下して測定が困難である旨を説明する．
9. アドレナリン0.3〜0.5mg筋注を実施したらバイタルを 急変時 に戻し「**5分経ちました**」と言う．
10. アドレナリン投与を繰り返したらバイタルを 治療後 にし，患者役は「**だいぶ楽になりました．ありがとうございました**」と言う．
11. アドレナリンを1mg静注したら，患者役は「うーっ」とうなり，バイタルをVFにする．
12. 状態が改善した後「このクリニックが気に入っているので転院したくない」などと言って，高次医療施設に搬送するかどうか考えさせる．

＊日勤帯であり，医師は外来中．
＊医師は，午前中外来予約40人，午後から検診20人と忙しくて不機嫌であり，報告内容が不十分であれば外来から出てこない，などと設定しておいてもよい．

J-CIMELS公認講習会 ベーシックコース

シナリオ新1-2

ver 2.0 2021/7/10

> **疾患想定：抗菌薬によるアナフィラキシーショック（35歳　G3P1　37w）**
> 入院時：意識清明　BP 110/70mmHg　HR 80回／分　RR 16回／分　SpO$_2$ 98％（room air）
> 想　定：36週GBS＋　37週前期破水で入院　ビクシリン投与開始15分で急変
> 気付き：息苦しさの訴え　意識レベル低下　全身皮膚発赤　上気道狭窄音著明
> 急変時：JCS 30　BP 80/60mmHg　HR 125回／分　RR 30回／分　SpO$_2$ 92％（room air）
> 増悪時：JCS 100　BP 70/50mmHg　HR 130回／分　RR 36回／分　SpO$_2$ 測定不能
> 治療後：JCS 10　BP 100/60mmHg　HR 100回／分　RR 24回／分　SpO$_2$ 96％（酸素投与下）
> 既往歴：他の医療機関受診なし　喘息なし　心疾患なし　アレルギーなし

受講者＿＿＿＿＿＿＿＿＿＿　（行動チェックリスト）　評価者＿＿＿＿＿＿＿＿＿＿

Step 0：急変に備えた事前準備
- ☐ M：モニター装着を指示した（初回投与）
  - ☐ 心電図モニター　☐ SpO$_2$モニター
- ■ I：静脈路を確保した（☐ 抗菌薬）
- ■ 血液型，輸血同意書を確認した

Step1-1：何かおかしいと気付く
- ☐ 呼吸苦を訴える
- ☐ ぐったりしている
- ☐ 肌の色がおかしい（発赤著明）
- ☐ 呼吸が明らかに速い

Step1-2：異常の同定
- ☐ 意識レベルを確認した（A / V / P / U）
- ☐ バイタルサイン（モニター）を確認した
  - ☐ 血圧　☐ 心拍数　☐ 呼吸数　☐ SpO$_2$　☐ 体温
- ☐ SI（ショックインデックス）を確認した
- ☐ 全身の皮膚所見を確認した

Step2-1：院内スタッフの招集
- ☐ ベッドサイドを離れなかった
- ☐ できるだけ多くの人を招集した
- ☐ 集まったスタッフに簡潔に状況を伝えた
- ☐ 急変対応のための物品を集めた
  - ☐ 酸素　☐ BVM　☐ 輸液　☐ 緊急薬剤　☐ AED

※以下は必要と判断したら随時開始する※

Step2-2：初期対応の開始
- ☐ O：酸素投与を開始した
- ☐ O：リザーバーマスク10L/分で指示した
- ☐ 酸素投与後のSpO$_2$を確認した：＋3％
- ☐ 聴診で上気道狭窄音の有無を確認した
- ☐ 気道確保，補助換気の必要性を判断した
  （このケースでは増悪時に気道確保が必要）
- ☐ 抗菌薬投与を止めた
  （☐ 抗菌薬のボトルをルートごと除去した）
- ☐ I：細胞外液の全開投与を開始した
- ☐ 子宮左方移動（or 左半側臥位）を実施した
- ☐ アドレナリン0.3〜0.5mgを筋注した

Step3：搬送準備
- ☐ スタッフに搬送となる旨を伝えた
- ☐ 家族に転送となる旨を伝えた
- ☐ 急変の内容を簡潔に説明した
- ☐ 119番に搬送の依頼をした
  （☐ 必要な情報を手元に準備して連絡した）
- ☐ 高次医療施設に搬送依頼の連絡をした

> **知識確認**
> - ☐ アドレナリンは5〜15分ごとに追加
> - ☐ ステロイド投与はセカンドライン
> - ☐ 死亡の半数は咽頭浮腫による気道閉塞
> - ☐ 発症後4時間は医療機関内で観察

> **行動目標**
> - ☐ バイタルサインから急変を認識できる
> - ☐ 急変を認識したときに速やかに他の医療スタッフに報告できる
> - ☐ 症状・徴候からアナフィラキシーを臨床診断できる
> - ☐ 速やかにアドレナリンを筋注できる
> - ☐ 救急隊や高次医療施設に簡潔に患者の状態を伝えることができる

Part 2　実習編

4　シナリオシミュレーション　●　新1-2　抗菌薬によるアナフィラキシーショック

シナリオ進行例

インストラクター	バイタルサイン
それではシナリオを始めます． 患者は35歳の経産婦で，妊娠37週に前期破水で入院しました．妊娠36週の妊婦健診時に腟分泌物検査でGBSが認められました．子宮口は2cm開大です．医師からの指示で入院で抗菌薬を投与する方針です．いま，病棟に上がってこられました．**1**	**入院時** 意識清明 BP 110/70mmHg HR 80回／分 RR 16回／分 SpO$_2$ 98％（room air）
まず確認することはありますか？ **患者** よろしくお願いします． 抗菌薬の点滴開始後，ほかにも分娩中の方がおられたため，いったんその場を離れます．次はいつ確認しますか？	
点滴開始から15分が経過しました． **患者** ふぅ……なんかちょっとしんどい．（ナースコール）なんかちょっとしんどくなってきました．	**急変時** JCS 30 BP 80/60mmHg HR 125回／分 RR 30回／分 SpO$_2$ 92％（room air）
患者 ヒュー，ゴホン，ゴホン，体が痒い……． 体中をボリボリかいています．皮膚に発疹が出てきました．**5**	

受講者	ポイント
助産師 失礼します．先生からお聞きだと思いますが，抗生物質の点滴を始めていきますね．	患者設定を共有する． ハッキリとシナリオの開始を告げる．
助産師 母体のバイタルサインを確認します． 助産師 何か変わったことがあったら呼んでくださいね． 助産師 ○分後にします．	モニター装着ではなくバイタルサイン測定なので，フリップで提示する．**2** 胎児心拍モニターおよび持続モニターを装着しているか？（抗菌薬初回投与なのでモニタリングが望ましい） 抗菌薬投与開始後の観察間隔は受講者に任せる（基本は15分は離れない）．**3**
助産師 どうしましたか？　大丈夫ですか？	バイタルを **急変時** に変更する．**4** アナフィラキシーショックに気付き，薬剤を止めたか？ 気付いていなければ，皮膚の発赤が出ている旨を伝える．
助産師 看護師さん，来てください．先生を呼びます．	酸素投与を開始しているか？ 上気道の聴診を行ったら，吸気時にストライダーが聴取されることを表現する．**6**

患者 ハァ……ハァ…….
唇が腫れて全身に発赤が見られます.

患者 ハァ……ハァ…….
さあ, どうしましょう？

アドレナリン投与から5分が経ちました.
患者 ハァ……ハァ……苦しい…….

＊アドレナリンを1mg静注した場合 **11**
患者 う, うう―――っ.

患者 ハァ……ハァ…….

アドレナリンを何回か投与しました.
患者 うーん……. 声が……出るように……なってきました. ああ, きつかった……. だいぶ楽になりました.

家族 夫ですが, 家内はどうしたんでしょうか？
患者 だいぶ楽になりました.
家族 ここのお部屋のほうが落ち着いていいんですけど, ダメですか？

救急隊が到着しました. それではここでシナリオを終わります. おつかれさまでした.

増悪時

JCS 100
BP 70/50mmHg
HR 130回／分
RR 36回／分
SpO_2 測定不能

治療後

JCS 10
BP 100/60mmHg
HR 100回／分
RR 24回／分
SpO_2 96％（酸素投与下）

（医師）SpO₂が上がりません．BVMで補助換気をお願いします．

医師が到着する頃にはバイタルを 増悪時 に切り替える．[7][8]
搬送の判断が出ていなくても，そのままシナリオを進める．

（医師）細胞外液を全開で投与します．アドレナリンを投与しましょう．

薬剤の量と投与場所・方法を確認する（0.3〜0.5mg 大腿外側に筋注）[9]

（医師）状態を確認します．ルートをもう1本とりましょう．

アドレナリンの投与後バイタルを 急変時 に戻し「5分経ちました」と言う．[10]
アドレナリンの再投与指示を促す．
ショックなので子宮左方移動を実施するように促す．[11]

アドレナリンを1mg静注した場合，バイタルを **VF** にする．

（医師）これ以上ここでは対応できないので，搬送しましょう．

この段階で搬送の動きがなければ促す．
患者の状態を正確に把握し説明することができているか？

（医師）●●さん，わかりますか？

アドレナリン投与を繰り返したらバイタルサインを 治療後 にする．[10]

（医師）薬でアレルギーを起こされたようです．大きな病院に転院しましょう．

家族への説明がない場合，家族役が声掛けを行うなどして気付きを促す．
状態が改善した後，高次医療施設に搬送するかどうかを考えさせる．[11]
4時間は医療機関で観察を行う．

ハッキリとシナリオ終了の合図を出す．

このシナリオのポイント

- 侵襲的医療処置に付随する合併症は必ずある．
- 処置施行時には合併症が起きたときの感知，即時の治療を常に考えておく．　振り返り
- 対応の開始と搬送判断が早ければ，心停止前に高次医療施設に到着できる可能性があり，救命の可能性が大きく変わる．　振り返り
- アナフィラキシーは臨床診断しか診断方法がない．「アレルゲンへの曝露」「皮膚粘膜症状」「ABCに生命に危機を及ぼすような異常がある」の3項目が揃えばアナフィラキシー．
- プロトコールに則れば，酸素と細胞外液の投与は開始されているはず．
- 投与する第一選択薬はアドレナリン．基本は筋注（成人：0.3〜0.5mg）で，大腿外側が第一選択部位である．　振り返り
- アドレナリンは5〜10分ごとに効果を確認し，5〜15分ごとに追加投与する．
- 心停止に対するアドレナリンは，心臓に作用し冠動脈血流を増やすことが目的で用いられる．アナフィラキシーに対するアドレナリンは，肥満細胞からのヒスタミンの遊離を抑制して症状の増悪を抑えることが目的である．そのため投与量や投与方法が異なる．　振り返り
- ステロイドは効果がはっきりしていない．投与してもよいがセカンドラインの薬剤である（ステロイド投与のために他の治療が遅れてはいけない．抗ヒスタミン薬も同様）．　振り返り
- 死亡の原因で多いのはショックではなく，喉頭浮腫による気道閉塞である．アナフィラキシーだと考えたら上気道音を聴診する．　振り返り
- ショックと認識したら，子宮左方移動を行う．
- アナフィラキシーの3大原因は「虫さされ」「薬」「食べ物」である．
- アレルゲンへの曝露から20分以内に発症した場合はショックになりうる．

（ABCの適切なサポート，多職種・多機関の連携，家族説明などは共通項目）

FAQと解説　アドレナリン投与で起こりうる問題？

Q アドレナリン投与のタイミングをためらってしまいます．アナフィラキシーショックではないのに投与しても問題はありませんか？

解説 アナフィラキシーショックではなかったとしても，アドレナリン0.3〜0.5mgの筋注投与であれば母児に特に大きな障害を引き起こすことはありません．ただし，同量を静脈内投与すると血圧がかなり上昇するので，間違わないように注意が必要です．

FAQと解説  胎児がいるのにアドレナリン投与？

Q お腹に赤ちゃんがいるのにアドレナリンを投与して大丈夫ですか？

解説 母体の状態が悪くなると，胎児の状態も悪くなります．まずは母体のABCの安定が先決ですから，アナフィラキシーと判断した場合は迷わずアドレナリンを投与してください．

FAQと解説 アドレナリンは筋注？

Q アドレナリンは皮下注ではなく筋注ですか？

解説 以前は皮下注とされていたこともありますが，吸収が一定しないため，現在は筋注で投与します．心停止に至る恐れが強いときは，静注でもよいでしょう（成人：0.1mg）．

memo

4 シナリオシミュレーション
新1-3 帝王切開後の肺塞栓症

シナリオ概要

　予定帝王切開術を受けた2回経産婦．術後3日目まで未歩行であった．スタッフや家族に励まされ，初回歩行中に突然の胸苦が出現し，短時間のうちに急速に増悪する．搬送準備中に心停止に進行し，速やかな心肺蘇生の開始を要する症例．離床第一歩行時はスタッフの付き添いとSpO₂のモニタリングが推奨される．

シナリオ進行のポイント

1. 朝の検温からシナリオを始める．
2. 術後3日目であるが，未歩行であることを強調する．
3. 歩行を促されてもすぐには歩かず，鎮痛薬を要求する．
4. 鎮痛薬投与後，いったん助産師が部屋から出るように状況を設定する．
5. 歩行前に必ずスタッフを呼ぶ旨を明確に伝えられていなければ，家族のみで勝手に歩行する．
6. 急変発生に合わせてバイタルを 急変時 にし，患者役は**胸苦を訴える**．
7. 医師が呼ばれて到着する頃にはバイタルを 増悪時 にし，患者役は**しゃべらなくなる**．
8. 血圧が下がるとSpO₂が測定できなくなる．受講者が戸惑っていれば末梢血流が低下して測定が困難である旨を説明する．
9. 搬送依頼を行い救急車が到着するまでの間にバイタルを 最終 にして**心停止**にする．
10. AEDの装着までの間に心電図波形を**VF**にする．
11. 受講者による対応がよければ，**心拍再開させてよい**．

＊日勤帯であり，医師は外来中．
＊医師は，午前中外来予約40人，午後から検診20人と忙しくて不機嫌であり，報告内容が不十分であれば外来から出てこない，などと設定しておいてもよい．

J-CIMELS公認講習会
ベーシックコース

シナリオ新1-3

ver 2.0 2021/7/10

疾患想定：帝王切開後の肺塞栓症（38歳　非妊時BMI 30　G3P3　39w5d）
開始時：JCS 1　BP 130/90mmHg　HR 90回／分　RR 20回／分　SpO₂ 97%（room air）
想　定：帝王切開後3日目　疼痛のため動きたがらず　家族の励ましで第一歩行
気付き：突然の胸痛・呼吸苦で家族がコール→意識レベルの低下
急変時：JCS 10　BP 100/70mmHg　HR 120回／分　RR 36回／分　SpO₂ 86%（room air）
増悪時：JCS 100　BP 70/50mmHg　HR 130回／分　RR 36回／分　SpO₂ 測定不能
●最終：JCS 300　BP 測定不能　HR40回／分→VFに　RR 0回／分　SpO₂ 測定不能
既往歴：他の医療機関受診なし　喘息なし　心疾患なし　アレルギーなし

受講者 ＿＿＿＿＿＿＿＿　（行動チェックリスト）　評価者 ＿＿＿＿＿＿＿＿

Step 0：急変に備えた事前準備
☐ 初回歩行時は呼ぶように説明した
☐ M：SpO₂モニター装着を指示した
■ I：帝王切開3日目で静脈路なし
■ 帝切後で血液型，輸血同意書は取得済み

Step1-1：何かおかしいと気付く
☐ ぐったりしている
☐ モニターのアラームが鳴る
☐ 呼吸が明らかに速い
☐ 冷や汗をかいている

Step1-2：異常の同定
☐ 意識レベルを確認した（A / V / P / U）
☐ バイタルサイン（モニター）を確認した
　　☐ 血圧　☐ 心拍数　☐ 呼吸数　☐ SpO₂　☐ 体温
☐ 自発呼吸と脈拍の有無を確認した
☐ 出血の有無・術創を確認した
（☐ このケースでは外頸静脈の怒張あり）

Step2-1：院内スタッフの招集
☐ ベッドサイドを離れなかった
☐ できるだけ多くの人を招集した
☐ 集まったスタッフに簡潔に状況を伝えた
☐ 急変対応のための物品を集めた
　　☐ 酸素　☐ BVM　☐ 輸液　☐ 緊急薬剤　☐ AED

※以下は必要と判断したら随時開始する※

Step2-2：初期対応の開始
☐ O：酸素投与を開始した→開始後SpO₂ 90%
☐ O：酸素化が悪いのでBVMで換気した→95%
☐ 高度意識障害に進行し緊急事態に気付いた
☐ 頭部後屈あご先挙上で気道確保を行った
☐ 自発呼吸と脈拍の有無を確認した
☐ （呼吸がないと判断し）胸骨圧迫を開始した
☐ 胸骨圧迫とBVM換気を30：2で行った
☐ M：AEDの電源を入れ，装着した→波形 VF
☐ I：細胞外液の全開投与を開始した
☐ アドレナリン1mgを3～5分ごとに反復投与した
（☐ 熟練していれば気管挿管を考慮してよい）

Step3：搬送準備
☐ スタッフに搬送となる旨を伝えた
☐ 家族に転送となる旨を伝えた
☐ 急変の内容を簡潔に説明した
☐ 119番に搬送の依頼をした
（☐ 必要な情報を手元に準備して連絡した）
☐ 高次医療施設に搬送依頼の連絡をした

知識確認
☐ 明らかな自発呼吸がなければ
　心停止と判断して胸骨圧迫を開始
☐ AEDはまず電源を入れて指示に従う

行動目標
☐ 急変を認識したときに速やかに他の医療スタッフに報告できる
☐ 呼吸停止，循環停止を判断することができる
☐ 適切な胸骨圧迫を実施することができる
☐ バッグ・バルブ・マスクを用いて適切な補助換気ができる
☐ AEDを適切に用いて安全な電気ショックを実施できる

シナリオ進行例

インストラクター	バイタルサイン
それではシナリオを始めます． 患者さんは38歳，妊娠前のBMIが30，妊娠経過中に体重が18kg増加しています．2回経産婦で，今回は39週5日で予定帝王切開を行いました．今日は帝切後3日目で，朝の検温の場面からスタートします．**1**	**開始時** JCS 1 BP 130/90mmHg HR 90回／分 RR 20回／分 SpO_2 97％（room air）
（患者）手術の跡が痛くて，あまり動きたくないんです……．今日で術後3日目ですが，ずっとベッドで過ごしていて，まだ第一歩行を行っていません．**2** （家族）わがままで，歩こうとしないんですよ．助産師さん，痛み止めを持ってきてもらえますか？**3** 別のナースコールが鳴っているようです．**4**	
（家族）ほら，がんばって歩こう．アイス買ってあげるし． （患者）わかった．	
（患者）ほら痛い……うっ！胸が……苦しい……． （家族）えっ．●子！どうしたの！誰か来てください！助産師さーん！	**急変時** JCS 10 BP 100/70mmHg HR 120回／分 RR 36回／分 SpO_2 86％（room air）
（患者）ハァ…ハァ…ハァ…ハァ…	**増悪時** JCS 100 BP 70/50mmHg HR 130回／分 RR 36回／分 SpO_2 測定不能

受講者	ポイント
助産師 おはようございます．いかがですか？	患者設定を共有する． ハッキリとシナリオの開始を告げる．
助産師 もうそろそろ動かないといけませんね．血圧を測りますね． 助産師 わかりました．医師の指示にある鎮痛薬を内服しましょう． 助産師 ちょっと失礼しますね．	歩行前に必ずスタッフを呼ぶ旨を明確に伝えられていなければ，家族のみで勝手に歩行する．5
助産師 どうされましたか？ 人を呼びます．看護師さん，お願いします．	急変時 バイタルに変更する．6
助産師 モニターをつけて，バイタルを測ります． 看護師 先生も呼びますね．	酸素投与・静脈路確保を開始しないようであれば促す．酸素および輸液の投与方法と量を確認する．
医師 どうしましたか？	医師が到着する前に 増悪時 バイタルに変更する．7
医師 血圧がずいぶん下がっている．エフェドリンを準備しましょう．SpO_2が確認できない……？	血圧とSpO_2との関係を確認し，行動（バッグマスク換気）を促す．8 薬剤投与の指示が出た場合，量と投与方法を確認し，詳しくは振り返り時に解説する．

	最終
患者さんが何も言わなくなっています．	JCS 300 BP 測定不能 HR 40回／分→VFに RR 測定不能 SpO$_2$ 測定不能

胸骨圧迫を開始して，AEDも持ってきました．他にできることはあるでしょうか？
家族 ●子！　大丈夫？（患者の体に触れる）

家族 ●子は大丈夫なんですか？

救急隊が到着しました．
それではここでシナリオを終わります．おつかれさまでした．

(医師) 救急カートを持ってきてください．脈は……？	バイタルを　最終　にして心停止にする．⑨ ABCの確認を行い，心肺蘇生を開始する場面． 胸骨圧迫を始めていなければ促す．
(医師) 胸骨圧迫を始めます． (看護師) AEDを持ってきました．	AEDの装着までの間に心電図波形をVFにする．⑩ AEDの使い方・注意点を理解しているか？
(医師) ここではこれ以上対応できないので，搬送します．	搬送準備を行っていなければ促す． 胸骨圧迫と補助換気を適宜交替しながら行えているか？ 受講者による対応がよければ心拍再開させてよい．⑪ 自発呼吸が戻ったとき，意識レベルおよびABCの再確認を行っているか？
(医師) 心臓が止まっているので，蘇生を行っています．これから大きい病院へ搬送します．	患者の状態を正確に把握し，説明できているか？　家族への説明がない場合，家族役が声掛けを行うなどして気付きを促す．
	ハッキリとシナリオ終了の合図を出す．

Part 2 実習編　4 シナリオシミュレーション●新1-3 帝王切開後の肺塞栓症

このシナリオのポイント

・肺塞栓症は事前のリスク認識が可能であり，予防が大切である．
・ただし，予防をがんばっても，発症はゼロにはできない．
・発症時の早期感知のため，離床第一歩行は医療スタッフの監視下で行う（実際に多くの医療機関では付き添っている）．
・付き添いだけではなくモニタリングを行うことで早期発見が可能となる．特に携帯型のSpO$_2$モニターが役に立つ．`振り返り`
・対応の開始と搬送判断が早ければ，心停止前に高次医療施設に到着できる可能性があり，救命の可能性が大きく変わる．`振り返り`
・発生現場で肺塞栓であるか確定診断するのは難しく，まずはABCのサポートが重要である．
・胸骨圧迫をどのタイミングで開始すべきであったかについて討議する．`振り返り`
　→モニターに心電図波形が出ていることに惑わされない．反応がなく，正常な呼吸や明らかな脈拍がなければ，胸骨圧迫を開始する．
・AEDの使用をいつ行うべきだったかについて討議する．
・帝王切開後で子宮内に児はいないため，子宮左方移動は必要ない．
（ABCの適切なサポート，多職種・多機関の連携，家族説明などは共通項目）

FAQと解説　フットポンプの装着？

Q 肺塞栓による急変とひらめいて，フットポンプを装着した受講生がいました．これはDVT/PTE発症時は禁忌では？

解説 フットポンプはあくまで深部静脈血栓を予防するためのものです．すでにDVT/PTEを発症している症例では，フットポンプの装着により血栓を中枢に飛ばしてしまう可能性があるため，特に危険です．事前に超音波断層法で下肢静脈血栓の有無を検索してから装着します．

memo

4 シナリオシミュレーション
新1-4 周産期心筋症による肺水腫［病棟］

シナリオ概要

2日前に自然経腟分娩した1回経産婦．28〜36週に切迫早産でウテメリン®を内服していた．起き上がるのも億劫で，授乳にも行きたがらず，家族は産後うつを心配している．呼吸苦が強く，四肢や顔にむくみがある．前日の夕方から排尿がなく，点滴を負荷すると呼吸状態はさらに悪化する．エコーを当てると明らかに心収縮が悪化していて，周産期心筋症を疑う症例．

シナリオ進行のポイント

1. 朝の検温からシナリオを始める．
2. 出産3日目であるが，ベッドから起き上がるのも億劫で，授乳もしたくないという．子宮収縮は良好で，出血もない．
3. 患者役はバイタルサイン測定前に「何か体がきついので，ベッドを起こしてもらっていいですか」といって45度までギャッジアップしてもらう．
4. 家族役は「産後うつじゃないですか？」と助産師にこっそり相談する．
5. シナリオは昼食時間に進む．家族役はナースコールを押し「食欲がなく，今日はトイレにも行っていない」などと訴える．バイタルを 急変時 にする．胸部聴診で肺雑音著明．
6. 点滴をすれば，500mL入ったところでバイタルを 増悪時 にし，患者役は「苦しい」以外しゃべらなくなる．むくみはさらに増悪する．呼気時喘鳴あり．
7. 酸素投与されれば，SpO_2 を3増やす．投与されなければ SpO_2 を下げていく．BVMで補助換気されれば，SpO_2 を8増やす．いつまでも酸素投与が始まらなければバイタルを 最終 にする．
8. 超音波検査をすれば，どこを観察したいか尋ねる．腹腔内・子宮内ともに液体貯留なし，下大静脈は20mmで呼吸性変動なし．心臓は左室の収縮がすごく悪い（EF 20%程度：心エコーの動画を提示することが望ましい）．
9. 12誘導心電図をとった場合，明らかなST変化はない．
10. 搬送依頼後も大量輸液を続けていればバイタルを 最終 にし，患者役はしゃべらなくなりあえぎ様呼吸となる．BVMによる補助換気が行われなければ心停止にしてよい．
11. 急変時 または 増悪時 の時点で降圧薬投与・利尿薬投与・尿道バルーン留置などが行われれば，呼吸状態は改善し，バイタルを 開始時 にする．

J-CIMELS公認講習会 ベーシックコース

シナリオ新1-4

ver 2.0 2021/7/10

疾患想定：周産期心筋症による肺水腫［病棟］（39歳　G2P1　38w5d）
開始時：JCS 1　BP 120/90mmHg　HR 96回／分　RR 24回／分　SpO₂ 96％（半座位）
想　定：28～36週に切迫早産でウテメリン®内服　35週～尿蛋白（＋）35～38週で体重＋4kg
気付き：産後2日目　倦怠感で動きたがらない　呼吸苦あり　四肢と顔にむくみあり
急変時：JCS 20　BP 160/100mmHg　HR 110回／分　RR 36回／分　SpO₂ 92％　発汗あり
増悪時：JCS 100　BP 180/110mmHg　HR 96回／分　RR 30回／分・努力様　SpO₂ 86％
●最終：JCS 300　BP 70/50mmHg　HR 70回／分　RR 12回／分・あえぎ様　SpO₂ 測定不能
既往歴：他の医療機関受診なし　喘息なし　心疾患なし　アレルギーなし

受講者 _____　（行動チェックリスト）　評価者 _____

Step 0：急変に備えた事前準備
- ■ M：自然経腟分娩3日目でモニターなし
- ■ I：自然経腟分娩3日目で静脈路なし
- ■ 分娩後で血液型，輸血同意書は取得済み

Step1-1：何かおかしいと気付く
- □ ぐったりしている
- □ 呼吸が明らかに速い
- □ 顔や四肢の浮腫が目立つ
- □ 尿量が減少している

Step1-2：異常の同定
- □ 意識レベルを確認した（A／V／P／U）
- □ バイタルサイン（モニター）を確認した
  - □ 血圧　□ 心拍数　□ 呼吸数　□ SpO₂　□ 体温
- □ 胸部聴診で肺雑音を確認した
- □ 子宮収縮や出血の有無を確認した
- （□ このケースでは外頸静脈の怒張あり）

Step2-1：院内スタッフの招集
- □ ベッドサイドを離れなかった
- □ できるだけ多くの人を招集した
- □ 集まったスタッフに簡潔に状況を伝えた
- □ 急変対応のための物品を集めた
  - □ 酸素　□ BVM　□ 輸液　□ 緊急薬剤　□ AED

※以下は必要と判断したら随時開始する※

Step2-2：初期対応の開始
- □ O：酸素投与を開始した→開始後SpO₂＋3％
- □ O：BVMで補助換気した→SpO₂＋8％
- □ I：急変と判断して静脈路確保と輸液を開始
- □ I：輸液はキープ程度にとどめた
- □ 超音波検査を行った
  - □ 腹腔内出血　□ 子宮内
  - □ 下大静脈　□ 心収縮
  - □ 呼吸音，むくみ，尿量から心不全を疑った
  - □ 肺水腫と判断し降圧薬や利尿薬を投与した

Step3：搬送準備
- □ スタッフに搬送となる旨を伝えた
- □ 家族に転送となる旨を伝えた
- □ 急変の内容を簡潔に説明した
- □ 119番に搬送の依頼をした
- （□ 必要な情報を手元に準備して連絡した）
- □ 高次医療施設に搬送依頼の連絡をした

知識確認
- □ 肺水腫と判断すればNa負荷を避ける
- □ 内因性カテコラミンにより
  血圧は上がっても臓器血流は低下

行動目標
- □ バイタルサインから急変を認識できる
- □ 急変を認識したときに速やかに他の医療スタッフに報告できる
- □ 呼吸の異常に対してすぐに適切な酸素投与ができる
- □ 循環の状態を把握して適切に輸液管理できる
- □ エコーで心収縮能低下を疑うことができる

シナリオ進行例

インストラクター	バイタルサイン

インストラクター

それではシナリオを始めます．
患者は39歳の1回経産婦です．38週5日で自然経腟分娩しました．妊娠28～36週に切迫早産でウテメリン®を内服していました．今日は産後3日目，助産師さんが朝の検温のため訪室するところからスタートします．[1]

バイタルサイン（開始時）

JCS 1
BP 120/90mmHg
HR 96回／分
RR 24回／分
SpO_2 96％（半坐位）

（患者）何か身体がきついので，ベッドを起こしてもらっていいですか？
45度までギャッジアップしてあげてください．[3]

（患者）なんだか息苦しくって……．
（家族）ずっとしんどいって言ってるんです．（こっそり）赤ちゃんのところに行くのもしんどいって言うんです．これって産後うつじゃないでしょうか？[4]

昼食時間になりました．
（患者）ハァ……しんどい……．
（家族）ご飯も食べたがらないし，昨日の夕方からおしっこにも行ってないんです．大丈夫でしょうか？

バイタルサイン（急変時）

JCS 20
BP 160/100mmHg
HR 110回／分
RR 36回／分（浅い呼吸）
SpO_2 92％（room air）
発汗あり

＊点滴を急速に投与した場[10]
＊いつまでも酸素投与を行わない場[7]
（患者）ゼェー，ゼェー．
（家族）●子，大丈夫か？
ぐったりして，汗をかいています．

バイタルサイン（増悪時）

JCS 100
BP 180/110mmHg
HR 96回／分
RR 30回／分（努力呼吸）
SpO_2 86％

受講者	ポイント
助産師 おはようございます．いかがですか？	患者設定を共有する． ハッキリとシナリオの開始を告げる．
助産師 血圧を測ってみましょうか．	バイタルサインの確認を行わない場合は促す．
助産師 すごくしんどいんですね．	妊娠高血圧症候群の既往はない．
助産師 点滴が必要かもしれませんね．聴診もしてみますね．	胸部を聴診すれば肺雑音著明．5 点滴をすれば500mL入ったところでバイタルを 増悪時 にし，患者役は「苦しい」以外しゃべらなくなる．むくみがひどくなり，呼気時喘鳴あり．6
医師 呼吸状態が悪いので，高濃度酸素を投与します．	酸素投与されればSpO$_2$を3増やす．投与されなければSpO$_2$を下げていく．BVMで補助換気されれば，SpO$_2$を8増やす．7

何かできることはありますか？

今日の輪番は母子医療センターです．

エコーでどこを見ますか？

子宮内には特に液体貯留はありません．腹水もたまっていないようです．（心臓の動きが悪いことを表現する）

高次医療施設に搬送依頼を行った後も大量輸液を続けていればバイタルサインを 最終 にし，患者役はしゃべらなくなり，あえぎ様呼吸となる．

患者 ゼェー，ゼェー

救急隊が到着しました．
それではここでシナリオを終わります．おつかれさまでした．

最終

JCS 300
BP 70/50mmHg
HR 70回／分
RR 12回／分（あえぎ様）
SpO_2 測定不能

[医師] モニターをつけましょう．

[医師] 呼吸状態に改善が見られないので，高次医療施設へ搬送しましょう．
[医師] お腹のエコーもしましょうか．

[医師] まずお腹を……．

[医師] 心臓を見ることのできる病院へ搬送しましょう．

12誘導心電図をとった場合，明らかなST変化はない．[9]

超音波検査をすれば，どこを観察したいか尋ねる．[8]

原因検索の一環として，プローブを使って心臓を見てみるよう誘導する．

患者の状態を正確に把握し説明できているか？ 循環器科のある施設への搬送が望ましいことに気づくか？

[急変時] または [増悪時] の時点で，降圧薬投与，利用薬投与，尿道バルーン留置などが行われれば，呼吸状態を改善させ，バイタルを [開始時] にする．[11]

BVMによる補助換気が行われなければ心停止にしてよい．[10]

ハッキリとシナリオ終了の合図を出す．

このシナリオのポイント

- 病歴や症状からは肺塞栓症，周産期心筋症，心筋梗塞，敗血症などが考えられる．産後うつで低酸素は来さない．　振り返り
- SpO_2 が継続して95％未満であれば急変と認識して対応を開始する．　振り返り
- 加えて顔や四肢のむくみの増悪があれば心不全を疑う．　振り返り
- 心不全では，胸部聴診で肺雑音，頸静脈の怒張，胸部X線で肺門部を中心とした透過性の低下，超音波で下大静脈の拡張などを認める．
- 周産期心筋症を疑えば，経腹壁エコーに使用している腹部プローブでよいので，患者を左側臥位にして胸部に当て，心収縮を簡易的に評価するとよい．　振り返り
- 日常診療で検診時に正常所見を見慣れておくと異常所見に気付きやすくなる．
- 心不全で内因性のカテコラミンが分泌されると末梢血管抵抗が増大し，血圧は上昇してさらに心不全は悪化する．
- 高血圧性の肺水腫への治療として，血圧を下げる，利尿薬を投与する，陽圧換気を行うなどが有効である．
- 急変対応の一環として静脈路確保を行った後，輸液量と輸液による症状の変化（改善 or 増悪）を必ず確認する．　振り返り

（ABCの適切なサポート，多職種・多機関の連携，家族説明などは共通項目）

FAQと解説 心電図モニターでわかる？

Q 心電図モニターで周産期心筋症を感知できますか？

解説 残念ながら特異的な心電図変化はなく，一つの誘導だけでは判断にも困りますので，心電図モニターでは感知できません．エコーが有用です．

FAQと解説 尿量が減少したら輸液？

Q 尿量が減少したら輸液するのでは？

解説 心不全で内因性のカテコラミンが分泌されると末梢血管抵抗が増大して腎血流は低下します．その結果，尿量は減少します．逆に，尿量が減少した原因が脱水のこともあるので，安易に利尿薬を使うことも避け，状態を評価してください．

memo

4 シナリオシミュレーション
新1-5 周産期心筋症による肺水腫［外来］

シナリオ概要

妊娠28〜36週に切迫早産でウテメリン®を内服し，38週で自然経腟分娩した初産婦．退院後倦怠感が強くなって，2日前から授乳やオムツ替えもしなくなり，家族は産後うつを心配している．呼吸苦が強く，四肢や顔にむくみがある．前日の夕方から排尿がなく，点滴を負荷すると呼吸状態はさらに悪化する．エコーで明らかに心収縮が悪化していて周産期心筋症を疑う症例．

シナリオ進行のポイント

1. 産後2週間健診の外来受診からシナリオを始める．
2. 患者役はイスにぐったり座って，「しんどい，もう嫌」「授乳もしたくない」などと言う．
3. 家族役は「産むんじゃなかったと言ったり，2日前から授乳もオムツ替えもしなくなったんですけど，産後うつじゃないですか？」と助産師にこっそり相談する．
4. 家族役は「昨日からご飯も食べてないので，点滴してやってください」と言って臥位に誘導する．
5. 医師がすぐに精神科に紹介した場合，患者役は外来待合室で倒れ，バイタルを 増悪時 にする．
6. 患者役は，臥位になれば身の置きどころがないようなしんどさを訴え，バイタルを 急変時 にする．胸部聴診すれば肺雑音著明．下腿を見たらむくみが著明．
7. 点滴をすれば，500mL入ったところでバイタルを 増悪時 にし，患者役は「苦しい」以外しゃべらなくなる．むくみはさらに増悪する．
8. 酸素投与すればSpO$_2$を3増やす．投与しなければSpO$_2$を下げていく．BVMで補助換気されればSpO$_2$を8増やす．酸素投与が始まらなければバイタルを 最終 にする．
9. 超音波検査をすれば，どこを観察したいか尋ねる．腹腔内・子宮内ともに液体貯留なし．下大静脈は20mmで呼吸性変動なし．心臓は左室の収縮がすごく悪い（EF 20％程度．心エコーの動画を提示することが望ましい）．
10. 高次医療施設に連絡しようとしたら「今日の輪番は母子医療センターです」と言い，循環器科のある施設への搬送を考えさせる．
11. 2本目以降も急速輸液を続けていれば，バイタルを 最終 にし，患者役はしゃべらなくなりあえぎ様呼吸となる．BVMによる補助換気が行われなければ心停止にしてよい．
12. 急変時 または 増悪時 の時点で，降圧薬投与・利尿薬投与・尿道バルーン留置などが行われれば，呼吸状態は改善し，バイタルを 開始時 にする．

シナリオ新1-5

J-CIMELS公認講習会 ベーシックコース　　ver 1.0 2021/7/10

疾患想定：周産期心筋症による肺水腫［外来］（35歳　G1P1　産後2週間）

開始時：JCS 1　BP 120/90mmHg　HR 96bpm　RR 24回／分　SpO$_2$ 95％（半座位）
想　定：28〜36週に切迫早産でウテメリン®内服　38週5日で2,900gの男児出産
気付き：産後2週間倦怠感で動きたがらない　呼吸苦あり　四肢と顔にむくみあり
急変時：JCS 20　BP160/100mmHg　HR 110回／分　RR 36回／分　SpO$_2$ 92％ 発汗あり
増悪時：JCS 100　BP180/110mmHg　HR 96回／分　RR 30回／分・努力様　SpO$_2$ 86％
●最終：JCS 300　BP70/50mmHg　HR 70回／分　RR 8回／分・あえぎ様　SpO$_2$測定不能
既往歴：他の医療機関受診なし　喘息なし　心疾患なし　アレルギーなし

受講者＿＿＿＿＿＿＿＿＿＿　（行動チェックリスト）　評価者＿＿＿＿＿＿＿＿＿＿

Step 0：急変に備えた事前準備
■ M：外来受診でモニターなし
■ I：外来受診で静脈路なし
■ 分娩後で血液型，輸血同意書は取得済み

Step1-1：何かおかしいと気付く
□ ぐったりして倦怠感が強い
□ 呼吸が明らかに速い
□ 顔や四肢の浮腫が目立つ
□ 尿量が減少している

Step1-2：異常の同定
□ 意識レベルを確認した（A／V／P／U）
□ バイタルサイン（モニター）を確認した
　　□ 血圧　□ 心拍数　□ 呼吸数　□ SpO$_2$　□ 体温
□ 胸部聴診で肺雑音を確認した
□ 下肢のむくみを確認した
　（□ このケースでは外頸静脈の怒張あり）

Step2-1：院内スタッフの招集
□ ベッドサイドを離れなかった
□ できるだけ多くの人を招集した
□ 集まったスタッフに簡潔に状況を伝えた
□ 急変対応のための物品を集めた
　　□ 酸素　□ BVM　□ 輸液　□ 緊急薬剤　□ AED

※以下は必要と判断したら随時開始する※

Step2-2：初期対応の開始
□ O：酸素投与を開始した→開始後SpO$_2$ ＋3％
□ O：BVMで補助換気した→SpO$_2$ ＋8％
□ I：急変と判断して静脈路確保と輸液を開始
□ I：輸液はキープ程度にとどめた
□ 超音波検査を行った
　　□ 腹腔内出血　□ 子宮内
　　□ 下大静脈　　□ 心収縮
　　□ 胸部X線の撮影を考慮した
　　□ 呼吸音，むくみ，尿量から心不全を疑った
　　□ 肺水腫と判断し降圧薬や利尿薬を投与した

Step3：搬送準備
□ スタッフに搬送となる旨を伝えた
□ 家族に転送となる旨を伝えた
□ 急変の内容を簡潔に説明した
□ 119番に搬送の依頼をした
（□ 必要な情報を手元に準備して連絡した）
□ 高次医療施設に搬送依頼の連絡をした

知識確認
□ 倦怠感をうつ症状と思い込まず，
　まずABCをチェックする
□ 肺水腫と判断すればNa負荷を避ける
□ 内因性カテコラミンにより血圧は
　上がっても臓器血流は低下する

行動目標
□ バイタルサインから急変を認識できる
□ 急変を認識した時に速やかに他の医療スタッフに報告できる
□ 呼吸の異常に対してすぐに適切な酸素投与ができる
□ 循環の状態を把握して適切に輸液管理ができる
□ エコーで心収縮能低下を疑うことができる

Part 2　実習編　4　シナリオシミュレーション●1-5 周産期心筋症による肺水腫［外来］

シナリオ進行例

インストラクター	バイタルサイン
それではシナリオを始めます．患者は35歳の初産婦です．妊娠28〜36週に切迫早産でウテメリン®を内服していました．38週5日で自然経腟分娩し，2,900gの元気な男児を出産しています．今日は2週間の健診で，家族と外来に来ています．[1]	**開始時** JCS 1 BP 120/90mmHg HR 96回／分 RR 24回／分 SpO₂ 95％（半坐位）
(患者)（イスにぐったり座って，少し肩で息をしている感じ） (家族)（助産師を横に呼んでひそひそ声で）ちょっと相談があるんですけど．なんだか様子がおかしいんです．帰って3日目くらいから，ずっとしんどいって……産むんじゃなかったとか言って，2日前から授乳もオムツ替えもしないんです．テレビで見たんですけど，これって産後うつですか？[3]	
(患者)しんどい……もう嫌……．[2] (家族)昨日からご飯も食べていないので，点滴してやってもらえますか？[4]	
＊特に診察などせずに，すぐに精神科に紹介した場合 [5] すぐに精神科が見てくれるそうです． (家族)よかったな，すぐに行こうな． (家族)すみません！　●子が倒れました！	
(患者)ハァ……ハァ……しんどい……（身の置きどころがない感じ）． (家族)ご飯も食べたがらないし，昨日の夕方からおしっこにも行ってないんですよ．顔も産む前よりもむくんでて……．[6] （医師役に対して）ご飯も食べれてないみたいですよ．	**急変時** JCS 20 BP 160/100mmHg HR 110回／分 RR 36回／分 SpO₂ 92％（room air） 発汗あり

受講者	ポイント
助産師 こんにちは,調子はいかがですか?	患者設定を共有する. ハッキリとシナリオの開始を告げる.
助産師 すごくしんどいんですね.まずバイタルサインを測りますね.	バイタルサインの確認を行わない場合は促す. 高血圧や上腹部痛はなく,尿蛋白を調べた場合は陰性と伝える.
助産師 そうですね,先生と相談してみましょう.しんどかったら,ちょっと横になりますか?	聞かれたら,悪露もほとんどなく,出血もなしと答える. 家族は「ちょっと横にならせてもらえますか」など,患者が臥位になることを促す. 4
	診察などをせず,すぐに精神科に紹介した場合,外来待合室まで出たところで患者がばたりと倒れる.バイタルは 増悪時 に. 5
助産師 先生,産後うつがひどくて,ご飯も食べれてないっていうんです.ちょっと見にきてもらっていいですか? 医師 ご飯も食べれてないなら,点滴しときましょうか.連携している精神科に相談してみるかな.	脚を見たらむくみがひどい.下肢静脈の怒張はない. 胸部を聴診すれば肺雑音著明. 6 点滴をすれば500mL入ったところでバイタルを 増悪時 にし,患者は「苦しい」以外しゃべらなくなる. 7

患者 ケホッ，ケホッ……苦しい…….

超音波検査で何を確認しますか？

子宮内には特に液体貯留はありません．腹水もたまっていないようです．お腹以外に見るところはないですか？
（心臓の動きが悪いことを表現する）

*点滴を急速に投与した場合 11
*いつまでも酸素投与をしない場合 8
*すぐに精神科に紹介され，待合室で倒れた場合 5

患者 ゼェー，ゼェー．
家族 ●子，大丈夫か？
ぐったりして，汗をかいています．

今日の輪番は母子医療センターです．

患者 ゼェー，ゼェー

救急隊が到着しました．それではここでシナリオを終わります．おつかれさまでした．

増悪時

JCS 100
BP 180/110mmHg
HR 96回／分
RR 30回／分（努力様）
SpO_2 86％

最終

JCS 300
BP 70/50mmHg
HR 70回／分
RR 8回／分（あえぎ様）
SpO_2 測定不能

医師 モニターをつけましょう．	酸素投与されればSpO$_2$を3増やす．投与されなければSpO$_2$を下げていく．BVMで補助換気されれば，SpO$_2$を8増やす． 8
医師 様子がおかしいので，エコーでお腹を見ておきます．	
	超音波検査をすれば，どこを観察したいか尋ねる． 9 原因検索の一環として，プローブを使って心臓を見てみるよう誘導する．12誘導心電図をとった場合，明らかなST変化はない．
医師 呼吸状態が悪いので，高濃度酸素を投与します．	酸素投与されればSpO$_2$を3増やす．投与されなければSpO$_2$を下げていく．BVMで補助換気されればSpO$_2$を8増やす． 8
医師 呼吸状態が良くないので，高次医療施設へ搬送しましょう．	循環器科のある施設への搬送が望ましいことに気付くか？ 11
	急変時 または 増悪時 の時点で，降圧薬投与，利用薬投与，尿道バルーン留置などが行われれば，呼吸状態を改善させ，バイタルを 開始時 にする． 13 高次医療施設に搬送依頼を行った後も大量輸液を続けていれば，バイタルを 最終 にし，患者はしゃべらなくなりあえぎ様呼吸となる． 12
	BVMによる補助換気が行われなければ心停止にしてよい． 2
	ハッキリとシナリオ終了の合図を出す．

このシナリオのポイント

- 病歴や症状からは肺塞栓症，周産期心筋症，心筋梗塞，敗血症などが考えられる．産後うつで低酸素は来さない．振り返り
- SpO_2 が継続して95%未満であれば急変と認識して対応を開始する．振り返り
- 加えて顔や四肢のむくみの増悪があれば心不全や腎機能障害を疑う．振り返り
- 心不全では，胸部聴診で肺雑音，頸静脈の怒張，胸部X線で肺門部を中心とした透過性の低下，超音波で下大静脈の拡張などを認める．
- 周産期心筋症を疑えば，経腹壁エコーに使用している腹部プローブでよいので，患者を左側臥位にして胸部に当て，心収縮を簡易的に評価するとよい．振り返り
- 日常診療で健診時に正常所見を見慣れておくと異常所見に気付きやすくなる．
- 心不全で内因性のカテコラミンが分泌されると末梢血管抵抗が増大し，血圧は上昇してさらに心不全は悪化する．
- 高血圧性の肺水腫への治療としては，血圧を下げる，利尿薬を投与する，陽圧換気をする，などが有効である．
- 急変対応の一環として静脈路確保を行った後，輸液量と輸液による症状の変化（改善 or 増悪）を必ず確認する．振り返り

（ABCの適切なサポート，多職種・多機関の連携，家族説明などは共通項目）

FAQと解説　心電図モニターでわかる？

Q 心電図モニターで周産期心筋症を感知できますか？

解説 残念ながら特異的な心電図変化はなく，一つの誘導だけでは判断にも困りますので，心電図モニターでは感知できません．エコーが有用です．

FAQと解説　尿量が減少したら輸液？

Q 尿量が減少したら輸液するのでは？

解説 心不全で内因性のカテコラミンが分泌されると末梢血管抵抗が増大して腎血流は低下します．その結果，尿量は減少します．逆に，尿量が減少した原因が脱水のこともあるので，安易に利尿薬を使うことは避け，状態を評価してください．

memo

4 シナリオシミュレーション
新2-1 子宮収縮不全／産後過多出血

シナリオ概要

分娩室で自然経腟分娩した直後の初産婦．直後は子宮収縮良好で出血も止まっているが，次第に子宮が軟化し，出血量が増えてくる症例．SI が 1 を超えてもなお出血が持続しているため高次医療施設へ搬送となる．

シナリオ進行のポイント

1. 分娩直前からシナリオを開始する．
2. 分娩前のバイタルサインチェック，静脈路確保を促す．モニター装着の指示がなければそのまま進行させる．
3. 分娩は滞りなく終了．会陰裂傷もなく止血も確認．子宮収縮も良好．総出血量 200g．
4. 分娩後，医師・助産師・看護師が分娩室からいなくなるように状況を設定する．
5. 分娩後の観察間隔はそれぞれの施設の方法を尊重するが，間隔が長すぎる場合（たとえば 1 時間など）は修正してよい．
6. 1 時間後の観察に合わせてバイタルを **1時間** にし，患者役は**全身倦怠感を訴える**．この時点で分娩後出血＋ 500g（計 700g）．
7. 医師が呼ばれて到着する頃にはバイタルを **急変時** にし，患者役は**不穏になる**．この時点で分娩後出血＋ 1,300g（計 1,500g）．
8. SI に言及しない場合は気付かせる．
9. 酸素投与されれば，SpO_2 を 3 増やす．投与されなければ患者役は**呼吸苦を訴える**．
10. 細胞外液の全開投与が行われれば HR は改善するが，SI は 1 を超えたままにする．
11. 輸血のオーダーがあれば「血液センターからの取り寄せに 3 〜 4 時間かかる」などと言う．
12. 家族役は「輸血はできればやめてください．それに大学病院は研修医が担当するから嫌なんです」などと言って搬送を拒もうとする．
13. 救急隊の到着までに「まだ時間がありますが，何か投与する薬剤はないですか？」などと尋ねて子宮収縮薬やトラネキサム酸の投与を促す．

＊医師は 3 連続当直の 3 日目で疲れ切っていて不機嫌であり，報告内容が不十分であれば当直室から出てこない，などと設定しておいてもよい．

J-CIMELS公認講習会
ベーシックコース

シナリオ新2-1

ver 2.0 2021/7/10

疾患想定：子宮収縮不全／産後過多出血（35歳　G2P1　39w0d）
開始時：JCS 1　BP 100/70mmHg　HR 86回／分　RR 20回／分　SpO$_2$ 97%（room air）
想　定：経腟分娩後，分娩室で観察中
気付き：子宮収縮後再軟化　出血量：分娩時200g→1時間700g→次に急変時
1時間：JCS 10　BP 100/70mmHg　HR 95回／分　RR 24回／分　SpO$_2$ 97%　皮膚湿潤
急変時：JCS 20　BP 90/70mmHg　HR 110回／分　RR 30回／分　SpO$_2$ 97%　発汗著明
既往歴：他の医療機関受診なし　喘息なし　心疾患なし　アレルギーなし

受講者　　　　　　　　　　（行動チェックリスト）　　　評価者

Step0：急変に備えた事前準備
□ M：モニター装着を指示した
　　□ 心電図モニター　□ SpO$_2$モニター
□ I：静脈路を確保した（□ 細胞外液）
□ 血液型，輸血同意書を確認した

Step1-1：何かおかしいと気付く
□ ぐったりしている
□ 呼吸が明らかに速い
□ 肌の色がおかしい（蒼白）
□ 冷や汗をかいている

Step1-2：異常の同定
□ 意識レベルを確認した（A／V／P／U）
□ バイタルサイン（モニター）を確認した
　　□ 血圧 □ 心拍数 □ 呼吸数 □ SpO$_2$ □ 体温
□ SI（ショックインデックス）を確認した
□ 産後出血量／持続出血の有無を確認した

Step2-1：院内スタッフの招集
□ ベッドサイドを離れなかった
□ できるだけ多くの人を招集した
□ 集まったスタッフに簡潔に状況を伝えた
□ 急変対応のための物品を集めた
　　□ 酸素 □ BVM □ 輸液 □ 緊急薬剤 □ AED

※以下は必要と判断したら随時開始する※

Step2-2：初期対応の開始
□ O：酸素投与を開始した
□ O：リザーバーマスク10L/分で指示した
□ 酸素投与後のSpO$_2$を確認した：＋3%
□ 気道確保，補助換気の必要性を判断した
　（このケースでは酸素投与のみで可）
□ I：細胞外液の全開投与を開始した
　（□ 投与開始前に39℃に温めるのが望ましい）
□ トラネキサム酸1gを投与した
□ 輸液投与後の反応を観察した
□ SI（ショックインデックス）を確認した

Step3：搬送準備
□ スタッフに搬送となる旨を伝えた
□ 家族に転送となる旨を伝えた
□ 急変の内容を簡潔に説明した
□ 119番に搬送の依頼をした
　（□ 必要な情報を手元に準備して連絡した）
□ 高次医療施設に搬送依頼の連絡をした

（知識確認）
□ SIが1以下になれば輸液速度を下げる
□ 保温に努めて低体温を避ける
□ 高度意識障害時は気道確保が必要

行動目標
□ 急変を認識したときに速やかに他の医療スタッフに報告できる
□ 大量出血時に適切な酸素投与ができる
□ 大量出血時に適切な輸液指示ができる
□ 救急隊や高次医療施設に簡潔に患者の状態を伝えることができる

シナリオ進行例

インストラクター	バイタルサイン
	開始時
それではシナリオを始めます． 患者さんは35歳の1回経産婦です．妊娠39週0日，陣痛発来で入院し，分娩室でもうすぐお産になりそうです．**1** どんな準備をしますか？**2**	JCS 1 BP 100/70mmHg HR 86回／分 RR 20回／分 SpO₂ 97%（room air）
その後すぐに子宮口全開し，無事に自然経腟分娩しました． 〈オギャー，オギャー〉 **患者** ありがとうございました． 出血量は200gでした．その30分後は80gでした．**3**	
分娩後の子宮収縮や出血の様子を，次はいつ観察しますか？	
家族と赤ちゃんは看護師について出て行きました．助産師もナースコールで呼ばれています．	
	1時間
直後の観察では特に問題なく，次は1時間後の観察です． **患者** 疲れました……何か全身がだるい……． 子宮は先ほどより軟らかいようです． 出血量は1時間で500gです． **患者** うーん……なんだか眠い感じ……．	JCS 10 BP 100/70mmHg HR 95回／分 RR 24回／分 SpO₂ 97%（room air） 皮膚湿潤

受講者	ポイント
助産師 母体のバイタルサインをチェックして,ルートを確保します.	患者設定を共有する. ハッキリとシナリオの開始を告げる. モニター装着の指示がなければそのまま進行させる. 2 輸液の種類と針のサイズを確認する.静脈路確保されない場合もそのままシナリオを流す.
医師・助産師・看護師 おめでとうございます.	会陰裂傷もなく,止血も確認. 子宮収縮も良好であることを伝える.
助産師 ○分後に行います.	分娩後の観察間隔は各施設の方法を尊重するが,間隔が長すぎれば修正してよい. 5
	分娩後は褥婦が一人きりになることがあり,モニターのアラームが役立つことを表現する.
助産師 ●●さん,いかがですか? 助産師 ちょっと診察しますね. 助産師 先生に相談します.	1時間 後のバイタルに変更する. 6 この時点で持続モニター装着やルート確保の指示が出ていなければ,振り返り時に確認する.

患者 ちょっと……だるい……ハァハァ
子宮収縮は悪いままです．どんどん出血が続いており，さらに800g出血しました．
患者 何か……苦しい……ハァハァ

急変時

JCS 20
BP 90/70mmHg
HR 110回／分
RR 30回／分
SpO$_2$ 97％（room air）
発汗著明

家族 ●子，赤ちゃん寝てるよ．あれ？ どうした？ ヘンだな．なんでこんなに汗かいてるんだ．大丈夫か？ ●子〜．
患者 ハァハァハァ，苦しい……．

子宮はふにゃふにゃのままで，流れるように出血しています．

家族 先生！ どうなってるんですか！

家族 ええ?! 輸血はできればやめてください．それに大学病院は研修医が担当するから嫌なんです． 12
救急隊の到着までにまだ時間がありますが，何か投与する薬剤はないですか？

救急隊が到着しました．それではここでシナリオを終わります．おつかれさまでした．

| 助産師 子宮収縮が悪くて，出血が続いています． | 急変時 バイタルに変更する．7
SIの変化に気付かせる．8
酸素投与されればSpO$_2$を3増やし，投与されなければ患者役は呼吸苦を訴える．9 |
| 医師 出血量とバイタルサインは？ | |
| 医師 応援を呼びましょう．2本目のルートをとります．子宮収縮薬を投与します． | 細胞外液の全開投与が行われればHRは改善するが，SIは1を超えたままにする．10
意識レベルの確認を行わない場合，家族役が患者役に声掛けを行うなどして気付きを促す．
輸液の投与方法と量を確認する． |
| 医師 酸素は……足りてますね．輸血の準備をしてください． | 輸血のオーダーがあれば，血液センターから取り寄せるので数時間はかかると伝える．11 |
| 医師 大量出血していて，輸血の必要がありますので，これから大きい病院へ搬送します． | 患者の状態を正確に把握し説明できているか？
家族への説明がない場合，家族役が声掛けを行うなどして気付きを促す． |
| | 子宮収縮薬やトラネキサム酸の投与を促す．13 |
| | ハッキリとシナリオ終了の合図を出す． |

このシナリオのポイント

- わが国の母体死亡症例では出血死が多かった．発症から死亡まで平均3時間であり，対応が早くすることで救命される症例が増えた．[振り返り]
- 分娩後は褥婦が一人きりになる時間があるので，モニタリングとアラーム設定で気づくことができるようにする．[振り返り]
- SI＞1かつ出血持続は必ず急変対応を始める基準であり，そこに至る前から対応を開始してよい．2本目の静脈路も確保する．
- 出血性ショックと認識したら，必ず酸素投与を開始する．少なくとも末梢細胞レベルでは低酸素に陥っている！[振り返り]
- SpO_2 が下がればBVMで補助換気を始める．
- ショックと認識したら，加温した細胞外液を急速投与する．
   水はナトリウムとともに動き，出血による循環血液量減少を補うためには，より血管の中に残りやすい細胞外液（生理食塩液やリンゲル液）を用いる．
- HES製剤（ヘスパンダー®，サリンヘス®，ボルベン®など）の使用を否定はしないが，生理食塩液と比べて生命予後改善効果はないこと，腎機能障害を増やすことを伝える．外傷患者の研究では死亡率を若干上げたとの研究もある．
- トラネキサム酸はWOMANトライアルで生命予後改善効果が確認された．分娩後出血発症から3時間以内の投与が必要であり，発症現場で1g投与する．[振り返り]
- 急速輸液のためには太い血管留置針のほうが効果的であり，輸血を行うためには最低でも20G以上の針を用いる必要がある．
- SI＞1かつ出血持続している場合，遅くともSI＞1.5になるまでには輸血開始の準備ができている必要があり，早期に高次医療施設への搬送を依頼する．[振り返り]
- 緊急輸血についての知識を確認する．[振り返り]
   （ABCの適切なサポート，多職種・多機関の連携，家族説明などは共通項目）

FAQと解説　子宮収縮薬の注意点？

Q 子宮収縮薬の一般的な薬剤は？　注意点は？

解説 オキシトシン（アトニン-O®）の投与が一般的です．エルゴメトリンマレイン酸塩は血管収縮作用が強く，冠動脈攣縮を来す恐れがあるので，少なくともone shotで静注しないでください．ジノプロスト（プロスタルモン・F®）は，気管支喘息には禁忌です．

FAQと解説　血圧低下にエフェドリン？

Q 血圧が下がったらエフェドリンを投与するのでしょうか？

解説 エフェドリンは一時的に血圧を上げますが，ボリューム負荷をせずに使うのは危険です．

FAQと解説　気道確保には肩枕？

Q 気道確保を行うときには，肩枕をすると習いました．

解説 新生児や乳児は後頭部が大きく，肩枕を入れるよう指導されたかもしれません．しかし気道さえ確保できれば枕は入れたままでも外しても，どちらでもかまいません．

memo

4 シナリオシミュレーション
新 2-2 子宮内反症／産後過多出血

シナリオ概要

分娩室で自然経腟分娩した直後の 2 回経産婦．分娩第 3 期で胎盤娩出に抵抗あり．子宮底マッサージを行いながら臍帯を引っ張ると，胎盤は娩出されたものの腹部の激痛を訴えはじめ，持続大量出血が生じる．激痛のため迷走神経反射で心拍数が低下し，SI は最後まで 1 を超えない．

シナリオ進行のポイント

1. 分娩直前からシナリオを開始する．
2. 分娩前のバイタルサインチェック，静脈路確保を促す．モニター装着の指示がなければそのまま進行させる．
3. 分娩第 2 期は滞りなく終了．分娩第 3 期で胎盤娩出に抵抗あり．
4. 子宮底マッサージを行いながら臍帯を引っ張り，なんとか胎盤は娩出する．総出血量は 200g．胎盤娩出直後から患者役は**激烈な腹痛を訴える**．バイタルサインを 急変時 に変更する．
5. 患者役は**激烈な腹痛を訴え続ける**．出血が持続していることを表現する．この時点で分娩後出血は＋300g（計 500g）．
6. 家族役は「すごく痛がってるんですけど，お産ってこんなものなんですか？」などと言う．
7. 子宮の触診があれば，子宮底を触れない旨を伝える．内診を行えば，肉塊を触れて出血がどんどん出てくる旨を伝える．
8. 経腹壁エコーを行えば，子宮底が陥凹している旨を表現する（写真の提示が望ましい）．
9. 酸素投与されれば SpO_2 を 3 増やす．投与されなければ SpO_2 を下げていく．
10. 医師が診断と整復に手間取る間にバイタルサインを 増悪時 にし，患者役は**しゃべらなくなって，いびき様呼吸になる**．この時点で出血量は＋1,300g（計 1,500g）．
11. 気道確保を行わなければ呼吸を停止させてもよい（胸骨圧迫されれば痛がり体動がある）．
12. 止血の手技や内反整復の手技については問わない．鎮痛薬やニトロ製剤の投与指示があれば，出血性ショックで使用してよいかを考えさせる．
13. 細胞外液の全開投与が行われても，血圧・心拍ともに大きく変わらない．
14. 救急隊の到着までに「まだ時間がありますが，何かできる処置はないですか？」などと尋ねて，用手的整復やトラネキサム酸の投与を促す．

J-CIMELS公認講習会 ベーシックコース

シナリオ新2-2

ver 3.0 2021/7/10

疾患想定：子宮内反症／産後過多出血（35歳　G3P2　40w2d）
入院時：JCS 1　BP 100/70mmHg　HR 86回／分　RR 20回／分　SpO₂ 97％（room air）
想　定：経腟分娩後，分娩室で後処置中
気付き：強い痛みの訴え，出血　出血量：分娩時200g→急変時500g→大量出血
急変時：JCS 10　BP 90/60mmHg　HR 60回／分　RR 30回／分　SpO₂ 97％　皮膚湿潤
増悪時：JCS 200　BP 70/50mmHg　HR 56回／分　RR 30回／分　SpO₂ 97％　発汗著明
既往歴：他の医療機関受診なし　喘息なし　心疾患なし　アレルギーなし

受講者 ＿＿＿＿＿＿　（行動チェックリスト）　評価者 ＿＿＿＿＿＿

Step0：急変に備えた事前準備
☐ M：モニター装着を指示した
　☐ 心電図モニター　☐ SpO₂モニター
☐ I：静脈路を確保した（☐ 細胞外液）
☐ 血液型，輸血同意書を確認した

Step1-1：何かおかしいと気付く
☐ ぐったりしている
☐ 強い痛みを訴えている
☐ 呼吸が明らかに速い
☐ 冷や汗をかいている

Step1-2：異常の同定
☐ 意識レベルを確認した（A／V／P／U）
☐ バイタルサイン（モニター）を確認した
　☐ 血圧　☐ 心拍数　☐ 呼吸数　☐ SpO₂　☐ 体温
☐ 産後出血量／持続出血の有無を確認した
☐ 子宮内反を疑った（症状・内診・エコー）

Step2-1：院内スタッフの招集
☐ ベッドサイドを離れなかった
☐ できるだけ多くの人を招集した
☐ 集まったスタッフに簡潔に状況を伝えた
☐ 急変対応のための物品を集めた
　☐ 酸素　☐ BVM　☐ 輸液　☐ 緊急薬剤　☐ AED

※以下は必要と判断したら随時開始する※

Step2-2：初期対応の開始
☐ O：酸素投与を開始した
☐ O：リザーバーマスク10L/分で指示した
☐ 酸素投与後のSpO₂を確認した：＋3％
☐ 気道確保，補助換気の必要性を判断した
（このケースでは増悪時に気道確保が必要）
☐ I：細胞外液の全開投与を開始した
（☐ 投与開始前に39℃に温めるのが望ましい）
☐ 子宮収縮薬の投与を中止した
☐ 輸液投与後の反応を観察した
☐ SI（ショックインデックス）を確認した
☐ 子宮内反の徒手整復を試みた
（☐ 薬剤の使用を考慮してもよい）

Step3：搬送準備
☐ スタッフに搬送となる旨を伝えた
☐ 家族に転送となる旨を伝えた
☐ 急変の内容を簡潔に説明した
☐ 119番に搬送の依頼をした
（☐ 必要な情報を手元に準備して連絡した）
☐ 高次医療施設に搬送依頼の連絡をした

知識確認
☐ 保温に努めて低体温を避ける
☐ 高度意識障害時は気道確保が必要
☐ ニトロ使用前に十分に輸液・輸血を

行動目標
☐ SIが1以下であっても出血量や徴候から異常を感知できる
☐ 急変を認識したときに速やかに他の医療スタッフに報告できる
☐ 大量出血時に適切な酸素投与ができる
☐ 大量出血時に適切な輸液指示ができる
☐ 救急隊や高次医療施設に簡潔に患者の状態を伝えることができる

Part 2 実習編

4 シナリオシミュレーション● 新2-2 子宮内反症／産後過多出血

シナリオ進行例

インストラクター	バイタルサイン

インストラクター

それではシナリオを始めます.
患者さんは35歳の2回経産婦です. 妊娠39週4日, 陣痛が始まって入院し, 分娩室でもうすぐお産になりそうです. [1]
どんな準備をしますか？[2]

バイタルサイン — 入院時

JCS 1
BP 100/70mmHg
HR 86回／分
RR 20回／分
SpO₂ 97％（room air）

その後すぐに子宮口全開し, 無事に自然経腟分娩しました.
〈オギャー, オギャー〉
元気な赤ちゃんが生まれました. 胎盤はまだです.
患者 無事生まれて, ほっとしました. まだお腹が痛ーい.

胎盤を引っ張るときに抵抗があります. [3]
患者 いたっ！ 痛い！
血がどんどん出て, 腟内の様子はよく見えません.

胎盤を娩出しました. 分娩時の総出血量は200ｇです.
患者 いたたた！ 痛い！ ギャー！
大量に出血し始めました. 身体をバタバタさせて痛がっています.
血がどんどん出て, 産道の様子はよく見えません.

バイタルサイン — 急変時

JCS 10
BP 90/60mmHg
HR 60回／分
RR 30回／分
SpO₂ 97％（room air）
皮膚湿潤

患者 痛い！ ギャー！
ひどく痛がっています. 出血も止まりません. この時点での出血は計300ｇで, 総出血量は計500gです. [5]
家族 すごく痛がってますが, お産ってこういうものなのですか？[6]

受講者	ポイント
助産師 母体のバイタルサインをチェックして，ルートを確保します．	患者設定を共有する． ハッキリとシナリオの開始を告げる． モニター装着の指示がなければそのまま進行させる． 2 輸液の種類と針のサイズを確認する．静脈路確保されない場合もそのままシナリオを流す．
医師 ・ 助産師 ・ 看護師 おめでとうございます． 医師 後陣痛っていうのがあるからね．	
助産師 では胎盤を出していきますね．	
医師 中に裂傷があるのかな？ 診察してみましょう．ちょっとじっとしてくださいね！	子宮底マッサージを行いながらなんとか胎盤を娩出させる． 4 胎盤娩出と同時にバイタルを 急変時 にする． 4
医師 モニターをつけてください．子宮収縮薬も投与しましょう．	この時点で血管確保ができていなければ促す．輸液の投与法と量を確認する．

お腹をさわっても，子宮底を触れないようです．
内診すると，何か塊が触れます．血はどんどん出てきます．7

経腹壁エコーでは，こんなふうに見えます．8

（患者）痛い！　痛い！　ギャー！
患者は痛みにあえいで，顔面も蒼白になっています．出血量はさらに1,000g増え，合計1,500gです．

（患者）患者　グアァァァァァ，グアァァァァァ
患者さんがしゃべらなくなりました．出血は止まっていません．この時点で総出血量は1,800gです．

（家族）先生，●子は大丈夫でしょうか？　なんとか助けてください．

（家族）ええ?!　輸血はできればやめてください．それに大学病院は研修医が担当するから嫌なんです．12
救急隊の到着までに，何かできる処置はないですか？14

救急隊が到着しました．それではここでシナリオを終わります．おつかれさまでした．

増悪時

JCS 200
BP 70/50mmHg
HR 56回／分
RR 30回／分
SpO₂ 97％（room air）
発汗著明

細胞外液の全開投与が行われても血圧，HRともに大きく変わらない．13

[医師] 子宮の収縮はどうですか？
[医師] エコーで診てみます．

[医師] これは内反……？

子宮底が陥没している旨を表現する（写真を提示する）．

[医師] ショックバイタルにはなっていないけど……．
[助産師] 点滴もう1本入れましょうか？

この場面で搬送の判断が出なくても，そのままシナリオを流す．
酸素投与されればSpO$_2$を3増やす．投与されなければSpO$_2$を下げていく．9

[医師] 酸素を投与しましょう．

検査と処置を行っている間にバイタルを[増悪時]に変更する．10
気道確保しなければ呼吸を停止させてもよい．11
止血や内反整復の手技については問わない．鎮痛薬やニトロ製剤の投与指示があれば，使用の是非を考えさせる．12

[医師] 輸血をしなければならないので，高次医療施設へ搬送します．

搬送手配の際は高次医療施設への連絡・救急車要請・家族への説明を求める．
患者の状態を正確に把握し，説明できているか？

用手的整復やトラネキサム酸の投与を促す．14

ハッキリとシナリオ終了の合図を出す．

Part 2 実習編 4 シナリオシミュレーション ● 新2-2 子宮内反症／産後過多出血

このシナリオのポイント

- SIだけを判断基準にしていると，落とし穴にはまることがある．激烈な痛みでは迷走神経反射で徐脈になることがある．[振り返り]
  （すべての子宮内反でそうなるわけではないが，実際に起こった症例を題材にした）
- ショックと認識したら，必ず酸素投与を開始する．少なくとも末梢細胞レベルでは低酸素に陥っている！[振り返り]
- 出血性ショックと認識したら，加温した細胞外液を急速投与する．
- 急速輸液のためには太い血管留置針のほうが効果的であり，輸血を行うためには最低でも20G以上の針を用いる必要がある．
- 子宮内反と診断したら整復を試みてよいが，整復にこだわらず早期に搬送連絡する．[振り返り]
- 子宮収縮薬は子宮内反と診断したら即中止する（投与していると整復できない）．[振り返り]
- 子宮内反整復のために用いられる薬剤（ミリスロール®，ウテメリン®，マグネゾール®）は，出血性ショックの場合には末梢血管拡張作用に伴うショックを増悪させるリスクがあることにも留意する．[振り返り]
- 同様に，鎮痛薬や鎮静薬を投与すると，交感神経緊張がとれて血圧が急に下がるリスクがあることに留意する．[振り返り]
- 完全子宮内反症例は，腹部超音波で診断がつく場合がある．
- この症例も出血性ショックがあり，トラネキサム酸投与の対象となる．
  （ABCの適切なサポート，多職種・多機関の連携，家族説明などは共通項目）

FAQと解説　好発時期？

Q 胎盤娩出直後でなくても発症することはありますか？

解説 子宮内反症は胎盤娩出から数時間後でも発症し，場合によっては数日後であっても発症することがあります． **Part 3-3**

FAQと解説　整復に成功したら？

Q 内反が整復でき，出血が治まれば，搬送しなくてもいいですか？

解説 一次施設で整復に成功しても，その後数時間で再発することがあるので，高次医療施設へ送るほうがよいでしょう．

FAQと解説　徐脈にならない？

Q わたしが経験した症例は徐脈にならなかったんですが……？

解説 痛みには個人差があり，痛みの程度によっては迷走神経反射が起こらず，徐脈にならないこともあります．

memo

4 シナリオシミュレーション
新2-3 帝王切開後の後腹膜血腫

シナリオ概要

　帝王切開で分娩した1回経産婦．2時間の観察で特に異常はなく，自室に戻り朝までモニター装着中．後腹膜血腫が増大して次第に腰背部痛が強くなり，不穏になってくる．外出血や創部出血はなく，エコーでも異常は同定できない．SIが1.5を超えるため，高次医療施設へ搬送となる．

シナリオ進行のポイント

1. 帝王切開後2時間で自室に戻るところからシナリオを開始する．分娩時出血は羊水込みで600g．
2. バイタルサインチェックを促す．モニター装着の指示がなければ促す．酸素投与するかは受講者に任せる．シナリオの最後まで外出血や創部出血はない．
3. 1時間後の観察に合わせてバイタルを 1時間 にし，患者役は**創部痛と腰痛を訴える**．
4. 次の観察時にはバイタルを 急変時 にする．患者役は**腰背部痛がひどく，お尻が押される感じを訴え，不穏になる**．
5. 家族役は「すごく痛がってるんですけど，痛み止めとかもらえるんですか？」などと言う．
6. 酸素投与量を増やせば，SpO_2 を3増やす．増やされなければ患者役は**呼吸苦を訴える**．
7. 尿道カテーテルが留置されているが，帰室後2時間で60mLしかたまっていない．
8. 細胞外液の全開投与が行われればHRは改善するが，SIは1を超えたままにする．
9. 経腹壁エコーを行えば，腹腔内出血はなく，子宮内の血液貯留もほとんどない．後腹膜側はよくわからない，と答える．
10. 医師が診断に手間取る間にバイタルサインを 増悪時 にし，患者役は「痛い〜，痛い〜」から次第に**しゃべらなくなる**．
11. 用手気道確保や経鼻エアウェイの挿入などがなければ呼吸を停止させてもよい（胸骨圧迫されれば痛がって体動がある）．

シナリオ新2-3

J-CIMELS公認講習会 ベーシックコース　ver 2.0 2021/7/10

疾患想定：帝王切開後の後腹膜血腫（28歳　G2P1　39w3d）

帰室時：JCS 10　BP 110/70mmHg　HR 80回／分　RR 16回／分　SpO₂ 98%（経鼻2L/分）
想　定：帝王切開後2時間の観察が終わり，自室で観察中　児の出生時体重3,700g
気付き：増悪する腰背部痛　SI＞1　発汗著明　外出血なし　創部出血なし
1時間：JCS 10　BP 100/70mmHg　HR 95回／分　RR 20回／分　SpO₂ 98%　創痛と腰痛
急変時：JCS 30　BP 90/70mmHg　HR 100回／分　RR 30回／分　SpO₂ 98%　発汗あり
増悪時：JCS 100　BP 80/60mmHg　HR 125回／分　RR 36回／分　SpO₂ 測定不能　発汗＋＋
既往歴：他の医療機関受診なし　喘息なし　心疾患なし　アレルギーなし

受講者　　　　　　　　　　　（行動チェックリスト）　　　　評価者

行動チェックリスト

Step0：急変に備えた事前準備
- □ M：モニター装着を指示した
  - □ 心電図モニター　□ SpO₂モニター
- □ I：静脈路を確保した（□ 細胞外液）
- □ 血液型，輸血同意書を確認した

Step1-1：何かおかしいと気付く
- □ ぐったりしている
- □ 呼吸が明らかに速い
- □ 肌の色がおかしい（蒼白）
- □ 冷や汗をかいている

Step1-2：異常の同定
- □ 意識レベルを確認した（A／V／P／U）
- □ バイタルサイン（モニター）を確認した
  - □ 血圧　□ 心拍数　□ 呼吸数　□ SpO₂　□ 体温
- □ SI（ショックインデックス）を確認した
- □ 産後出血量／持続出血の有無を確認した

Step2-1：院内スタッフの招集
- □ ベッドサイドを離れなかった
- □ できるだけ多くの人を招集した
- □ 集まったスタッフに簡潔に状況を伝えた
- □ 急変対応のための物品を集めた
  - □ 酸素　□ BVM　□ 輸液　□ 緊急薬剤　□ AED

※以下は必要と判断したら随時開始する※

Step2-2：初期対応の開始
- □ O：酸素投与量を増やした
- □ O：リザーバーマスク10L/分で指示した
- □ 酸素増量後のSpO₂を確認した：＋3％
- □ 気道確保，補助換気の必要性を判断した
（このケースでは増悪時に気道確保が必要）
- □ I：細胞外液の全開投与を開始した
（□ 投与開始前に39℃に温めるのが望ましい）
- □ ショックの原因検索のためエコーをした
- □ 輸液投与後の反応を観察した

Step3：搬送準備
- □ スタッフに搬送となる旨を伝えた
- □ 家族に転送となる旨を伝えた
- □ 急変の内容を簡潔に説明した
- □ 119番に搬送の依頼をした
（□ 必要な情報を手元に準備して連絡した）
- □ 高次医療施設に搬送依頼の連絡をした
- □ SI（ショックインデックス）を確認した

知識確認
- □ SIが1以下になれば輸液速度を下げる
- □ 保温に努めて低体温を避ける
- □ 高度意識障害時は気道確保が必要

行動目標
- □ 急変を認識したときに速やかに他の医療スタッフに報告できる
- □ ショックを認識したらすぐに適切な酸素投与ができる
- □ ショックを認識したらすぐに適切な輸液指示ができる
- □ SI＞1.5になれば高次医療施設に搬送依頼をする
- □ 救急隊や高次医療施設に簡潔に患者の状態を伝えることができる

シナリオ進行例

インストラクター	バイタルサイン
それではシナリオを始めます． 患者は28歳の1回経産婦です．妊娠39週3日で帝王切開となりました．術後2時間の観察を終えて，個室に帰ってきたところです．助産師さんが訪室するところからスタートします．術後なので静脈路と尿道カテーテルは留置されています．	**帰室時** JCS 10 BP 110/70mmHg HR 80回／分 RR 16回／分 SpO$_2$ 98%（経鼻2L/分）
分娩時出血は羊水込みで600gでした．**1** 今は夜ですが，モニターはどうしますか？ （患者）痛いです……． 次はいつ観察しますか？	
1時間後の観察です．訪室してください． （患者）お腹が痛いです……創の痛みですかね？ 腰も痛い…… （家族）手術，大変だったね． 次はどれくらいで観察に行きますか？	**1時間** JCS 10 BP 100/70mmHg HR 95回／分 RR 20回／分 SpO$_2$ 98%（経鼻2L/分）
1時間経ちました． （患者）痛い……まだ痛いです．背中も痛くて，お尻が押される感じがします．うーん……．**4** （家族）すごく痛がってるんですけど，手術後はこんなものなんですか？ （患者）痛い……痛いです．むーーー （家族）すごく痛がってますが，痛み止めを追加してもらえますか？**5** 皮膚は湿って，汗をかいています．	**急変時** JCS 30 BP 90/70mmHg HR 100回／分 RR 30回／分 SpO$_2$ 98%（経鼻2L/分） 発汗あり

受講者	ポイント
助産師 ●●さん，いかがですか？ 血圧を測りますね．	患者設定を共有する． ハッキリとシナリオの開始を告げる．
助産師 しばらくモニタリングしていきます．	モニター装着の指示がなければ促す． 酸素投与するかは受講者に任せる． 最後まで外出血や創部出血はない．2
助産師 ○分後にします．	観察間隔はとくに問わない．
助産師 お腹を見せてくださいね． 助産師 創は心配ないですよ．術後指示の鎮痛薬を注射しますね． 助産師 1時間後に行きます．	バイタルを 1時間 にする． 創部の接着はよく，出血はガーゼににじむ程度．パッドのほうにも特に大量に出血している様子はない．
助産師 ●●さん，どうですか？ 助産師 子宮の収縮具合を見せてくださいね．	バイタルを 急変時 に変更する． 創部の接着はよく，出血はガーゼににじむ程度．パッドのほうにも特に大量に出血している様子はない．子宮の収縮は良好． バイタルサインからSIが1を超えていることに気づかせる．
助産師 ちょっと先生と相談しますね．（電話で）疼痛が強いんですが，鎮痛薬を投与していいですか？ 医師 バイタルサインとか所見はどうですか？	酸素投与量を増やせばSpO_2を3増やす． 増やさなければ患者は呼吸苦を訴える．6

医師が訪室しました．
(患者) 痛い！痛い！腰も痛い！ずっと痛い！
痛みのせいで身の置き所がない感じです．皮膚はじっとり湿っています．

何かここでできることはありますか？

(患者) （弱々しく）いたい……いたい……．（と言っているが，次第にしゃべらなくなる）

(家族) 夫ですが，妻はどうなっているんでしょうか？

救急隊が到着しました．
それではここでシナリオを終わります．おつかれさまでした．

増悪時

JCS 100
BP 80/60mmHg
HR 125回／分
RR 36回／分
SpO_2 測定不能
発汗著明

（医師）痛がり方が普通じゃないですね．2本目のルートを取りましょう．尿は出てますか？

尿量は帰室後2時間で濃縮尿60mL．[7]
細胞外液の全開投与が行われればHRは改善するが，SIは1を超えたままにする．[8]

（医師）超音波検査をします．

経腹壁エコーでは腹腔内出血はなく，子宮内の血液貯留はほとんどない．後腹膜側は，よくわからない．[9]
経腟エコーを行えば，子宮近傍に何か塊が見える．

（医師）SIが1.5を超えているので，原因ははっきりしませんが，搬送します．

エコーの間にバイタルを 増悪時 にする．患者は弱々しく痛いと言っているが，次第にしゃべらなくなる．[10]
気道確保を行わなければ呼吸を停止させてもよい（胸骨圧迫されれば痛がって体動がある）．[11]

（医師）お腹の中に血のかたまりができているようですので，これから大きい病院へ搬送します．

搬送手配の際は高次医療施設への連絡・救急車要請・家族への説明を求める．

ハッキリとシナリオ終了の合図を出す．

このシナリオのポイント

- 産後の危機的出血は外出血ばかりではない．腹腔内出血や後腹膜血腫の場合もある．
- 後腹膜血腫は診断しにくいことが多い．経腹壁エコーで血腫そのものは見えにくく，後腹膜臓器（腎臓など）が腹側に押されていることで気づくこともある． 振り返り
- 帝王切開後にも発症することがあり，術創の痛みでマスクされることがあるので，痛みの場所をはっきり聞く． 振り返り
- SI ＞ 1.5 というのは必ず急変対応を始める基準であり，そこに至る前から対応を開始してよい． 振り返り
- ショックと認識したら，必ず酸素投与を開始する．少なくとも末梢細胞レベルでは低酸素に陥っている！ 振り返り
- ショックと認識したら，加温した細胞外液を急速投与する．
- 急速輸液のためには太い血管留置針のほうが効果的であり，輸血を行うためには最低でも 20G 以上の針を用いる必要がある．
- HES 製剤（ヘスパンダー®，サリンヘス®，ボルベン®など）の使用は否定はされないが，生理食塩液と比べて生命予後改善効果はないことと，腎機能障害を増やすことを伝える．アルブミン製剤の投与は，外傷患者の研究では死亡率を若干上げたとの報告もある．
- 明らかな出血が確認できなくとも，SI ＞ 1.5 になれば高次医療施設への搬送を依頼する． 振り返り
- SI ＞ 1.5 は原因が出血であれば 2,500mL 以上の出血に相当し，輸血を開始するレベルである． 振り返り

（ABC の適切なサポート，多職種・多機関の連携，家族説明などは共通項目）

FAQと解説 帝王切開で後腹膜血腫？

Q 帝王切開でも後腹膜血腫を発症することがあるのですか？

解説 緊急帝王切開による分娩の際にも，原因疾患により凝固因子が低下していた場合や，微弱陣痛による分娩停止などで子宮頸部が伸展していた場合などでは，後腹膜側に血腫が広がることがあります．

memo

4 シナリオシミュレーション
新2-4 常位胎盤早期剥離

 Part 3-1

シナリオ概要

　妊娠期間中は特に問題のなかった初産婦が40週で陣痛発来のために入院．陣痛が強くなり，陣痛間欠期に下腹部に板状硬を触れるようになり，胎児徐脈を認める．次第に陣痛間欠期の下腹部痛が強くなり，破水と同時に性器出血を来す．経腹壁エコーで胎盤の肥厚を認め，ショックの増悪とともに胎児心拍が消失する症例．

シナリオ進行のポイント

1. 陣痛発来による入院時からシナリオを開始する．
2. 入院時のバイタルサインチェックや胎児心拍の確認を促す．静脈路確保やモニター装着をここで行うかは受講者に任せる．
3. 5時間後の診察で分娩は進んでいる．分娩室に移る段階で静脈路確保やモニター装着を促す．
4. 分娩の進行と同時に陣痛間欠期の下腹部痛が発症し，胎児心拍は頻脈になる．
5. 腹部触診されると下腹部に板状硬を認める．
6. 患者役は，陣痛間欠期にも**下腹部痛を訴え，次第に強くなっていく**．バイタルを 急変時 にする．胎児心拍の基線細変動の減少を認める．
7. 患者役は**陣痛とは異なる腹痛を訴え続ける**．胎児心拍の基線細変動消失．
8. 破水とともに少量の性器出血あり．
9. エコーを準備・実施している間にバイタルを 増悪時 にし，患者役は**弱々しく痛みを訴える**．胎児に遅発一過性徐脈が出現する．
10. 高濃度酸素投与や静脈路確保が遅れれば，バイタルを 最終 にする．患者役は**しゃべらなくなり，あえぎ様呼吸となる**．
11. エコーの所見から，常位胎盤早期剥離による胎児仮死が疑われる．基線細変動の消失と繰り返す遅発一過性徐脈を認める．一次施設で緊急帝王切開術が可能かどうか考えさせる．
12. 緊急帝王切開を実施することになれば，バイタルを 最終 にする．患者役は**しゃべらなくなり，あえぎ様呼吸となる**．
13. 最終 バイタルでBVMでの補助換気がなければ，心停止にしてもよい．

＊医師は3連続当直の3日目で疲れ切っていて不機嫌であり，報告内容が不十分であれば当直室から出てこない，などと設定しておいてもよい．

J-CIMELS公認講習会 ベーシックコース

シナリオ新2-4

ver 2.0 2021/7/10

疾患想定：常位胎盤早期剥離（29歳　G2P0　流産1回　40w2d）
入院時：意識清明　BP 120/70mmHg　HR 70回／分　RR 16回／分　SpO$_2$ 98％（room air）
想　定：陣痛発来で入院　胎児心拍異常なし　子宮口2cm開大　station－3
気付き：トイレ内で強い腹痛で動けない　児心音聴取不能　子宮触診で収縮輪
急変時：JCS 10　BP 100/70mmHg　HR 100回／分　RR 36回／分　SpO$_2$ 96％　皮膚湿潤
増悪時：JCS 20　BP 90/70mmHg　HR 116回／分　RR 36回／分　SpO$_2$ 92％　発汗著明
●最終：JCS 300　BP 70/50mmHg　HR 130回／分　RR 12回／分・あえぎ様　SpO$_2$測定不能
既往歴：他の医療機関受診なし　喘息なし　心疾患なし　アレルギーなし

Part 2 実習編　4 シナリオシミュレーション●新2-4 常位胎盤早期剥離

受講者　_____　（行動チェックリスト）　評価者　_____

Step 0：急変に備えた事前準備
□ M：モニター装着を指示した
　□ 心電図モニター　□ SpO$_2$モニター
□ I：静脈路を確保した（□ 細胞外液）
□ 血液型，輸血同意書を確認した

Step1-1：何かおかしいと気付く
□ ぐったりしている
□ 陣痛ではない強い腹痛を訴えている
□ 呼吸が明らかに速い
□ 皮膚の湿潤・冷汗がある

Step1-2：異常の同定
□ 意識レベルを確認した（A／V／P／U）
□ バイタルサイン（モニター）を確認した
　□ 血圧　□ 心拍数　□ 呼吸数　□ SpO$_2$　□ 体温
□ 性器出血の有無を確認した
□ 腹部の触診をした
□ 胎児心拍数を確認した

Step2-1：院内スタッフの招集
□ ベッドサイドを離れなかった
□ できるだけ多くの人を招集した
□ 集まったスタッフに簡潔に状況を伝えた
□ 急変対応のための物品を集めた
　□ 酸素　□ BVM　□ 輸液　□ 緊急薬剤　□ AED

※以下は必要と判断したら随時開始する※

Step2-2：初期対応の開始
□ O：酸素投与を開始した
□ O：リザーバーマスク10L/分で指示した
□ 気道確保，補助換気の必要性を判断した
（このケースでは酸素投与のみでよい）
□ 意識障害が進行し緊急事態に気づいた
□ 超音波検査を行った
　□ 腹腔内出血　□ 胎児心拍　□ 児頭位置
　□ 下大静脈　□ 心収縮
□ SI（ショックインデックス）を確認した
□ I：細胞外液の全開投与を開始した
（□ 投与開始前に39℃に温めるのが望ましい）
□ 輸液投与後の反応を確認した

Step3：搬送準備
□ スタッフに搬送となる旨を伝えた
□ 家族に転送となる旨を伝えた
□ 急変の内容を簡潔に説明した
□ 119番に搬送の依頼をした
（□ 必要な情報を手元に準備して連絡した）
□ 高次医療施設に搬送依頼の連絡をした

（知識確認）
□ 常位胎盤早期剥離を疑えば迅速に治療を開始する
□ 帝王切開前には十分な輸液・輸血を

行動目標
□ 母体の徴候やバイタルサインから異常を感知できる
□ 急変を認識したときに速やかに他の医療スタッフに報告できる
□ 母体のショックを認識して酸素投与，輸液ができる
□ 救急隊や高次医療施設に簡潔に患者の状態を伝えることができる

シナリオ進行例

インストラクター	バイタルサイン
それではシナリオを始めます． 患者は29歳の生来健康な初産婦です．1回流産歴があります． 妊娠40週2日，陣痛発来で入院しました．[1]	
入院時に何を確認しますか？　いつも通り確認してください． 内診所見は子宮口2cm開大，station －3．FHRは正常です． 胎児の推定体重は2,900gです． ほかに何か確認することはありませんか？	**入院時** 意識清明 BP 120/70mmHg HR 70回／分 RR 16回／分 SpO_2 98％（room air）
入院時のバイタルサインです．特に合併症や基礎疾患はなく，尿蛋白（±）でした．このままこのクリニックで分娩を進めてよいですか？[2]	
5時間経ちました．陣痛は3分ごとでかなり強くなっており，子宮口も7cm開大，児頭もstation ±0まで下がってきました．この時点で，何かすることはありますか？	バイタルサインは変わらず
陣痛は3分ごとでやや過強気味になっていて，陣痛間欠期にも下腹部痛を訴えるようになりました．胎児はやや頻脈です．[4] **患者** 陣痛が強くて……．陣痛がおさまっている間も何か下腹が痛い感じで……いたたたた．	胎児頻脈あり
患者 いたたたた！　いった〜〜〜〜い！[6] 何か確認することはありますか？	**急変時** JCS 10 BP 100/70mmHg HR 100回／分 RR 36回／分 SpO_2 96％（room air） 皮膚湿潤 FHR valiabilityの減少あり

受講者	ポイント
	患者設定を共有する． ハッキリとシナリオの開始を告げる．
(助産師) 診察し，胎児モニターをつけます． (助産師) 母体のバイタルサインを確認します．	モニター装着ではなく，バイタルサイン測定なので，フリップで提示する．2 この時点で母体に持続モニターをつけるかどうか，静脈路を確保するかどうかについては受講者に任せる．2
(助産師) ●●さん，お産はもうちょっとかかりそうですね．胎児に問題はありません．入院して出産に備えましょうか．	
(助産師) 母体のバイタルサインを確認します．出産も近そうなので，母体のモニターを装着し，静脈路を確保します．	母体モニター装着と静脈路を確保しない場合は，プロトコールを見て何が必要か確認する．それでもモニターと静脈路が必要ないという場合はそのまま進める．3
(助産師) いい陣痛来てるんですけどねー．下腹部が痛いのはどのあたりですか？	通常の分娩進行ではない可能性を認知できるか． 下腹部を触れば，部分的な板状硬を触れることを表現する．5
(助産師) どうしました？　そんなに痛いですか？　ちょっとお腹を診察しますよ． (助産師) 胎児心拍を確認します．母体のモニターも確認します． (助産師) 先生を呼びます．	(急変時) バイタルに変更する．6 バイタルサインを確認しないようであれば促す． 人を呼ぶのが遅れるようであれば，促す． 腹部の診察をすれば，何の所見を確認しているかを尋ねる． 子宮：下腹壁に板状硬な部分を触れる 出血：明らかな出血はない FHR valiabilityの減少あり

Part 2 実習編

4 シナリオシミュレーション ● 新2-4 常位胎盤早期剝離

患者さんは強い痛みを訴え，皮膚は湿潤しています．
(患者) 痛い，お腹が，痛い〜！はぁ……はぁ…… 7
何を確認しますか？

エコーを準備します．ほかに何かすることはありますか？

エコーで何の所見を確認しますか？
(患者) う〜，う〜，いた……い……．
胎児モニターは遅発一過性徐脈を示しています．

増悪時

JCS 20
BP 90/70mmHg
HR 116回／分
RR 36回／分
SpO₂ 92%（room air）
発汗著明

10分が経過しました．胎児モニターは遅発一過性徐脈です．
(患者) あ〜，あ〜，い……た…… 8
(家族) しっかりしろ！　先生，大丈夫なんですか？　子どもは？
破水と同時に性器出血も来ています．さあ，どうしましょう？

この時点で高濃度酸素投与と急速輸液を開始していなければバイタルを 最終 にする． 10

(家族) おい，しっかりしろ！先生，どうなってるんですか？ 9
胎児心拍が読み取れなくなりました．
性器出血が増加しています．

最終

JCS 300
BP 70/50mmHg
HR 130回／分
RR 12回／分（あえぎ様）
SpO₂ 測定不能
胎児心拍確認不能

救急隊が到着しました．
それではここでシナリオを終了します．おつかれさまでした．

医師 診察をしましょう．	腹部の診察をすれば，上記と同じ所見．内診をすれば子宮口は8cm開大で，破水とともに少量の出血あり．8
医師 下腹部痛と板状硬があるので，エコーを見ます．	ショックと認識すれば，細胞外液の急速輸液と高濃度酸素投与の対象となる．子宮左方移動や左半側臥位も行う．
医師 酸素投与を開始します．	エコーの準備をしている間に 増悪時 バイタルに変更する．9 胎盤の厚み：通常より厚くなっている 胎児心拍：遅発一過性徐脈 児頭位置：骨盤内 腹腔内の液体貯留：なし
医師 遅発一過性徐脈なので，緊急帝王切開術を行います．	緊急帝切の判断をすれば，何を準備するか尋ねる（輸血，新生児蘇生など）．11 緊急帝王切開を開始すれば，バイタルを 最終 にする．12 高次医療施設への搬送を選択すれば，バイタルは 増悪時 のまま．
	この時点でBVMで補助換気を開始していなければ，心停止にしてよい．13

Part 2 実習編 …… 4 シナリオシミュレーション ● 新2-4 常位胎盤早期剥離

このシナリオのポイント

- 通常の陣痛ではない異常な徴候が出たときには，胎児心拍モニターと母体のモニター装着が必須である．振り返り
- 陣痛間欠期に産婦が陣痛と異なる腹痛を訴えたときは異常ととらえ，緊急対応の準備を始める．振り返り
- 下腹部を触診して板状硬を触れた場合は早急にスタッフを集め，緊急対応の準備を開始する（高次医療施設への搬送を含む）．振り返り
- 胎児の異常を認めたときは母体の異常がないか確認する．振り返り
- ショックと認識したら，必ず酸素投与を開始する．少なくとも末梢細胞レベルでは低酸素に陥っている！振り返り
- 出血性ショックと認識したら，加温した細胞外液を急速投与する．
- 分娩進行中および直後の激烈な腹痛の鑑別には，子宮破裂，常位胎盤早期剥離，子宮内反症，後腹膜血腫などがあり，エコーが診断に役立つが，その間にも母体のバイタルサインの変化がないか留意する．
- 常位胎盤早期剥離を疑う症例で，母体循環の改善のために子宮左方移動を行う場合は，外部から手で胎盤を押さないように気を付ける．
- 遅発一過性徐脈が出現したときに，緊急帝王切開をどこで，どのタイミングで行うかを考える．十分な輸液や輸血の準備がなければ，母体の生命が危険にさらされる．振り返り
- 出血性ショックであり，トラネキサム酸投与の対象となる．
- 搬送を受ける高次医療施設では，全身管理医や新生児科医も呼んでおく．
（ABC の適切なサポート，多職種・多機関の連携，家族説明などは共通項目）

FAQと解説 緊急帝王切開？ 搬送依頼？

Q 一次施設で発生した場合，胎児の状態にもよりますが，緊急帝王切開術と搬送依頼のどちらにするか迷います．

解説 常位胎盤早期剥離では，出血性ショックから DIC に一気に進行する場合があります．新生児蘇生の準備と同時に，母体への輸血を迅速に行える状況下での開腹術が安全です．

memo

4 シナリオシミュレーション
新2-5 分娩進行中の子宮破裂

シナリオ概要

　生来健康な36歳の1回経産婦で，2回の流産歴がある．妊娠39週5日に陣痛発来と前期破水で入院してきた．強い腹痛と便意でトイレに行くが，激烈な痛みで動けなくなる症例．胎児徐脈に気をとられて母体のABCのサポートが遅れたり，緊急帝王切開を焦るあまり母体のABCのサポートがおろそかになったりしないように注意喚起する．

シナリオ進行のポイント

1. 前期破水による入院時からシナリオを開始する．
2. 入院時のバイタルサインチェックや胎児心拍の確認を促す．静脈路確保やモニター装着をここで行うかは受講者に任せる．
3. 2時間後の診察で分娩は進んでいる．分娩室に移る段階で静脈路確保やモニター装着を促す．
4. それ以上児頭は下がらず，胎児心拍はやや頻脈を呈する．
5. 患者役は**陣痛の増強と便意を訴え，トイレに行きたがる**．
6. 20分後，トイレで激烈な腹痛を訴え，動けなくなる．バイタルを **急変時** にする．腹部は板状硬で，子宮は高い位置で収縮輪を触れる．少量の性器出血あり．児心音は高度徐脈あり．
7. 患者役は**激烈な腹痛を訴え続ける**．児心音の高度徐脈は続く．
8. エコーを準備・実施している間にバイタルを **増悪時** にし，患者役は**弱々しく痛みを訴える**．
9. 高濃度酸素投与や静脈路確保が遅れれば，バイタルを **最終** にする．患者役は**しゃべらなくなり，あえぎ様呼吸となる**．
10. エコーの所見から，子宮破裂による胎児仮死が疑われる．一次施設で緊急帝王切開術が可能かどうか考えさせる．
11. 緊急帝王切開を実施することになれば，バイタルを **最終** にする．患者役は**しゃべらなくなり，あえぎ様呼吸となる**．
12. **最終** バイタルでBVMでの補助換気がなければ，心停止にしてもよい．

＊医師は3連続当直の3日目で疲れ切っていて不機嫌であり，報告内容が不十分であれば当直室から出てこない，などと設定しておいてもよい．

J-CIMELS公認講習会
ベーシックコース

シナリオ新2-5

ver 2.0 2021/7/10

疾患想定：分娩進行中の子宮破裂（36歳　G4P1　流産2回　39w5d）
入院時：JCS 1　BP 110/70mmHg　HR 86回／分　RR 20回／分　SpO₂ 97%（room air）
想　定：前期破水で入院　FHR異常なし　子宮口3cm　station −1　→腹痛と便意出現
気付き：トイレ内で強い腹痛で動けない　子宮触診で収縮輪
急変時：JCS 10　BP 90/70mmHg　HR 60回／分　RR 30回／分　SpO₂ 100%　皮膚湿潤
増悪時：JCS 100　BP 76/60mmHg　HR 120回／分　RR 30回／分　SpO₂・児心音確認不能
●最終：JCS 300　BP 触診で60mmHg　HR 130回／分　RR 8回／分・あえぎ様　SpO₂ 測定不能
既往歴：他の医療機関受診なし　喘息なし　心疾患なし　アレルギーなし

受講者 ＿＿＿＿＿＿＿＿＿　　（行動チェックリスト）　　評価者 ＿＿＿＿＿＿＿＿＿

Step 0：急変に備えた事前準備
- □ M：モニター装着を指示した
  - □ 心電図モニター　□ SpO₂モニター
- □ I：静脈路を確保した（□ 細胞外液）
- □ 血液型，輸血同意書を確認した

Step1-1：何かおかしいと気付く
- □ ぐったりしている
- □ 陣痛ではない強い腹痛を訴えている
- □ 呼吸が明らかに速い
- □ 皮膚の湿潤・冷汗がある

Step1-2：異常の同定
- □ 意識レベルを確認した（A / V / P / U）
- □ バイタルサイン（モニター）を確認した
  - □ 血圧　□ 心拍数　□ 呼吸数　□ SpO₂　□ 体温
- □ 性器出血の有無を確認した
- □ 腹部の触診をした
- □ 胎児心拍数を確認した

Step2-1：院内スタッフの招集
- □ ベッドサイドを離れなかった
- □ できるだけ多くの人を招集した
- □ 集まったスタッフに簡潔に状況を伝えた
- □ 急変対応のための物品を集めた
  - □ 酸素　□ BVM　□ 輸液　□ 緊急薬剤　□ AED

※以下は必要と判断したら随時開始する※
Step2-2：初期対応の開始
- □ O：酸素投与を開始した
- □ O：リザーバーマスク10L/分で指示した
- □ 気道確保，補助換気の必要性を判断した
（このケースでは増悪時に気道確保が必要）
- □ 高度意識障害に進行し緊急事態に気づいた
- □ 超音波検査を行った
  - □ 腹腔内出血　□ 胎児心拍　□ 児頭位置
  - □ 下大静脈　□ 心収縮
- □ SI（ショックインデックス）を確認した
- □ I：細胞外液の全開投与を開始した
（□ 投与開始前に39℃に温めるのが望ましい）
- □ 輸液投与後の反応を確認した

Step3：搬送準備
- □ スタッフに搬送となる旨を伝えた
- □ 家族に転送となる旨を伝えた
- □ 急変の内容を簡潔に説明した
- □ 119番に搬送の依頼をした
（□ 必要な情報を手元に準備して連絡した）
- □ 高次医療施設に搬送依頼の連絡をした

知識確認
- □ 子宮破裂を疑えば迅速に治療を開始
- □ 高度意識障害時は気道確保が必要
- □ 帝王切開前には十分な輸液・輸血を

行動目標
- □ 母体の臨床所見や胎児心拍モニターから急変を認識できる
- □ SIが1以下であっても徴候から異常を感知できる
- □ 急変を認識したときに速やかに他の医療スタッフに報告できる
- □ 緊急帝王切開を行うタイミング・場所を判断できる
- □ 救急隊や高次医療施設に簡潔に患者の状態を伝えることができる

シナリオ進行例

インストラクター	バイタルサイン
それではシナリオを始めます． 患者は36歳，生来健康な1回経産婦です．2回の流産歴があります．妊娠39週5日，陣痛発来と前期破水で入院しました． 1	
入院時に何を確認しますか？ いつも通り確認してください． 内診所見は子宮口3cm開大，station −1で，羊水混濁はなく，FHRも正常で，胎児の推定体重は3,600gです． ほかに何か確認することはありませんか？	**入院時** JCS 1 BP 110/70mmHg HR 86回／分 RR 20回／分 SpO$_2$ 97%（room air）
入院時のバイタルサインです．特に合併症や基礎疾患はなく，尿検査は尿蛋白（±）でした．このままこのクリニックで分娩を進めてよいですか？ 2	
2時間経って，陣痛がどんどん強くなってきました．子宮口も7cmに開大し，児頭もstation ±0まで下がってきました．陣痛は3分間隔です． この時点で，何かすることはありますか？	バイタルサインは変わらず
陣痛3分ごとでやや過強気味になっていますが，ここから児頭が下がりません．FHRはやや頻脈です． 4 （患者）陣痛が強くなってきました．下腹が押される感じがするので，トイレに行かせてください． 5	
20分経っても患者はトイレから出てきません．トイレの中からうめき声が聞こえてくるようです． 6 （患者）痛い〜，お腹が痛い〜！ 痛い！ （家族）大丈夫か！ 助産師さん！ ちょっと動けないみたいです．手を貸してください！	**急変時** JCS 10 BP 90/70mmHg HR 60回／分 RR 30回／分 SpO$_2$ 100%（room air） 皮膚湿潤

受講者	ポイント
	患者設定を共有する. ハッキリとシナリオの開始を告げる.
(助産師) 診察し,胎児モニターをつけます. (助産師) 母体のバイタルサインを確認します.	モニター装着ではなく,バイタルサイン測定なので,フリップで提示する. 2 この時点で母体に持続モニターをつけるかどうか,静脈路を確保するかどうか,については受講者に任せる. 2
(助産師) ●●さん,お産は進んでますよ.破水してますが羊水もきれいで,胎児も問題ありません.	
(助産師) 母体のバイタルサインを確認します.出産も近そうなので,母体のモニターを装着し,静脈路を確保します.	母体モニター装着と静脈路を確保しない場合は,プロトコールを見て何が必要か確認する.それでもモニターと静脈路が必要ないという場合はそのまま進める. 3
(助産師) いい陣痛来てるのに進みませんね.点滴に気をつけてトイレに行ってくださいね.	トイレに行かせてくれなければ,患者役は強く便意を訴える.
(助産師) どうしました？ そんなに痛いですか？ 児頭が下がってきたのかな？ ちょっとお腹を診察しますよ. (助産師) 看護師さーん,手伝ってください.	急変時 バイタルに変更する. 6 腹部の診察をすれば,何の所見を確認しているかを尋ねる. 腹壁の緊張：腹壁は硬く感じる 子宮の緊満の程度：高い位置に収縮輪を触れる 出血の確認：少量の性器出血あり

なんとかベッドまで連れてきました．何か確認することはありますか？
（患者）痛い〜，お腹が痛い〜！　痛い！

患者さんは強烈な痛みを訴え，皮膚は湿潤しています．何を確認しますか？
（患者）あー，あー，痛い，痛い，痛い
胎児徐脈は改善しません．

エコーで何の所見を確認しますか？
（患者）う〜，う〜，いた……い…….

増悪時

JCS 100
BP 76/60mmHg
HR 120回／分
RR 30回／分
SpO₂ 測定不能
児心音確認不能

患者はぐったりしており，児心音は聴取できません．腹部エコーで児頭は子宮底近くに上昇しています．
（患者）う〜，う〜，いた……い……．8
（家族）しっかりしろ！　先生，大丈夫なんですか？　赤ちゃんは？
さあ，どうしましょう？

この時点で高濃度酸素投与や急速輸液を開始していなければバイタルを　最終　にする．9

（家族）おい，しっかりしろ！　先生，どうなってるんですか？
9

最終

JCS 300
BP 触診で60mmHg
HR 130回／分
RR 8回／分（あえぎ様）
SpO₂ 測定不能
児心音確認不能

救急隊が到着しました．
それではここでシナリオを終了します．おつかれさまでした．

助産師 児心音を確認します．母体のモニターも確認します． 助産師 医師を呼びます．	バイタルサインを確認しなければ促す． 人を呼ぶのが遅れるようであれば促す． 内診をすれば「児頭は触れません」 腹部の診察をすれば，上記と同じ所見．
医師 診察をしましょう． 医師 胎児徐脈が続くので，エコーを見ます．	腹部の診察や内診をすれば上記と同じ所見． ショックと認識すれば，細胞外液の急速輸液と高濃度酸素投与の対象となる．子宮左方移動や左半側臥位も行う．
	エコーの準備を行っている間に 増悪時 バイタルに変更する．8 胎盤の厚み：よく見えない 胎児心拍：観察できず 児頭位置：子宮底の近く 腹腔内の液体貯留：あり
医師 子宮破裂です．緊急帝王切開術を行います．	緊急帝王切開術の判断をすれば，何を準備すべきか尋ねる（輸血，新生児蘇生の準備など）．10 緊急帝王切開を開始すれば，バイタルを 最終 にする．11 高次医療施設への搬送を選択すれば，バイタルは 増悪時 のまま．
	この時点でBVMで補助換気を開始していなければ，心停止にしてよい．12

このシナリオのポイント

- 通常の陣痛ではない異常な徴候が出たときには，胎児心拍モニターと母体のモニター装着が必須である． 振り返り
- 強い腹痛を訴え，腹壁の板状硬や子宮の収縮輪を認めた際には，緊急対応の準備を早期に行う（高次医療施設への搬送を含む）． 振り返り
- 胎児の異常を認めたときは，母体のバイタルサインに異常がないか確認する． 振り返り
- SI だけを判断基準にしていると，落とし穴にはまることがある．激烈な痛みでは迷走神経反射で徐脈になることがある． 振り返り
（すべての子宮破裂でそうなるわけではないが，実際に起こった症例を題材にした）
- ショックと認識したら，必ず酸素投与を開始する．少なくとも末梢細胞レベルでは低酸素に陥っている！ 振り返り
- 出血性ショックと認識したら，加温した細胞外液を急速投与する．
- 分娩進行中および直後の激烈な腹痛の鑑別には，子宮破裂，常位胎盤早期剥離，子宮内反症，後腹膜血腫などがあり，エコーが診断に役立つが，その間にも母体のバイタルサインの変化がないか留意する．
- 子宮破裂と診断したときに，緊急帝王切開術をどこで，どのタイミングで行うかを考える．十分な輸液や輸血の準備がなければ，母体が生命の危険にさらされる． 振り返り
- 鎮痛薬や鎮静薬を投与すると，交感神経緊張がとれて血圧が急に下がるリスクがあることに留意する．
- 出血性ショックであり，トラネキサム酸投与の対象となる．
- 搬送を受ける高次医療施設では，全身管理医や新生児科医も呼んでおく．
（ABC の適切なサポート，多職種・多機関の連携，家族説明などは共通項目）

FAQと解説　緊急手術？　搬送依頼？

Q 一次施設で子宮破裂が生じた場合，緊急帝王切開術と搬送依頼のどちらにするか迷います．

解説 部分子宮破裂で母体がまだショックバイタルに至っていない場合は，胎児救命のために帝王切開術の適応となります．ただし，激烈な痛みで母体が徐脈になり，出血量に見合う SI の上昇を認めないこともありますので，輸血の準備も並行して行うべきでしょう．完全子宮破裂で，すでに胎児心拍を認めない場合は，十分な輸血の準備ができている高次医療施設で開腹手術をするほうが安全です．

memo

4 シナリオシミュレーション
新3-1 HELLP からの脳出血による痙攣

シナリオ概要

　陣痛室で分娩進行中の初産婦．突然の上腹部痛と嘔気を発症し，短時間のうちに強い頭痛と頻回の嘔吐が出現する．全身性の痙攣を発症するが，硫酸マグネシウムでは止まらず，ジアゼパム投与で止まる．瞳孔径の左右差と四肢の動きの左右差とがあり，脳出血が疑われる症例．

シナリオ進行のポイント

1. 陣痛室からのナースコールでシナリオを開始する．症例提示のときに入院時のバイタルサインはフリップなどで提示しておく．
2. 患者役は**上腹部痛と嘔気を訴える**．バイタルサイン測定とモニタリングを促す．検尿指示があれば尿蛋白（＋＋）と伝える．バイタルは 開始時 にする．
3. 次に患者役は**強い頭痛を訴え，頻回に嘔吐する**．バイタルを 急変時 にする．
4. 鎮痛薬，降圧薬，硫酸マグネシウムなどの投与は受講者に任せる．
5. 全身性の痙攣を表現する（マネキンの手足を持って全身を震わせる）．バイタルを 痙攣後 にする．
6. 硫酸マグネシウムの投与では痙攣は止まらない．ジアゼパムの投与で止まる．バイタルは 痙攣後 のまま．
7. 痙攣停止後は呼吸抑制を来す．BVM換気を行わなければ SpO_2 を下げていく．
8. 瞳孔を確認すれば，左2.5mm・右4.0mmで，痛み刺激に対する四肢の運動は右優位で左はあまり動かさない．
9. 搬送先選定について受講者に考えさせる．

＊医師は3連続当直の3日目で疲れ切っていて不機嫌であり，報告内容が不十分であれば当直室から出てこない，などと設定しておいてもよい．

J-CIMELS公認講習会 ベーシックコース

シナリオ新3-1

ver 2.0 2021/7/10

疾患想定：HELLPからの脳出血による痙攣（35歳　G1P0　39w5d）
入院時：意識清明　BP 110/70mmHg　HR 80回／分　RR 16回／分　SpO$_2$ 97％（room air）
想　定：陣痛室で経腟分娩進行中　頭痛の訴え　嘔気あり　ナースコールあり
開始時：JCS 10　BP 135/90mmHg　HR 100回／分　RR 20回／分　SpO$_2$ 97％（尿蛋白＋＋）
気付き：強い頭痛　血圧の異常上昇　頻回の嘔吐（外出血なし　胎盤異常なし）
急変時：JCS 30　BP 190/120mmHg　HR 110回／分　RR 30回／分　SpO$_2$ 97％　発汗著明
痙攣後：JCS 200　BP 210/90mmHg　HR 60回／分　RR 8回／分　SpO$_2$ 93％（瞳孔左右差）
既往歴：他の医療機関受診なし．喘息なし．心疾患なし．アレルギーなし．

受講者　_____　　（行動チェックリスト）　　評価者　_____

Step 0：急変に備えた事前準備
□ M：モニター装着を指示した
　□ 心電図モニター　□ SpO$_2$モニター
□ I：静脈路を確保した（□ 細胞外液）
□ 血液型，輸血同意書を確認した

Step1-1：何かおかしいと気付く
□ ぐったりしている
□ モニターのアラームが鳴る
□ 強い頭痛を訴えている
（□ 尿検査を行っていれば蛋白＋＋）

Step1-2：異常の同定
□ 意識レベルを確認した（A／V／P／U）
□ バイタルサイン（モニター）を確認した
　□ 血圧　□ 心拍数　□ 呼吸数　□ SpO$_2$　□ 体温
□ SI（ショックインデックス）を確認した
□ 出血や胎盤異常の有無を確認した

Step2-1：院内スタッフの招集
□ ベッドサイドを離れなかった
□ できるだけ多くの人を招集した
□ 集まったスタッフに簡潔に状況を伝えた
□ 急変対応のための物品を集めた
　□ 酸素　□ BVM　□ 輸液　□ 緊急薬剤　□ AED

※以下は必要と判断したら随時開始する※

Step2-2：初期対応の開始
□ O：酸素投与を開始した
□ O：リザーバーマスク10L/分で指示した
□ 酸素投与後のSpO$_2$を確認した：＋3％
□ 緊急降圧の必要性を考慮した
□ 気道確保，補助換気の必要性を判断した
（このケースでは痙攣後に気道確保が必要）
□ I：輸液はキープ程度にとどめた
□ 継続する痙攣にジアゼパムを投与した
（□ 同時にMgSO$_4$を投与してもよい）
□ 瞳孔径と対光反射を確認した
□ 痛み刺激で四肢運動の左右差を確認した
□ 血糖値を確認した

Step3：搬送準備
□ スタッフに搬送となる旨を伝えた
□ 家族に転送となる旨を伝えた
□ 急変の内容を簡潔に説明した
□ 119番に搬送の依頼をした
（□ 必要な情報を手元に準備して連絡した）
□ 高次医療施設に搬送依頼の連絡をした

知識確認
□ 脳血管障害疑い時，低血糖は否定する
□ 高度意識障害時は気道確保が必要
□ HELLP症候群を疑ったら緊急採血

行動目標
□ バイタルサインから急変を認識できる
□ 急変を認識したときに速やかに他の医療スタッフに報告できる
□ 呼吸・循環が保たれた高度意識障害では中枢神経の異常を考慮する
□ 簡単な神経学的所見をとれる（瞳孔，四肢運動）
□ 救急隊や高次医療施設に簡潔に患者の状態を伝えることができる

シナリオ進行例

インストラクター	バイタルサイン
それではシナリオを始めます．患者は35歳の初産婦です．妊娠39週5日に陣痛発来で入院しました．妊娠36週の妊婦健診から尿蛋白（＋）を認めています．子宮口は5cm開大，陣痛室で家族の付き添いのもと経過を見ています．	**入院時** 意識清明 BP 110/70mmHg HR 80回／分 RR 16回／分 SpO$_2$ 97％（room air）
詰所にナースコールが入りました．**1** （患者）なんかちょっとムカムカして，胃が痛いです．	**開始時** JCS 10 BP 135/90mmHg HR 100回／分 RR 20回／分 SpO$_2$ 97％（room air） 尿蛋白（＋＋）
（患者）頭が痛い！ （家族）え？　大丈夫？ （患者）あぁ……痛い……（おぇ～～！！）**3** （家族）うわあ！　大丈夫か！ （患者）ゴホッゴホッ！　ううー！　頭が……痛い……．	**急変時** JCS 30 BP 190/120mmHg HR 110回／分 RR 30回／分 SpO$_2$ 97％（room air） 発汗著明

受講者	ポイント
	患者設定を共有する． ハッキリとシナリオの開始を告げる．入院時のバイタルサインは症例提示のときにフリップなどで提示しておく．[1]
(助産師) はい，すぐにうかがいます．●●さん，いかがですか？	バイタルサイン測定とモニタリングを促す． 検尿指示があれば尿蛋白（＋＋）と伝える．[2] 医師から硫酸マグネシウム投与の指示があれば投与する．
(助産師) 看護師さん，来てください．先生も呼びます．	患者役が強い頭痛を訴え始めたら，バイタルを 急変時 にする． 嘔吐に対し適切な吸引の後，気道確保を行っているか？
(医師) 血圧が高いな……降圧薬を投与しましょうか．	鎮痛薬，降圧薬，硫酸マグネシウムなどの投与は受講者に任せる．[4]

| 家族 | あっ，●子！ どうした！ 先生！（マネキンを震わせて痙攣を示す）5
| 患者 | ううー！

痙攣後

JCS 200
BP 210/90mmHg
HR 60回／分
RR 8回／分
SpO₂ 93％
瞳孔左右差

マグネシウム投与後5分が経ちました．痙攣が止まりません．
| 家族 | ●子！ ●子！

痙攣が止まりました．

直近の周産期センターは母子センターです．そこに連絡しますか？ 痙攣の原因はなんだったのでしょうか？

| 家族 | ●子はどうなるんですか？

救急隊が到着しました．それではここでシナリオを終わります．おつかれさまでした．

| 医師 子癇発作か！？ マグセント®を投与しよう． | バイタルサインを 痙攣後 に変更する．まず痙攣を止める必要があるため，ジアゼパムを先に投与する．同時に硫酸マグネシウムを投与してもよい．いずれも投与方法を確認する． |

| 医師 セルシン®を投与しましょう． | 硫酸マグネシウムの投与では痙攣は止まらない．ジアゼパムの投与で止まる．6 |

| 助産師 ●●さん，わかりますか？ | 痙攣停止後は呼吸抑制を来す．BVM換気を行わなければSpO_2を下げていく．7 それでも気道管理を行わなければ，心停止にしてよい． |

| 医師 高次医療施設に搬送します．
医師 神経学的所見を確認します． | 搬送先選定について受講生に考えさせる．9 瞳孔を確認した場合は左2.5mm，右4.0mmで，痛み刺激に対する四肢の運動は，右は動くがで左はあまり動かさない．8 |

| | 搬送手配の際は高次医療施設への連絡・救急車要請・家族への説明を求める． |

| | ハッキリとシナリオ終了の合図を出す． |

このシナリオのポイント

- 痙攣の鑑別には子癇発作，脳卒中，てんかん，低血糖，突然の心停止などがあり，痙攣様発作として過換気症候群，敗血症などがある． 振り返り
- 痙攣が起きているときは呼吸も止まっていることが多く，すぐに補助換気が必要． 振り返り
- 痙攣が起きているときにバイトブロックや箸などを口腔内に入れると，舌根を押し込んで気道閉塞を来したり，そのもの自体が気道異物になったりするので，入れない． 振り返り
- 嘔吐時は慌てて換気を続けず，しっかり吸引を行う．
- 痙攣を止めるための投薬を速やかに行う（ジアゼパムを先に投与．同時に硫酸マグネシウムを投与してもよい）． 振り返り
- 搬送先病院からの報告でHELLP症候群からの脳出血が判明したことを伝える．その上で，呼吸・循環が保たれているときの意識障害は中枢神経の異常を考慮し，神経学的な異常を確認することを薦める． 振り返り
- 神経学的診察で瞳孔の左右差や四肢の運動の左右差があれば，脳卒中の可能性を考える． 振り返り
- 脳卒中の可能性があるときは低血糖を除外する（低血糖でも神経学的異常は出現し，その場で治療可能）． 振り返り
- 高度意識障害に加えて収縮期血圧の上昇，脈圧の開大，徐脈などがそろえば頭蓋内圧上昇に伴うCushing徴候と考えられ，急速に起こった場合は重症の脳出血の可能性がある．
- 脳出血か否かは頭部CTを撮らなければわからない．最初から脳外科医のいる病院を選定する． 振り返り
- 一次施設でHELLP症候群を診断することは難しいが，上腹部痛，急激な激しい頭痛，尿蛋白の出現などから想起することは可能である．

（ABCの適切なサポート，多職種・多機関の連携，家族説明などは共通項目）

FAQと解説　降圧薬の予防投与？

Q 当院ではHDP症例に対し，痙攣予防として分娩時から（努責などで血圧上昇を来すことを想定して）降圧薬やMgSO$_4$の維持量を投与していますが，問題ありませんか？　そうすれば痙攣が生じた場合に子癇発作以外の鑑別も頭に浮かぶかと思いますが？

解説 子癇の予防としてニカルジピンとMgSO$_4$を同時投与すると血圧が低下し，胎児胎盤機能を悪化させる可能性があります．母体の生体モニターと胎児心拍モニタリングとを併用して行う必要があるでしょう．

FAQと解説  痙攣の鑑別に心停止？

Q 痙攣の鑑別に心停止ってどういうことですか？

解説 突然の心停止で脳に行く血流が途絶えると，全脳の脳虚血に陥って痙攣様の発作が出ることがあります．目の前で生じた痙攣に対しては，橈骨動脈でよいので脈の有無を確認してみましょう．痙攣後の意識障害で舌根沈下や吐物による窒息を見逃すと，短時間で心停止に至ることにも注意が必要です．

FAQと解説 低血糖で麻痺？

Q 低血糖のときに麻痺って出るんですか？

解説 低血糖の脳への影響は均一に現れるのではなく，まだらに出現することがあります．その影響の部位によって，完全な片麻痺や，瞳孔の左右差が出ることがあります．低血糖の治療はその場で可能ですので，チェックしてみる価値はあります．

---

memo

4 シナリオシミュレーション
新3-2 A群溶連菌感染による敗血症［分娩前］

 Part 3-10

シナリオ概要

　定期検診で来院した37週の2回経産婦．エコーで子宮内胎児死亡（IUFD）と診断された．自施設で誘発分娩する方針で，ラミナリアを数本挿入した後に入院した．入院時より発熱と咽頭痛があり，解熱薬を内服して様子を見ていたが，強い子宮収縮と出血が見られ，体温が上昇し意識障害を起こす．発熱，咽頭痛の有無，意識障害，呼吸数の変化などから早期にA群溶連菌感染症を疑って抗菌薬の選択・搬送などの迅速な対応が求められる症例．

シナリオ進行のポイント

1. 外来でラミナリアを数本挿入した後に入院するところからシナリオを開始する．
2. 入院時のバイタルサインを示す．患者役は発熱，数日前からの咽頭痛があり，他院で処方された薬を服用してよいか尋ねる．
3. 入院から1時間後に助産師が訪室する．患者役はもうろうとしており，呼びかけでかろうじて開眼する．症状を聞かれれば腹痛を訴える．バイタルは 急変時 にする（促しても助産師が訪室しないときは，患者役がナースコールで腹痛を訴える）．
4. 医師が呼ばれて訪室したタイミングでバイタルを 増悪時 にする．患者役はうなっているだけで，刺激がないと開眼しない．強い子宮収縮と中等量の性器出血あり．エコーでは胎盤の肥厚が少しある程度で，ほかに異常所見はない．
5. 酸素投与開始，静脈路の確保，輸液の開始の指示が遅れれば，バイタルは 最終 にする．患者役の意識レベルは低下し，あえぎ様呼吸になっている．
6. 溶連菌をターゲットにした抗菌薬投与を行えば，バイタルは 増悪時 のまま変えない．加えて高濃度酸素投与と細胞外液補充液を全開投与すれば，バイタルを 急変時 に戻す．
7. 溶連菌感染が鑑別に上がらないまま高次医療施設への搬送連絡を行えば，救急隊到着までにバイタルは 最終 にする．患者役の意識レベルは低下し，あえぎ様呼吸になっている．
8. バイタルが 最終 の状態でBVMでの補助換気がなければ心停止にしてよい．
9. 後日の高次医療施設からの連絡で，咽頭からA群溶連菌が検出されたことを知らせる．家族に話を聞くと，10日前から子どもたちが咽頭炎にかかっていたことが判明する．

＊医師は外来が忙しくて不機嫌であり，報告内容が不十分であれば電話を切ろうとする，などと設定しておいてもよい．

J-CIMELS公認講習会 ベーシックコース

シナリオ新3-2

ver 1.0 2021/7/7

疾患想定：A群溶連菌感染による敗血症【分娩前】（32歳　G3P2　37w6d）
入院時：JCS 1　BP 98/76mmHg　HR 110回／分　RR 24回／分　SpO₂ 99%（room air）37.9℃
想　定：未陣発／未破水　胎児心拍（−）　早剝徴候なし　自施設にて経腟分娩誘発
気付き：体温37.9℃　数日前から喉の痛み　RR 24回／分　上の子どもが発熱
急変時：JCS 10　BP 90/70mmHg　HR 110回／分　RR 28回／分　SpO₂ 99%　38.8℃
増悪時：JCS 20　BP 80/64mmHg　HR 122回／分　RR 32回／分　SpO₂ 99%　39.2℃
●最終：JCS 100　BP 66/40mmHg　HR 130回／分　RR 8回／分・あえぎ様　SpO₂測定不能
既往歴：妊娠経過中合併症なし　アレルギーなし　咽頭痛で他院から解熱鎮痛薬処方

受講者 _____　（行動チェックリスト）　評価者 _____

Step 0：急変に備えた事前準備
□ M：モニター装着を指示した
　□ 心電図モニター　□ SpO₂モニター
□ I：静脈路を確保した（□ 細胞外液）
□ 血液型，輸血同意書を確認した

Step1-1：何かおかしいと気付く
□ 発熱がある
□ 咽頭痛がある
□ 呼吸が22回／分以上である
□ 陣痛ではない強い腹痛を訴えている

Step1-2：異常の同定
□ 意識レベルを確認した（A／V／P／U）
□ バイタルサイン（モニター）を確認した
　□ 血圧　□ 心拍数　□ 呼吸数　□ SpO₂　□ 体温
□ 性器出血の有無を確認した
□ 腹部の触診をした
□ 感染徴候の有無を確認した
□ 先行する家族の感染歴を確認した

Step2-1：院内スタッフの招集
□ ベッドサイドを離れなかった
□ できるだけ多くの人を招集した
□ 集まったスタッフに簡潔に状況を伝えた
□ 急変対応のための物品を集めた
　□ 酸素　□ BVM　□ 輸液　□ 緊急薬剤　□ AED

※以下は必要と判断したら随時開始する※

Step2-2：初期対応の開始
□ O：酸素投与を開始した
□ O：リザーバーマスク10L／分で指示した
□ O：徐呼吸の場合，BVMで補助換気した
□ 敗血症を疑ってqSOFAを確認した
□ CENTOR criteriaでスコアリングした
□ 抗菌薬を投与した
□ SI（ショックインデックス）を確認した
□ I：細胞外液の全開投与を開始した
（□ 投与開始前に39℃に温めるのが望ましい）
□ 輸液投与後の反応を確認した

Step3：搬送準備
□ スタッフに搬送となる旨を伝えた
□ 家族に転送となる旨を伝えた
□ 急変の内容を簡潔に説明した
□ 119番に搬送の依頼をした
（□ 必要な情報を手元に準備して連絡した）
□ 高次医療施設に搬送依頼の連絡をした

知識確認
□ 発熱＋咽頭痛でGAS咽頭炎を疑う
□ qSOFAで敗血症の可能性を確認する
□ 早期に抗菌薬を静脈内投与する

行動目標
□ 母体の徴候やバイタルサインから異常を感知できる
□ 急変を認識したときに速やかに他の医療スタッフに報告できる
□ 発熱＋咽頭痛ではGAS咽頭炎を念頭に迅速診断キットで検査する
□ 母体のショックを認識して酸素投与，輸液ができる

シナリオ進行例

インストラクター	バイタルサイン

インストラクター

それではシナリオを始めます．
患者さんは32歳の2回経産婦です．妊娠37週6日，健診のため受診したところ，胎児心拍が消失し，IUFDと診断しました．自施設で分娩誘発するために処置室でラミナリアを数本留置してから病棟に上がってきました．個室に入院するところからシナリオを始めてください．**1**
子宮収縮は微弱で，破水はありません．何か確認することはありますか？**2**

バイタルサイン　入院時

JCS 1
BP 98/76mmHg
HR 96回／分
RR 24回／分
SpO_2 99%（room air）
体温 37.9℃

患者 2，3日前からのどが痛くて，救急センターでカロナール®をもらいました．飲んでもいいですか？
医師に確認しましょう．

薬剤投与してから1時間が経ちました．
患者 痛い……しんどい……ハァ……ハァ……．**3**

バイタルサイン　急変時

JCS 10
BP 90/70mmHg
HR 110回／分
RR 28回／分
SpO_2 99%（room air）
体温 38.8℃

受講者	ポイント
【助産師】●●さん，残念でしたね．赤ちゃんを早く出してあげましょうね．	入院時にバイタル測定の指示がなければ，受講者に促す．2 この時点で母体に持続モニターをつけるかどうか，静脈路を確保するかどうかは受講者に任せる． 内診や触診を行えば所見を伝える．
【助産師】●●さん，熱があるんですか？　先生に患者の状態報告と内服薬の確認をします． 【医師】カロナール®飲んでもらっていいですよ．	カロナール®の指示だけが出れば，ほかに追加で処方はないか確認する．
【助産師】●●さん，お加減いかがですか？ ちょっとお腹を診察しますね． バイタルサインを測定します． 【助産師】ショックになってきているので人を呼びます．先生，急変です，すぐ来てください．	1時間経ちました，と言っても訪室しようとしなければ，患者役がナースコールで助産師を呼ぶ． 患者役は呼びかけでかろうじて眼を開ける．痛みの場所を聞かれたら「お腹が痛い」と答える．

Part 2 実習編

4 シナリオシミュレーション ● 新3-2 A群溶連菌感染による敗血症［分娩前］

| 患者 うぅ……うぅ……ハァ……ハァ. 4
患者さんはだいぶしんどそうです．体が熱いですし，汗も出ています．

増悪時

JCS 20
BP 80/64mmHg
HR 122回／分
RR 32回／分
SpO₂ 99％（room air）
体温 39.2℃

体も赤くなっています．子宮収縮が強く，子宮口開大は3cm，出血は中等量あります．お腹は硬く張っています． 5
エコー上は胎盤早期剥離の徴候はなく，液体がたまっているみたいです．子宮破裂の所見もありません． 6

サラサラした血液がいっぱい出てきています．
患者 ヴゥー……ヴゥー…….（あえぎ呼吸をしており，痛み刺激に対しては払いのける反応はあるが開眼しない）7

最終

JCS 100
BP 66/40mmHg
HR 130回／分
RR 8回／分（あえぎ様）
SpO₂ 測定不能

救急隊が来るまであと5分あります． 8

救急隊が到着しました．
それではここでシナリオを終了します．おつかれさまでした．

医師 ちょっと様子がおかしいので，酸素投与して，点滴をとってください．エコーも持ってきてください．	医師が到着したらバイタルを 増悪時 にする．4
助産師 ショックなのでモニターをつけます．	モニター装着がなければ促す． 呼びかけだけであれば「呼びかけても返事がありません」と言う． 酸素の投与方法と流量を確認する． 酸素投与や輸液開始が遅ければバイタルを 最終 にする．5
医師 エコーで子宮を確認します．	医師にはどのような診察が必要なのかを確認する．
医師 意識がおかしいようです．痛み刺激に反応ありません．開眼ありません．意識障害なので，高次医療施設に搬送しましょう．	いろいろな処置を行っている間に 最終 バイタルに変更する． 搬送手配の際は高次医療施設への連絡・救急車要請・家族への説明を求める． 患者の状態を正確に把握し，説明できているか？
医師 BVMで換気をします．	徐呼吸とSpO$_2$測定不能に気付かせ，補助換気の必要性を促す． BVMによる補助換気が行われなければ心停止にしてよい．
	ハッキリとシナリオ終了の合図を出す．

Part 2 実習編

4 シナリオシミュレーション● 新3-2 A群溶連菌感染による敗血症［分娩前］

このシナリオのポイント

- 感染症による妊産婦の死亡症例や重症例が増加しており，年によっては妊産婦死亡原因の1位になっている．特に劇症型A群溶連菌（GAS）感染による敗血症に注意！ 振り返り
- 劇症型GAS感染症の発症からの病状悪化は極めて急速である．発症早期に抗菌薬による治療を開始しなければ，24時間以内に死亡しうる． 振り返り
- 劇症型GAS感染症は分娩前より分娩後のほうが症例が多いが，致死率は分娩前のほうが高い． 振り返り
- 産科では分娩進行，産後処置などに集中するため，GAS感染の初期徴候である発熱と咽頭痛という非特異的な症状を見逃しやすい．
- 妊産婦に発熱＋咽頭痛があれば，CENTOR criteria（妊産婦修正版）を参考に，GAS咽頭炎の治療開始を検討する．診断には溶連菌迅速診断キットも活用する 振り返り
- GAS感染の可能性が高いと判断したら，早期から抗菌薬の投与を開始する．
- GAS感染が血行性に子宮に移行した場合，子宮内胎児死亡や胎児・胎盤機能不全，性器出血，子宮の圧痛といった，一見すると常位胎盤早期剥離と同様の所見を呈する． 振り返り
- 感染が原因だと思われる発熱を認めた場合，qSOFA（妊産婦修正版）の基準を満たせば，敗血症として迅速に高次医療施設へ搬送依頼する． 振り返り
- 発熱に加えて，流早産，子宮内胎児死亡，常位胎盤早期剥離，胎児・胎盤機能不全などを呈する症例では，臓器障害を伴う重症感染症として，qSOFAにかかわらず高次医療施設へ搬送依頼する．
- 感染症対策として，医療スタッフは常にサージカルマスク，アイガードを身に着けておくべきである． 振り返り

FAQと解説 敗血症をどう見分ける？

Q 敗血症ってどうやって見分ければいいんですか？

解説 敗血症は血液培養で細菌の発育を証明することで診断します．しかしそのためには少なくとも数日を要し，緊急治療に間に合いません．そのためにベッドサイドで簡易的に判定する基準がqSOFAです．感染が原因と思われる発熱を認めた場合，①意識の変容（清明でない），②呼吸数の増加（22回／分以上），③収縮期血圧の低下（妊産婦の場合90mmHg以下）の3つの項目のうち，2項目が該当すれば敗血症と判断します．

FAQと解説　子宮内胎児死亡にどう対応する？

Q 子宮内胎児死亡（IUFD）を見たら，自施設で誘発しています

解説 IUFDは特発的に起こる場合もありますが，母体の重篤な状態を反映している場合もありますので，慎重に母体の状態を観察してください．陣痛とは異なる腹痛や多量の性器出血，高熱など，異常な所見があれば躊躇なく高次医療施設に搬送依頼を行ってくだい．

FAQと解説　診断に自信がない……

Q 前頸部のリンパ節の触知や，扁桃の白苔の診断に自信がありません．

解説 咽頭痛に対するCENTOR criteriaの項目のうち「発熱」「咳なし」だけですでに2点になり，溶連菌迅速検査の対象になります．さらに妊産婦修正版の場合は，妊娠中であることで1点加え，兄弟姉妹に咽頭炎があればさらに1点プラスになり，検査なしで抗菌薬投与を開始する対象になります．白苔は見ればわかるはずなので，前頸部リンパ節の触知に自信がなくても大丈夫です．

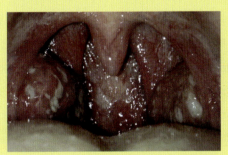

白苔（提供：京都市立病院 感染症科 山本舜悟先生）

4 シナリオシミュレーション
新3-3 A群溶連菌感染による敗血症［分娩後］

シナリオ概要

2回経産婦．産後3日目に両側乳房痛と発赤，39℃の発熱が見られ，乳腺炎として治療した．うつ乳は改善したが発熱は持続し，子宮内感染徴候の所見は認めない．急激に意識レベルが低下し，救急隊到着前に脈が触れなくなる．発熱，咽頭痛，意識障害，呼吸数の変化などから，早期にA群溶連菌感染症を疑い抗菌薬の選択，搬送などの迅速な対応が求められる症例．

シナリオ進行のポイント

1. 正常経腟分娩後3日目，午前中の検温で助産師が訪室するところから開始する．
2. 朝検温 のバイタルをフリップで示す．患者役は両胸の張りと咽頭痛を訴える．
3. 産褥3日目の観察項目を確認する．授乳と乳房緊満状態の変化については，うつ乳状態への変化が出現してきたことを伝える．助産師に対処方法を尋ねる．
4. 午後には乳房の状態は改善傾向にあるが，発熱は持続し悪化している．バイタルは 昼検温 にする．症状を尋ねられれば咽頭痛で水もあまり飲めないことを訴える．嗄声はない．
5. 医師が診察すれば，腹部の強い圧痛や悪臭のする悪露など，子宮内感染の徴候はない．
6. 家族役は自分も少し喉が痛いと訴え，高熱であることが判明する．
7. この時点で搬送を行わなければ，医師・助産師をいったん退室させる．助産師が再度訪室した時点でバイタルを 増悪時 にする．患者役はうなっており，刺激がないと開眼しない．
8. 酸素投与の開始，輸液の急速投与の指示が遅れれば，バイタルは 最終 にする．患者役の意識レベルは低下し，あえぎ様呼吸になっている．
9. 溶連菌をターゲットにした抗菌薬投与を行えば，バイタルは 増悪時 のまま変えない．加えて高濃度酸素投与と細胞外液補充液を全開投与すれば，バイタルを 昼検温 に戻す．
10. 溶連菌感染が鑑別に上がらないまま高次医療施設への搬送連絡を行えば，救急隊到着までにバイタルは 最終 にする．患者役の意識レベルは低下し，あえぎ様呼吸になっている．
11. バイタルが 最終 の状態でBVMでの補助換気がなければ，心停止にしてよい．
12. 後日の高次医療施設からの連絡で，咽頭からA群溶連菌が検出されたことを知らせる．家族に話を聞くと，10日前から第1子が咽頭炎にかかっていたことが判明する．

J-CIMELS公認講習会
ベーシックコース

シナリオ新3-3

ver 1.0 2021/7/9

疾患想定：A群溶連菌感染による敗血症［分娩後］（36歳　G2P2　分娩後3日目）
朝検温：JCS 1　BP 110/60mmHg　HR 90回/分　RR 20回/分　SpO₂ 98%（room air）39.0℃
想　定：分娩後3日目　発熱と両乳房のうっ乳所見あり　GBS（－）
気付き：体温39.2℃　数日前からのどの痛み　RR 28回/分　上の子どもが発熱
昼検温：JCS 10　BP 90/70mmHg　HR 110回/分　RR 28回/分　SpO₂ 99%　39.2℃
増悪時：JCS 20　BP 80/64mmHg　HR 122回/分　RR 32回/分　SpO₂ 99%　40.0℃
●最終：JCS 100　BP 66/40mmHg　HR 130回/分　RR 8回/分・あえぎ様　SpO₂測定不能
既往歴：妊娠経過中合併症なし　アレルギーなし　咽頭痛で他院から解熱鎮痛薬処方

受講者 ＿＿＿＿＿＿＿＿　　（行動チェックリスト）　　評価者 ＿＿＿＿＿＿＿＿

Step 0：急変に備えた事前準備
□ M：モニター装着を指示した
　□ 心電図モニター　□ SpO₂モニター
□ I：静脈路を確保した（□ 細胞外液）
□ 血液型，輸血同意書を確認した

Step1-1：何かおかしいと気付く
□ 発熱がある
□ 両側乳房痛と同時に咽頭痛がある
□ 呼吸が22回/分以上である

Step1-2：異常の同定
□ 意識レベルを確認した（A/V/P/U）
□ バイタルサイン（モニター）を確認した
　□ 血圧　□ 心拍数　□ 呼吸数　□ SpO₂　□ 体温
□ 悪露の状態を確認した
□ 腹部の触診・内診を行った
□ 感染症迅速検査を行った
□ 先行する家族の感染歴を確認した

Step2-1：院内スタッフの招集
□ ベッドサイドを離れなかった
□ できるだけ多くの人を招集した
□ 集まったスタッフに簡潔に状況を伝えた
□ 急変対応のための物品を集めた
　□ 酸素　□ BVM　□ 輸液　□ 緊急薬剤　□ AED

※以下は必要と判断したら随時開始する※

Step2-2：初期対応の開始
□ O：酸素投与を開始した
□ O：リザーバーマスク 10L/分で指示した
□ O：徐呼吸の場合，BVMで補助換気した
□ 敗血症を疑ってqSOFAを確認した
□ CENTOR criteriaでスコアリングした
□ 抗菌薬を投与した
□ SI（ショックインデックス）を確認した
□ I：細胞外液の全開投与を開始した
（□ 投与開始前に39℃に温めるのが望ましい）
□ 輸液投与後の反応を確認した

Step3：搬送準備
□ スタッフに搬送となる旨を伝えた
□ 家族に転送となる旨を伝えた
□ 急変の内容を簡潔に説明した
□ 119番に搬送の依頼をした
（□ 必要な情報を手元に準備して連絡した）
□ 高次医療施設に搬送依頼の連絡をした

知識確認
□ 発熱＋咽頭痛でGAS咽頭炎を疑う
□ qSOFAで敗血症の可能性を確認する
□ 早期に抗菌薬を静脈内投与する

行動目標
□ 母体の徴候やバイタルサインから異常を感知できる
□ 急変を認識したときに速やかに他の医療スタッフに報告できる
□ 発熱＋咽頭痛ではGAS咽頭炎を念頭に迅速診断キットで検査する
□ 母体のショックを認識して酸素投与，輸液，左半側臥位ができる
□ 消防や高次医療施設に簡潔に患者の状態を伝えることができる

Part 2 実習編
4 シナリオシミュレーション ● 新3-3 A群溶連菌感染による敗血症［分娩後］

シナリオ進行例

インストラクター	バイタルサイン

それではシナリオを始めます．
患者さんは36歳の2回経産婦です．特に基礎疾患も妊娠経過中の合併症もなく，妊娠39週3日に正常経腟分娩で元気なお子さんが生まれています．今日は分娩後3日目です．朝の検温からシナリオを始めてください．

患者 お乳が痛いです．
両乳房に発赤と痛みがあります．
乳房はかなり張っていて，うつ乳状態であるようです．**2 3**
患者 いてててて．痛いです……前も乳腺炎になったんですよ．

朝検温

JCS 1
BP 110/60mmHg
HR 90回／分
RR 20回／分
SpO₂ 98％（room air）
体温 39.0℃

投薬や冷却などしてしばらく様子を見ていましたが，今日はほかにも陣発の方がおられたりして忙しく，次の訪室は午後になりました．

午後になって時間ができたので，また訪室してあげてください．まず何をしますか？**4**
ご家族の方も来られているようです．
患者 お乳はちょっとましになったけど，痛いです……なんか喉も痛いんです．
家族 喉が痛くて，水分もあまり飲めないみたいなんです．

昼検温

JCS 10
BP 90/70mmHg
HR 110回／分
RR 28回／分
SpO₂ 99％（room air）
体温 39.2℃

両乳房の緊満と圧痛はやや改善していますが，体温は39℃以上が続いています．
患者 ハー，ハー……．

受講者	ポイント
	患者設定を共有する． ハッキリとシナリオの開始を告げる．
(助産師) ●●さん，おはようございます．熱と血圧を測りますね．調子はいかがですか？ (助産師) 熱がありますね．乳腺炎になったら大変なので，先生に確認します．	訪室時のバイタル測定については受講者に任せる．このときのバイタルサインはフリップで提示する． ほかに症状がないか聞かれたら，患者は数日前から咽頭痛があることを伝える．
(医師) 乳腺炎かもしれないので，ロキソニン®を飲んでもらいましょう． (助産師) 熱もありますし，痛くてつらいですね．痛みを和らげるお薬を飲みましょう．	解熱鎮痛薬の内容や，他に抗菌薬などの指示があればその内容も確認する．
(助産師) その後の乳房の観察をします． ●●さん，どうですか？	バイタルを 昼検温 に変更する．3 訪室時にバイタルサインを確認しないようであれば促す． モニター装着するかは受講者に任せる．
(助産師) 医師に患者の状態を報告します． (医師) 診察に行きます．	医師への報告内容が不十分であれば，その報告内容で本当にすぐに見に行くか確認する．

Part 2 実習編

4 シナリオシミュレーション ● 新3-3 A群溶連菌感染による敗血症［分娩後］

（医師役に対して）何を診察しますか？
内診で子宮にやや圧痛を認めますが，悪露は正常です．[5]
【家族】ゲホッ，ウッウーン……．ぼくもちょっと喉が痛くて……．[6]

この時点で何か対応することはありますか？[7]

陣発で入院中の他の妊婦さんの分娩が進行しているようです．

特にナースコールはないようです．いま手が空きました．[7]
【患者】うーん……むにゃむにゃ……．
呼びかけに反応はないが，痛み刺激でかろうじて開眼します．[7]

増悪時

JCS 20
BP 80/64mmHg
HR 122回／分
RR 32回／分
SpO$_2$ 99％（room air）
体温 40.0℃

＊酸素投与開始や輸液の急速投与が遅れた場合 [8]
＊溶連菌が鑑別に上がらないまま高次医療施設への搬送連絡を行った場合
【患者】ガァー……ガァー……．（あえぎ様呼吸）
呼びかけても反応しません．大量の発汗と顔色不良が見られます．[10]

患者さんが静かになりましたね．[11]

救急隊が到着しました．
それではここでシナリオを終了します．おつかれさまでした．

最終

JCS 100
BP 66/40mmHg
HR 130回／分
RR 8回／分
SpO$_2$ 測定不能

（医師）腹部の触診と内診をします．

（医師）えっ，どうしたんですか．
では早く帰って内科を受診してください！
熱があるうちは面会も禁止です．

（医師）乳腺炎の悪化も否定できないので，ロキソニン®に加えて抗菌薬を投与します．経口摂取不良なので，輸液を開始します．
（助産師）何かあったらナースコールで呼んでくださいね．

（助産師）●●さん，気分はどうですか？

（助産師）医師に状態報告をします．
先生，●●さんの熱が下がりません．

（医師）高次医療施設に搬送します．

（助産師）●●さん，大丈夫ですか？

（助産師）医師に状態を報告します．

（医師）反応もなく，呼吸状態が悪いので，高次医療施設に搬送します． 10

（医師）呼吸と循環を確認します．胸骨圧迫を始めます．

医師にはどのように対応するかを確認する．患者・家族どちらでも，インフルエンザや新型コロナ抗原の迅速検査を行えば，いずれも陰性と答える．溶連菌迅速検査を行えば，陽性と答える．

抗菌薬投与を指示すれば薬剤名を確認する．輸液の指示が出なければ促す．輸液の指示があれば，方法と速度を確認する．
この時点で搬送を行わなければ，医師・助産師をいったん退室させる．

バイタルを 増悪時 に変更する． 7

溶連菌をターゲットにした抗菌薬投与を行うなどすれば，バイタルは増悪時のまま．加えて高濃度酸素投与や急速輸液を行えば，バイタルは 昼検温 に改善する． 9

酸素投与開始や輸液の急速投与が遅れた場合や溶連菌感染が鑑別に上がらないまま高次医療施設への搬送連絡を行った場合，訪室時に 最終 バイタルにする． 8 10
搬送手配の際は高次医療施設への連絡・救急車要請・家族への説明を求める．

バイタルが 最終 の状態で，BVMでの補助換気がなければ，心停止にする． 11

ハッキリとシナリオ終了の合図を出す．

このシナリオのポイント

- 感染症による妊産婦の死亡症例や重症例が増加しており，年によっては妊産婦死亡原因の1位になっている．特に劇症型A群溶連菌（GAS）感染症による敗血症に注意！ 振り返り
- GASによる咽頭炎はありふれた感染症であり，小児の咽頭炎ではよく見られるものである．しかし妊婦もしくは褥婦がGASに感染すると，重篤な転機をとることがあるので注意を要する．
- GASを疑う場合は，先行する家族の感染歴もしくは感染徴候の有無を確認する．
- 劇症型GAS感染症の発症からの病状悪化は極めて急速である．発症早期に抗菌薬による治療を開始しなければ，24時間以内に死亡しうる． 振り返り
- 劇症型GAS感染症は，致死率は分娩前のほうが高いが，症例数は分娩前より分娩後のほうが多い． 振り返り
- 産科では分娩進行，産後処置などに集中するため，GAS感染の初期徴候である発熱と咽頭痛という非特異的な症状を見逃しやすい．
- 妊産婦に発熱＋咽頭痛があれば，CENTOR criteria（妊産婦修正版）を参考に，GAS咽頭炎の治療開始を検討する．診断には溶連菌迅速診断キットも活用する． 振り返り
- GAS感染の可能性が高いと判断したら，早期から抗菌薬の投与を開始する．
- 感染が原因だと思われる発熱を認めた場合，qSOFA（妊産婦修正版）の基準を満たせば，敗血症として迅速に高次医療施設へ搬送依頼する． 振り返り
- 感染症対策として，医療スタッフは常にサージカルマスク，アイガードを身に着けておくべきである． 振り返り

FAQと解説 敗血症をどう見分ける？

Q 敗血症ってどうやって見分ければいいんですか？

解説 敗血症は血液培養で細菌の発育を証明することで診断します．しかしそのためには少なくとも数日を要し，緊急治療に間に合いません．そのためにベッドサイドで簡易的に判定をする基準がqSOFAです．感染が原因と思われる発熱を認めた場合，①意識の変容（清明でない），②呼吸数の増加（22回／分以上），③収縮期血圧の低下（妊産婦の場合90mmHg以下）の3つの項目のうち，2項目が該当すれば敗血症と判断します．

FAQと解説  GASに対する抗菌薬?

Q A群溶連菌感染症に対する抗菌薬選択は何がいいのですか?

解説 劇症型GAS感染症の可能性がある場合は,血液培養2セットと咽頭培養1セットを採取してから抗菌薬を投与します.ただし,投与のタイミングが遅れるくらいなら早期投与を優先してください.

- A群溶連菌感染症の外来処方例

    アモキシシリン(パセトシン®,サワシリン®など)1,500mg　分3　10日分

    セファレキシン(ケフレックス®など)1,000mg　分4　7日分

- 劇症型A群溶連菌感染症の治療例

    ペニシリンG400万単位4時間ごと＋クリンダマイシン900mg 8時間ごと　点滴静注14日間

4 シナリオシミュレーション
新3-4 分娩後のてんかん発作

シナリオ概要

26歳初産婦で，小児期より抗てんかん薬の服用歴がある．妊娠39週に陣発入院後，16時間で分娩に至った．帰室して夕食後に突然の全身強直間代性痙攣を起こし，吐物で気道閉塞を起こす症例．硫酸マグネシウムでは止まらず，ジアゼパム投与で止まる．母乳への移行を心配し，陣発以降抗てんかん薬を内服していなかった．

シナリオ進行のポイント

1. 分娩後2時間で帰室するところからシナリオを開始する．出血は合計250g．症例提示のときに分娩直後のバイタルサインはフリップなどで提示しておく．
2. バイタルサインチェックを促す．モニター装着や酸素投与は受講者に任せる．バイタルは 帰室時 にする．シナリオの最後まで出血はない．
3. 患者役はお腹がすいたので夕食摂取を希望する．
4. 次に家族役は，産婦がご飯を食べたら眠くなったようなので，家族も食事をとりに行く旨を伝えて退室する．バイタルは 帰室時 のまま．
5. 病室から異常な物音がすることを伝え，バイタルを 痙攣中 にする．マネキンの手足を持って全身を震わせ，全身性の痙攣を表現する．
6. 痙攣中は呼吸抑制を来す．BVM換気を行わなければSpO_2を下げていく．
7. 医師の到着時には自然に痙攣は止まる．バイタルを 痙攣後 にしておく．
8. 瞳孔を確認すれば，左4.0mm・右4.0mmで左右差なく，痛み刺激に対する四肢の反応は左右ともにない．
9. 診察中に再度全身性の痙攣を表現する．バイタルを 再痙攣 にする．BVM換気がうまくいかず，SpO_2は低下する（口腔内に吐物が充満している）．
10. 硫酸マグネシウムの投与では痙攣は止まらない．ジアゼパムの投与で止まる．バイタルを 痙攣後 にする．
11. 吐物の吸引を行わずにBVM換気を続ければ，バイタルを 心停止 にしてPEAにする．

＊医師は3連続当直の3日目で疲れ切っていて不機嫌であり，報告内容が不十分であれば当直室から出てこない，などと設定しておいてもよい．

J-CIMELS公認講習会
ベーシックコース

シナリオ新3-4

ver 2.0 2021/7/10

疾患想定：てんかん発作（26歳　G1P0　39w4d）
帰室時：意識清明　BP 122/74mmHg　HR 78回／分　RR 16回／分　SpO$_2$ 95％　総出血量250g
想　定：入院から16時間で分娩　2時間の観察で問題なし　帰室後夕食
気付き：異常な物音で訪室したら全身強直間代性痙攣（外出血なし　脈は触れる）
痙攣中：JCS 200　BP 220/120mmHg　HR 130回／分　RR 不明　SpO$_2$ 91％（room air）
痙攣後：JCS 300　BP 140/90mmHg　HR 120回／分　RR 30回／分　SpO$_2$ 95％（酸素投与下）
再痙攣：JCS 200　BP 220/120mmHg　HR 130回／分　RR 不明　SpO$_2$ 88％（酸素投与下）
心停止：JCS 300　BP 測定不能　HR 30回／分　RR 自発呼吸なし　SpO$_2$ 不明
既往歴：小児期から抗てんかん薬服用　ここ数年は発作なし　他に既往・アレルギーなし

受講者 ＿＿＿＿＿＿＿　（行動チェックリスト）　評価者 ＿＿＿＿＿＿＿

Step 0：急変に備えた事前準備
☐ M：モニター装着を指示した
　☐ 心電図モニター　☐ SpO$_2$モニター
☐ I：静脈路を確保した（☐ 細胞外液）
■ 血液型，輸血同意書を確認した

Step1-1：何かおかしいと気付く
☐ 痙攣している
☐ モニターのアラームが鳴る

Step1-2：異常の同定
☐ 意識レベルを確認した（A/V/P/U）
☐ バイタルサイン（モニター）を確認した
　☐ 血圧　☐ 心拍数　☐ 呼吸数　☐ SpO$_2$　☐ 体温
☐ 脈の有無を確認した
☐ 自発呼吸の有無を確認した
☐ 出血の有無を確認した

Step2-1：院内スタッフの招集
☐ ベッドサイドを離れなかった
☐ できるだけ多くの人を招集した
☐ 集まったスタッフに簡潔に状況を伝えた
☐ 急変対応のための物品を集めた
　☐ 酸素　☐ BVM　☐ 輸液　☐ 緊急薬剤　☐ AED

※以下は必要と判断したら随時開始する※
Step2-2：初期対応の開始
☐ 気道確保，補助換気の必要性を判断した
（このケースでは痙攣中に補助換気が必要）
☐ 補助換気後のSpO$_2$を確認した：＋5％
☐ I：輸液はキープ程度にとどめた
☐ 継続する痙攣にジアゼパムを投与した
（☐ 同時にMgSO$_4$を投与してもよい）
☐ 瞳孔径と対光反射を確認した
☐ 痛み刺激で四肢運動の左右差を確認した
☐ SpO$_2$低下時に気道の異常を確認した
（このケースでは痙攣後に吐物吸引が必要）
☐ 抗てんかん薬の服薬状況を確認した

Step3：搬送準備
☐ スタッフに搬送となる旨を伝えた
☐ 家族に転送となる旨を伝えた
☐ 急変の内容を簡潔に説明した
☐ 119番に搬送の依頼をした
（☐ 必要な情報を手元に準備して連絡した）
☐ 高次医療施設に搬送依頼の連絡をした

知識確認
☐ てんかん既往の痙攣は怠薬を考慮
（分娩進行中の飲み忘れや授乳中など）
☐ 高度意識障害時は気道確保が必要

行動目標
☐ 急変を認識したときに速やかに他の医療スタッフに報告できる
☐ てんかん発作と認識したら，ジアゼパムを投与できる
☐ 簡単な神経学的所見をとれる（瞳孔，四肢運動）
☐ 高度意識障害時には気道保護・気道確保に注意できる
☐ 救急隊や高次医療施設に簡潔に患者の状態を伝えることができる

シナリオ進行例

インストラクター	バイタルサイン

それではシナリオを始めます．
患者は26歳の初産婦です．小児期から抗てんかん薬を服用していますが，この数年発作は起きていません．妊娠39週，陣痛発来で入院し，16時間で無事に出産しました．分娩の2時間後に患者が帰室するところからスタートします．

分娩後の経過は良好で，患者は個室に戻りました．最初に何をしますか？
次はいつ確認しますか？　今は夜の10時です．

帰室時

意識清明
BP 122/74mmHg
HR 78回／分
RR 16回／分
SpO₂ 95％（room air）
総出血量 250g

患者 あーお腹すいちゃった．今日の夕飯はおいしそうなメニューだったし，しっかり食べるぞ．**3**
家族 じゃあ，お母さんたちもご飯食べに帰るね．今日はゆっくり休んで．
患者 うん，おやすみー．**4**

2時間後，部屋の前を通りかかると異常な物音が聞こえてきます．様子を見に訪室しました．
患者 う〜〜〜〜〜〜
（マネキンを震わせて痙攣を示す）**5**

痙攣中

JCS 200
BP 220/120mmHg
HR 130回／分
RR 不明
SpO₂ 91％（room air）

患者が激しい痙攣発作を起こしています．呼びかけても返事がありません．

受講者	ポイント
	患者設定を共有する． ハッキリとシナリオの開始を告げる． 症例提示のときに分娩直後のバイタルサインはフリップなどで提示しておく．1 分娩時の出血は合計250g．
助産師 バイタルサインと子宮収縮，出血を確認します． 助産師 2時間後に一度行きます．	バイタルサインチェックを促す． モニター装着や酸素投与は受講者に任せる． シナリオの最後まで子宮収縮は良好で出血はない．2
	産婦が個室に一人残される．
助産師 ●●さん！ 大丈夫ですか！ 誰か来てください！	バイタルを 痙攣中 に変更する． 全身性の痙攣を表現する．5
	直ちに応援を呼んだか？ 自発呼吸の有無と脈拍を確認したか？
医師 え！ これ何の痙攣？	BVM換気を行わなければSpO_2を下げていく．6

	痙攣後
痙攣は治まったようです．[7] 何が原因だったのでしょう？	JCS 300 BP 140/90mmHg HR 120回／分 RR 30回／分 SpO$_2$ 95％（酸素投与下）

	再痙攣
硫酸マグネシウム投与中に再び痙攣発作が起こりました．なかなかルートをとることができません．	JCS 200 BP 220/120mmHg HR 130回／分 RR 不明 SpO$_2$ 88％（room air）

痙攣は止まりましたが，明らかな自発呼吸はないようです．

	心停止
痙攣は治まりましたが，呼びかけに答えません．顔面は蒼白です．	JCS 300 BP 測定不能 HR 30回／分 RR 自発呼吸なし SpO$_2$ 不明

救急隊が到着しました．それではここでシナリオを終わります．おつかれさまでした．

医師 神経学的所見を取ります． 助産師 血管確保をしておきます．	医師の到着時にバイタルサインを 痙攣後 に変更する． 瞳孔を確認すれば，左4.0mm，右4.0mmで左右差なく，痛み刺激に対する四肢の反応は左右ともにないことを伝える．8
医師 酸素投与してください．痙攣を止める薬を使います．	バイタルを 再痙攣 に変更する．気道閉塞に留意しながらBVMで換気すれば，SpO₂を5増やす． 硫酸マグネシウムの投与では痙攣は止まらない．ジアゼパムの投与で止まる．10
医師 ここではこれ以上対応できないので，高次医療施設に搬送しましょう．	脳外科／てんかんセンターのある病院を選択したか？ 患者の状態を正確に把握し説明できているか？　家族に連絡を行ったか？
医師 心肺蘇生を始めます．	吐物の吸引を行わずにBVM換気を続けたり，酸素投与のみで補助換気を行わなければ，バイタルを 心停止 にしてPEAにする．11
	ハッキリとシナリオ終了の合図を出す．

Part 2 実習編

4 シナリオシミュレーション ● 新3・4 分娩後のてんかん発作

このシナリオのポイント

・てんかんの既往がある場合は，患者をできるだけ一人にしない．🔖振り返り
・分娩前後は薬の飲み忘れや，授乳への影響を気にしての自己中断などがあるため，服薬状況を把握する．🔖振り返り
・分娩前後は睡眠不足やストレスなどにより発作を起こしやすくなっている．
・以上より，てんかんの既往がある場合，分娩後の帰室後もモニタリングを続けることが望ましい．
・てんかん患者ではてんかん発作の有無に関係なく，突然死（SUDEP）が起こりうるため，てんかん既往がある場合，入院中はモニタリングを続けるなど個々の施設で管理の検討が必要である．
・痙攣の鑑別には子癇発作，脳卒中，てんかん，低血糖，突然の心停止などがあり，痙攣様発作として過換気症候群，敗血症などがある．
・痙攣が起きているときは呼吸も止まっていることが多く，すぐに補助換気が必要．🔖振り返り
・痙攣が起きているときにバイトブロックや箸などを口腔内に入れると，舌根を押し込んで気道閉塞を来したり，そのもの自体が気道異物になったりするので，入れない．🔖振り返り
・高度意識障害時には咳嗽反射が消失しており，特に摂食直後のフルストマック時には嘔吐・誤嚥・窒息に注意する．🔖振り返り
・痙攣を止めるための投薬を速やかに行う（ジアゼパム，硫酸マグネシウム）．静脈路が確保されていなくてもジアゼパムは筋注で投与できる．🔖振り返り
・ジアゼパム投与後は呼吸抑制や舌根沈下に注意する．
（ABCの適切なサポート，多職種・多機関の連携，家族説明などは共通項目）

FAQと解説　発作持続時間と脳へのダメージ

Q 痙攣発作がどのくらい続くと，脳に不可逆的なダメージが起こりますか？

解説 発作が20分以上続くと何らかの後遺症が残り，25分以上の痙攣に伴う低酸素脳症では，救命はできても，脳の高次機能がかなり損傷される可能性が高くなります．

FAQと解説　脈の確認？

Q なぜ痙攣時に脈の確認を行うのでしょうか？

解説 突然の心停止で脳に行く血流が途絶えると，全脳の脳虚血となり痙攣様の発作が出現することがあります．目の前で生じた痙攣に対しては，橈骨動脈でよいので脈の有無を確認しましょう．

FAQと解説　舌を噛まないように？

Q 痙攣時は舌を噛まないよう，何かを口に入れるのでは？

解説 てんかん発作が起こっているときは舌を噛まないようにバイトブロックを入れるなどと教わった人もいるかもしれません．しかしバイトブロックや箸などを口腔内に入れると，舌根を押し込んで気道閉塞を来したり，そのもの自体が気道異物になったりするので，口腔内に物は入れないようにしましょう．

memo

4 シナリオシミュレーション
新3-5 分娩時裂傷縫合時の局所麻酔薬中毒

シナリオ概要

陣痛発来で来院した1回経産婦．診察時には子宮口は全開大で，分娩台に上がった直後に4,100gの男児を出産した．3度裂傷となり縫合処置を行うが，痛がって安静がとれず，局所麻酔薬の追加投与を続けていると，多弁や異常感覚などが出現する症例．症状出現時に速やかに脂肪乳剤を投与しなければ痙攣や致死的不整脈の出現に至る．

シナリオ進行のポイント

1. 来院時子宮口全開大で児頭発露しているところからシナリオを始める．
2. 入院時のバイタルサインを測定すれば測定値をフリップで示し（ 来院時 ），会陰切開する間もなくすぐに4,100gの男児を出産する．
3. 分娩直後のバイタルサイン確認，モニター装着と静脈路確保を促す．バイタルは 分娩後 にする．
4. 胎盤娩出後，性器出血が続いていることを伝え，医師が診察すれば，会陰の左右に裂傷があって，肛門近くにまで達していることを伝える．
5. 医師が縫合のために局所麻酔薬を打ったり縫合を始めたりすると，患者役は強い痛みを訴え，早く痛みを取るように要求する．バイタルは 縫合時 にする．無視して縫合しようとすると激しく体動して安全に縫えない．家族役は患者が痛がりなので局所麻酔薬を追加するように促し続ける．
6. 受講者が1%キシロカイン®を3A使用するまで5を繰り返す．
7. 患者役は「金属の味がする」などと言い始め，呂律不良になって「なんかうまくしゃべれない」「視野がゆがむ」などと多弁になる．バイタルを 急変時 にする．
8-a. 脂肪乳剤投与の指示があれば，投与準備中に患者役は興奮状態になって痛みが取れないことについて怒り出す．
8-b. 搬送連絡などを優先して脂肪乳剤投与の指示が出なければ，バイタルを 痙攣時 にし，患者役はしゃべらなくなって痙攣を始める．抗痙攣薬を投与しても痙攣は止まらない．
9. 脂肪乳剤の投与が始まれば，バイタルを 搬送前 にし，患者役はしゃべらなくなり，呼吸抑制を来す．適切にBVMで補助換気を行わなければ 心停止 にしてよい．
10. この段階でも脂肪乳剤投与の指示がなければ，バイタルを 心停止 にしてVFにする．

J-CIMELS公認講習会 ベーシックコース

シナリオ新3-5

ver 1.0 2021/7/9

疾患想定：分娩時裂傷縫合時の局所麻酔薬中毒（35歳　G2P1　39w5d）

- 来院時：意識清明　BP 110/70mmHg　HR 80回/分　RR 20回/分　SpO₂ 98%（room air）
- 分娩後：意識清明　BP 110/70mmHg　HR 80回/分　RR 20回/分　SpO₂ 98%（room air）
- 想　定：39w5dの午前に陣痛発来　午後の来院時には子宮口は全開大ですぐに出産
- 気付き：少量分割投与で痛みの抑制効果が乏しい→次第に多弁が出現，興奮状態に
- 縫合時：JCS 1　　BP 140/90mmHg　HR 96回/分　　RR 30回/分　SpO₂ 98%（room air）
- 急変時：JCS 3　　BP 180/120mmHg　HR 120回/分・不整　RR 30回/分　SpO₂ 95%（room air）
- 搬送前：JCS 300　BP 140/90mmHg　HR 60回/分　　RR 6回/分　SpO₂ 88%（room air）
- 痙攣時：JCS 200　BP 180/120mmHg　HR130回/分　RR 呼吸停止　SpO₂ 88%（room air）
- 心停止：JCS 300　BP 測定不能　HR：波形はVFに　RR 呼吸停止　SpO₂ 測定不能
- 既往歴：他の医療機関受診なし　喘息なし　心疾患なし　アレルギーなし

受講者＿＿＿＿＿＿＿＿＿　　（行動チェックリスト）　　評価者＿＿＿＿＿＿＿＿＿

Step 0：急変に備えた事前準備
- □ M：モニター装着を指示した
  - □ 心電図モニター　□ SpO₂モニター
- □ I：静脈路を確保した（□細胞外液）
- □ 血液型，輸血同意書を確認した

Step1-1：何かおかしいと気付く
- □ 異常知覚，呂律不良，多弁などが出現

Step1-2：異常の同定
- □ 意識レベルを確認した（A/V/P/U）
- □ バイタルサイン（モニター）を確認した
  - □ 血圧　□ 心拍数　□ 呼吸数　□ SpO₂　□ 体温
- □ ECGモニターで不整脈の有無を確認した

Step2-1：状況の共有
- □ ベッドサイドを離れなかった
- □ できるだけ多くの人を招集した
- □ スタッフに局麻薬中毒の可能性を伝えた
- □ 急変対応のための物品を集めた
  - □ 酸素　□ BVM　□ 輸液　□ 緊急薬剤　□ AED

※以下は必要と判断したら随時開始する※

Step2-2：初期対応の開始
- □ 局麻薬中毒を疑って脂肪乳剤を投与した
- □ O：酸素投与を開始した→SpO₂＋3%増
- □ O：酸素化が悪くBVMで換気した→＋8%
- □ 高度意識障害に進行し緊急事態に気付いた
- □ 頭部後屈あご先挙上で気道確保を行った
- □ 自発呼吸を確認した
- □ （呼吸が弱いと判断し）BVMで換気した

Step3：搬送準備
- □ スタッフに搬送となる旨を伝えた
- □ 家族に搬送となる旨を伝えた
- □ 急変の内容を簡潔に説明した
- □ 119番に搬送の依頼をした
  - （□ 必要な情報を手元に準備して連絡した）
- □ 高次医療施設に搬送依頼の連絡をした

知識確認
- □ 創が広いときの局所麻酔薬はアドレナリン添加0.5%リドカインを用いる
- □ 脂肪乳剤は分娩室内に常備しておく
- □ 初期投与は1.5mL/kg（約100mL）
- □ 続いて0.25mL/kg/分で持続投与

行動目標
- □ 創が広いときはアドレナリン添加リドカインを倍量希釈で用いる
- □ 局麻薬中毒を疑ったときに速やかに他のスタッフに共有できる
- □ 局麻薬中毒を疑ったときに迅速に脂肪乳剤を投与できる
- □ 局麻薬中毒を疑ったときに高次医療施設への搬送連絡ができる
- □ 呼吸抑制に対しBVMを用いて適切な補助換気ができる

Part 2 実習編

4 シナリオシミュレーション●新3-5 分娩時裂傷縫合時の局所麻酔薬中毒

シナリオ進行例

インストラクター	バイタルサイン

インストラクター:

それではシナリオを始めます．
患者は35歳の1回経産婦です．39週5日に陣発で来院されたのですが，すでに子宮口全開大で，排臨しているようです．すぐに分娩の準備を始めてください．**1**

患者 痛い痛い痛いー！　出るー！
元気な赤ちゃんが生まれました．体重は4,100gでした．**2 3**

来院後すぐに分娩に至りました．今からでも何か準備することはありますか？

胎盤も出ました．裂傷から出血が続いています．会陰の左右に裂傷があって，肛門近くに達しています．**4**

家族 ●子ー，どうだ？　え？　もう生まれたの？
患者 ああー，あっという間だったー．

患者 痛い痛い痛いー！　縫うのが怖い！
家族 すごい痛がりなんです．1人目のときも大騒ぎしました．

バイタルサイン:

【来院時】
意識清明
BP 110/70mmHg
HR 80回／分
RR 20回／分
SpO₂ 98%（room air）

【分娩後】
意識清明
BP 110/70mmHg
HR 80回／分
RR 20回／分
SpO₂ 98%（room air）

受講者	ポイント
	患者設定を共有する. ハッキリとシナリオの開始を告げる.
助産師 分娩の準備をしますから,いきまないで! **看護師** モニターをつけて,バイタルサインを確認します.	分娩直後のバイタルサイン測定を促す.母体の生体監視モニターの装着の指示が出れば,モニターを表示する.
医師 縫合をします.裂傷が大きいようなので,麻酔を使います.	麻酔の具体的な薬と投与量を確認する.内容は受講者に任せる.
医師 おめでとうございます.ちょっと傷が大きいので,左右に多めに麻酔薬を打って,傷を縫っていきますね. **助産師** がんばりましょうね.	母体の生体監視モニター装着や静脈路確保がまだであれば,局所麻酔使用前に促す.会陰裂傷の範囲が広く,出血も持続していることを表現する.

Part 2 実習編

4 シナリオシミュレーション● 新3-5 分娩時裂傷縫合時の局所麻酔薬中毒

| 患者 |痛い痛い痛いー！（身をよじる）
| 家族 |ちょっとくらい我慢して．先生，痛がりなんで，薬はいっぱい使ってください．どんどん追加してください．5

| 患者 |痛いー！（暴れる）
| 家族 |先生，傷がひどいようなら，薬もっと追加してください．6

| 患者 |なんか，口の中，金属の味がする，うらいしたい．水ちょうらい．うらい，うらいひはい……．
| 家族 |え？ なに？ なに言ってんの？ はっきりしゃべって．あれ？ なんかおかしいな．7

何か様子がおかしいようです．次に何をしますか？

| 患者 |なんかしらがまわらない．あれ？ めもおかすぃ．
| 家族 |先生，これ，どうしたんですか？

＊すぐに脂肪乳剤の投与を始めた場合
| 患者 |こんら，いらみがとれらいっておかすぃよ．助けれー．
| 家族 |おい，お前，しっかりしろ．

縫合時

JCS 1
BP 140/90mmHg
HR 96回／分
RR 30回／分
SpO$_2$ 98％（room air）

急変時

JCS 3
BP 180/120mmHg
HR 120回／分・不整
RR 30回／分
SpO$_2$ 95％（room air）

医師 麻酔薬を打つのでちょっと我慢してね．看護師さん，脚を押さえていてください． 看護師 脚を支えますね．	バイタルを 縫合時 にする．
医師 麻酔を追加します． 看護師 がんばってくださいね．	患者は1％キシロカイン®の投与量が3Aになるまで痛がり続ける．
	患者が異常感覚や呂律障害を訴え始めたら，バイタルを 急変時 に変更する．
医師 ちょっとなんかおかしいな．バイタルサインは？ 鎮静したほうがいいかな．	急変した原因が何かを考えさせる．
医師 味覚異常と呂律不良があり，局所麻酔薬中毒を疑います．脂肪乳剤を投与しましょう．	脂肪乳剤投与の指示が出れば，具体的な製剤と投与方法を尋ねる．すぐに正確に答えられなくても，そのまま投与を開始させてよい．

| 患者 ……グァァ……グァァ……… |
| 家族 ああ，やっと落ち着いた． |

搬送前

JCS 300
BP 140/90mmHg
HR 60回／分
RR 6回／分
SpO$_2$ 88％（room air）

＊すぐに脂肪乳剤投与の指示がない場合
家族 ●子，どうした？ あーっ！ なんかガクガクしてますけど！ 落ちる！ あぶない！

痙攣時

JCS 200
BP 180/120mmHg
HR 130回／分
RR 呼吸停止
SpO$_2$ 88％（room air）

家族 ●子！ しっかりしろ！ 全然治まりませんけど！ 先生これどうなっているんですか？

＊脂肪乳剤が投与されない場合，呼吸抑制が来ていても補助換気を行わない場合
家族 あ，力が抜けたみたい……あれ？ ●子ー？ 返事しませんけど，大丈夫なんでしょうか？

心停止

JCS 300
BP 測定不能
HR 波形はVF
RR 呼吸停止
SpO$_2$ 測定不能

救急隊が到着しました．
それではここでシナリオを終わります．おつかれさまでした．

看護師 脂肪乳剤の投与を開始します	脂肪乳剤の投与が開始されたら，バイタルを 搬送前 にする．同時に患者役はしゃべるのをやめ，いびき様呼吸になる．
助産師 先生，痙攣です！ 医師 子癇?!　ジアゼパムを投与します．	マネキンの手を伸ばし全身を揺すって硬直性痙攣を表現する．バイタルを 痙攣時 に変更する．
医師 酸素を投与してください．マグセント®を用意してください．	抗痙攣薬や硫酸マグネシウムを投与しても痙攣は止まらない．
医師 モニターはどうなっている……？ 看護師 ……VFですか？	いつまでも脂肪乳剤が準備されない場合，もしくは呼吸が止まりかけても補助換気を始めない場合は，バイタルを 心停止 に変更する．
	ハッキリとシナリオ終了の合図を出す．

このシナリオのポイント

- 縫合処置時の局所麻酔薬投与でも合併症は起こりうる．これには投与量が極量を超えてしまった場合と，血管内誤投与になり血中濃度が急に上昇した場合とがある．そのため，常に合併症が起こるものとしてモニタリング，観察を行う．振り返り
- 局所麻酔薬として頻用されるリドカインの極量は，局所麻酔薬としては200mg（1%キシロカイン®で20mL），抗不整脈薬として静脈内投与する場合は3.0mg/kgである．振り返り
- アドレナリン添加されたリドカインを用いると，血管収縮作用でリドカインが局所にとどまりやすくなる．WHOの記載ではアドレナリンが添加されていれば極量は7mg/kgになるとされている．振り返り
- 創が広い場合は，アドレナリン添加リドカインを生理食塩水で倍量に薄めたものを用いるとよい．振り返り
- 異常知覚，多弁，興奮，血圧上昇などを認めた場合は局所麻酔薬の血管内誤投与を疑い，迅速に脂肪乳剤を投与する．振り返り
  - → 20%脂肪乳剤1.5mL/kg（100mL目安）を1分かけて静脈内投与，続いて0.25mL/kg/分（1,000mL/h目安）で持続投与する．
- 局所麻酔薬中毒で不整脈を来した場合は心停止に陥る可能性が高く，体外循環もできる高次医療施設に搬送する．振り返り
- 呼吸抑制によりSpO₂低下を来しても，慌てずにBVM換気を行う．振り返り

FAQと解説 局所麻酔薬で中毒？？？

Q 局所麻酔薬で中毒なんて起きるんですか？

解説 局所浸潤麻酔には1%キシロカイン®を使用することが多いと思いますが，投与量が多くなり過ぎれば血中濃度が上昇してしまい，局所麻酔薬中毒を来す可能性があります．血管内誤投与になった場合は，急激に血中濃度が上昇してしまいます．リドカイン単体の製剤の場合の極量は，わが国の添付文書では「塩酸リドカインとして，通常成人1回200mg（1%の場合20mL）を基準最高用量とする．ただし，年齢，麻酔領域，部位，組織，症状，体質により適宜増減する」と記載されています．WHOのEssential Medicinesでは，通常のリドカインで4mg/kgが極量であると記載されています．

FAQと解説  局所麻酔薬中毒の症状

Q どんなときに局所麻酔薬中毒を疑いますか？

解説 まず口唇の痺れ，味覚異常，多弁，呂律困難，興奮，めまいなどが生じ，次いで意識障害やせん妄などを起こします．心電図上はPRの延長やQRS幅の増大などを来します．局所麻酔薬の血中濃度がさらに上昇すると，中枢神経症状として痙攣が起こったり，心室性不整脈からの心停止も来し得ます．特に，血管内誤投与により急激に血中濃度が上昇した場合は，前駆症状なしに痙攣や心停止を来すことがあるため，注意が必要です．

FAQと解説 局所麻酔薬中毒の予防

Q 予防する方法はありますか？

解説 まず，血管内誤投与を避けるために，必ずシリンジに陰圧をかけて逆血を確認しながら局所麻酔していくようにしてください．アドレナリン添加の製剤を用いると，血管内誤投与が起こった場合にすぐにアドレナリンの効果で頻脈が起こるので発見しやすくなります．また局所の血管収縮作用もあるため，極量の上限が上がります（WHOのEssential Medicinesでは7mg/kgと記載）．創が広く，注射する量が増えそうな場合は，生理食塩液で2倍希釈にすることもあります．

4 シナリオシミュレーション
新 4-1 局所麻酔薬のくも膜下大量投与による全脊麻

シナリオ概要

　陣痛発来で入院してきた初産婦．無痛分娩の予定で硬膜外麻酔を施行．テストドースで鎮痛効果あり，加えて少量分割投与を行ったところ急速に鎮痛効果が得られ，麻酔高が高くなり呼吸抑制を起こす．低血圧に対して子宮左方移動，呼吸抑制に対して BVM 換気を速やかに行う．

シナリオ進行のポイント

1. 陣発来院からシナリオを始める．
2. 入院時のバイタルサイン測定を促し，硬膜外麻酔手技開始前の準備としてモニタリングと静脈路確保とを促す．
3. 実際の硬膜外チュービングの手技は省略し，テストドース投与，チューブ固定が終わったところからシナリオを続ける．
4. 使用する局麻薬の種類，および投与量・スピードは受講者に任せるが，**少量分割投与を繰り返す点は強調する**．
5. 患者役は聞かれれば，**テストドースのみで陣痛の痛みが楽になった旨を話す**．確認なしに分割投与を開始しても止めずに投与させる．
6. 受講者が「テストドースで麻酔効果が強いのでくも膜下腔への投与を疑います」と言えば，その疑いが強い旨を伝え，「もしこのまま少量分割投与を続けたらどうなるか，試してみましょう」とシナリオを進める．
7. 患者役は「**痛みが楽になりました**」などと言う．バイタルを 鎮痛時 にする．血圧低下への対処を促す．麻酔高の確認があれば，乳頭直下まで感覚が鈍麻している．
8. 患者役は「**何か息が苦しい**」などと言い始め，**頻呼吸および不穏になってくる**．バイタルを 急変時 にする．麻酔高度の確認があれば，鎖骨直下まで感覚が鈍麻していると伝える．
9. 酸素投与のみでは SpO_2 は改善しない．BVM 換気補助がなければ，胎児心拍が徐脈を来している旨を伝える．
10. 子宮左方移動を行っていなければ，母体の ECG モニターを高度徐脈にする．
11. 搬送連絡後，バイタルを 搬送前 にし，患者役は**しゃべらなくなり，呼吸停止を来す**．
12. 適切に BVM で補助換気を行えば胎児徐脈は改善する．

J-CIMELS公認講習会
ベーシックコース

シナリオ新4-1

ver 2.0 2021/7/10

疾患想定：局所麻酔薬のくも膜下大量投与による全脊麻（35歳　G1P0　40w2d）
開始時：意識清明　BP 120/70mmHg　HR 80回／分　RR 20回／分　SpO_2 98%（room air）
想　定：陣痛発来で入院　子宮口3cm　station −3　患者希望で無痛分娩開始
気付き：少量分割投与後に急速に鎮痛作用出現→次第に呼吸苦が出現, 意識障害へ
鎮痛時：JCS 1　BP 90/60mmHg　HR 100回／分　RR 20回／分　SpO_2 98%（room air）
急変時：JCS 3　BP 90/60mmHg　HR 100回／分　RR 10回／分　SpO_2 92%（room air）
搬送前：JCS 300　BP 80/60mmHg　HR 56回／分　RR 呼吸運動認めず　SpO_2 88%（room air）
既往歴：他の医療機関受診なし　喘息なし　心疾患なし　アレルギーなし

Part 2 実習編

4 シナリオシミュレーション●新4-1 局所麻酔薬のくも膜下大量投与による全脊麻

受講者＿＿＿＿＿＿　（行動チェックリスト）　評価者＿＿＿＿＿＿

Step 0：急変に備えた事前準備
☐ M：モニター装着を指示した
　☐ 心電図モニター　☐ SpO_2モニター
☐ I：静脈路を確保した（☐ 細胞外液）
☐ 血液型, 輸血同意書を確認した

Step1-1：何かおかしいと気付く
☐ 麻酔高度が高位になっている
☐ 呼吸困難などが出現

Step1-2：異常の同定
☐ 意識レベルを確認した（A／V／P／U）
☐ バイタルサイン（モニター）を確認した
　☐ 血圧　☐ 心拍数　☐ 呼吸数　☐ SpO_2　☐ 体温
☐ ECGモニターで不整脈の有無を確認した
☐ 胎児心拍の状態を確認した

Step2-1：状況の共有
☐ ベッドサイドを離れなかった
☐ できるだけ多くの人を招集した
☐ 高位脊麻（or 全脊麻）の可能性を伝えた
☐ 急変対応のための物品を集めた
　☐ 酸素　☐ BVM　☐ 輸液　☐ 緊急薬剤　☐ AED

※以下は必要と判断したら随時開始する※

Step2-2：初期対応の開始
☐ O：酸素投与を開始した→SpO_2は不変
☐ O：酸素化が悪くBVMで換気した→＋8%
☐ 血圧低下に対して細胞外液を投与した
☐ 子宮左方移動（or 左半側臥位）を実施した
☐ 高度意識障害に進行し緊急事態に気付いた
☐ 頭部後屈あご先挙上で気道確保を行った
☐ 自発呼吸と脈拍の有無を確認した
☐ （呼吸が弱いと判断し）BVMで換気した
（☐ 局麻薬中毒の可能性を考慮した）

Step3：搬送準備
☐ スタッフに搬送となる旨を伝えた
☐ 家族に転送となる旨を伝えた
☐ 急変の内容を簡潔に説明した
☐ 119番に搬送の依頼をした
（☐ 必要な情報を手元に準備して連絡した）
☐ 高次医療施設に搬送依頼の連絡をした

知識確認
☐ 麻酔高を温痛覚で確認する
☐ 乳頭＝Th4以上は呼吸抑制が起こる
☐ 妊娠子宮による大血管圧迫に注意

行動目標
☐ 硬膜外への局麻薬投与は少量分割投与で行う
☐ 高位脊麻（全脊麻）を疑ったときに他のスタッフと共有できる
☐ 血圧低下に対して適切に輸液・薬剤を投与できる
☐ 血圧低下に対して子宮左方移動（or 左半側臥位）を実施できる
☐ 呼吸抑制に対してBVMを用いて適切な補助換気ができる

シナリオ進行例

インストラクター	バイタルサイン

それではシナリオを始めます．
症例は35歳，生来健康な初産婦です．妊娠40週2日で陣痛発来して入院しています．子宮口は3cm，station－3です．
妊婦の希望で無痛分娩のための硬膜外麻酔を始めようと思います．何か確認することはないですか？

入院時のバイタルサインです．特に合併症や基礎疾患はなく，尿蛋白（±）でした．このままこのクリニックで分娩を進めてよいですか？ 2

開始時

意識清明
BP 120/70mmHg
HR 80回／分
RR 20回／分
SpO_2 98％（room air）

硬膜外麻酔を始めるにあたり，何か準備することはありますか？

では，硬膜外のチュービングが終わり，テストドース投与後に体位を戻したところからシナリオをスタートします．
何か確認することはありますか？
患者 先生，ちょっと楽になりました．無痛分娩っていいですね． 5

バイタルサインの変化はないようです．テストドース投与から5分以上経過しています．

受講者	ポイント
[医師] 母体のバイタルサインを確認します．	患者設定を共有する． ここではモニター装着ではなくバイタルサイン測定なのでフリップで提示．**1** **2**
[医師] はい，大丈夫そうです．	
[医師] モニターを装着します．静脈路を確保して，細胞外液を投与します．	麻酔手技開始前に持続モニターを装着し，静脈路を確保するように誘導する．**2** 麻酔で血圧が下がることを前提に，輸液負荷をしておいてもよい．
[医師] バイタルサインを確認します． [医師] まだテストしたところですよ．これから麻酔のお薬が入りますからね．	硬膜外チュービングの手技は省略する． シナリオの始まりを明確に示す．**3** 手技後のバイタルサインの確認を促す． テストドースでの麻酔の効果の確認を促す．
[医師] 麻酔のお薬が入りますよ．何か変わったことがあったらすぐ教えてくださいね	少量追加投与を繰り返すように促す． 具体的な投与量，投与間隔は受講生に任せる．**4** 受講生が「麻酔効果が強いのでくも膜下腔への投与を疑う」と言えば，その疑いが強い旨を伝え，「もしこのまま少量分割投与を続けたらどうなるか試してみましょう」とシナリオを進める．**6**
	少量分割投与を繰り返す．

患者 痛みが楽になりました．とっても楽です．[7]
家族 よかったなぁ．

鎮痛時

JCS 1
BP 90/60mmHg
HR 100回／分
RR 20回／分
SpO$_2$ 98％（room air）

患者 何か息が苦しい！　ハァハァハァ．う〜ん，ぐるしい．あ〜，何これ．[8]
家族 何か苦しがってますけど，大丈夫ですか？

急変時

JCS 3
BP 90/60mmHg
HR 100回／分
RR 10回／分
SpO$_2$ 92％（room air）

子宮左方移動が実施されていなければ母体を徐脈にし血圧も下げる．[10]

患者 ………．
家族 おーい●子，しっかりしろ！　返事しろー！

最終

JCS 300
BP 80/60mmHg
HR 56回／分
RR 呼吸運動認めず
SpO$_2$ 88％（room air）

胎児徐脈

家族 どうしたんですか？　妻はどうなってるんですか？
家族 私に何かできることはないですか？　なんでも手伝います．

救急隊が到着しました．
それではここでシナリオを終了します．おつかれさまでした．

〔医師〕ちょっと血圧が下がっているので，輸液を全開にします．子宮左方移動も行います．	鎮痛時 バイタルに変更する．**7** バイタルサインを確認しないようであれば促す． 血圧低下への対応を促す． 麻酔高の確認があれば，乳頭直下まで効いていることを伝える．**7**
〔医師〕酸素投与します．リザーバーマスク10Lです． 〔医師〕酸素投与のみではSpO_2が上がらないので，BVMで補助換気します．	患者役が呼吸苦を訴えれば 急変時 バイタルに変更する． 酸素投与開始基準であるが，酸素投与だけではSpO_2は改善しない．**9** BVMで補助換気が行われなければ，胎児徐脈を呈するが，BVM換気で速やかに改善する．**9** 搬送連絡が遅れるようなら搬送を促す． 麻酔高の確認があれば，鎖骨直下まで効いていることを伝える．**8**
〔医師〕●●さん，わかりますか？ 麻酔が効きすぎて自分で呼吸できなくなっているので，大きな病院に行きます．ご家族の方もお願いします．	用手気道確保or経鼻エアウェイの使用を促す． BVM換気補助を行わなければSpO_2が下がり，胎児徐脈になる．
〔医師〕気道確保と補助換気をしっかりしましょう．	補助換気が適切にできれば，胎児徐脈は改善する．**11**
	ハッキリとシナリオ終了の合図を出す．

このシナリオのポイント

・硬膜外チューブ挿入手技が的確であっても合併症は起こり得る．そのため常に合併症が起こるものとしてモニタリング，観察を行う．振り返り
・硬膜外麻酔薬は少量分割投与を徹底する．毎回をテストドースとして投与するのが基本である．振り返り
・鎮痛効果が急速に広がる場合はくも膜下腔への投与を疑い，それ以上の追加投与は行わずに麻酔高を確認する．振り返り
・麻酔高の確認は温痛覚でチェックを行う．Th4＝乳頭の高さ以上は呼吸抑制が起こるので注意！振り返り
・常に局所麻酔薬の血管内投与の可能性を念頭に置いておく．振り返り
・呼吸抑制によりSpO_2低下，胎児徐脈を来しても慌てずにBVM換気を行う．振り返り
・呼吸循環の管理ができていれば，時間経過とともに麻酔は覚める．

FAQと解説　全脊麻への対応

Q 全脊麻になったときの特効薬は？

解説 脊髄くも膜下に局所麻酔薬が入ってしまえば，効果が切れるのを待つしかありません．血管拡張に伴う血圧低下に対しては，細胞外液を投与してください．Th4より上までブロックされると呼吸抑制が起こりますので，補助換気を確実に行ってください．

FAQと解説　全脊麻の見分け方

Q 全脊麻と他の病気とを，どうやって見分ければいいのでしょうか？

解説 まずは母体のABCをサポートしてください．その上で胎児の状態を確認しましょう．特に大量出血につながるような疾患は否定する必要があるので，腹腔内の液体貯留の有無や胎盤の状態を超音波で確認することは重要です．しかしもう一度言いますが，母体のABCをサポートすることが第一優先です．原因を考えるあまり，母体へのサポートが遅れたり，おろそかになったりしないように注意してください．

memo

4 シナリオシミュレーション
新4-2 血管内誤投与による局所麻酔薬中毒

 Part 3-16

シナリオ概要

陣痛発来で入院してきた初産婦．無痛分娩の予定で硬膜外麻酔を施行．テストドースおよび少量分割投与を行うも鎮痛効果が得られず，追加投与を繰り返すと局所麻酔薬中毒を起こす．多弁や異常感覚などが出現した時点で速やかに脂肪乳剤を投与しなければ不整脈出現に至る．

シナリオ進行のポイント

1. 陣発来院からシナリオを始める．
2. 入院時のバイタルサイン測定を促し，硬膜外麻酔手技開始前の準備として，モニタリングと静脈路確保を促す．
3. 実際の硬膜外チュービングの手技は省略し，テストドース投与，チューブ固定が終わったところからシナリオを続ける．
4. 局所麻酔薬の種類・投与量・速度は受講者に任せるが**少量分割投与を繰り返す点は強調する**．
5. 患者役は**陣痛の痛みを訴え，早く痛みをとるよう要求する**．
6. 受講者が「麻酔効果がないので投与を中止し，チューブを抜去します」と言えば，それが一番安全である旨を伝え，「もしこのまま少量分割投与を続けたらどうなるか，試してみましょう」とシナリオを進める．
7. 患者役は「金属の味がする」などと言い始め，呂律不良になって「なんかうまくしゃべれない」「視野がゆがむ」などと多弁になる．バイタルを 急変時 にする．
8. 脂肪乳剤投与の指示があれば，投与準備中にバイタルを 増悪時 にし，患者役は**興奮状態になって痛みがとれないことについて怒り出す**．
9. 搬送連絡を行っている間にバイタルを 搬送前 にし，患者役はしゃべらなくなり，**呼吸抑制を来す**．「胎児徐脈を来しています」などと伝える．
10. 搬送連絡等を優先して脂肪乳剤投与の指示がなければ，バイタルを 痙攣時 にし，患者役は**しゃべらなくなって痙攣を始める**．抗痙攣薬の投与で痙攣は止まるが，患者役は呼吸抑制を来す．「胎児徐脈を来しています」などと伝える．
11. 適切にBVMで補助換気を行えば，胎児徐脈は改善する．
12. 痙攣しても脂肪乳剤の投与がないかBVM換気をしなければ，バイタルを 心停止 にしてVFにする．

J-CIMELS公認講習会
ベーシックコース

シナリオ新4-2

ver 2.0 2021/7/10

疾患想定：血管内誤投与による局所麻酔薬中毒（33歳　生来健康　G1P0　40w2d）

入院時：意識清明　BP 110/70mmHg　HR 80回／分　RR 20回／分　SpO$_2$ 98％（room air）
想　定：陣痛発来で入院　子宮口3cm　station－3　患者希望で無痛分娩開始
気付き：少量分割投与で痛みの抑制効果乏しい→次第に多弁が出現，興奮状態に
急変時：JCS 2　BP 140/90mmHg　HR 100回／分　RR 30回／分　SpO$_2$ 95％（room air）
増悪時：JCS 3　BP 180/120mmHg　HR 130回／分　RR 30回／分　SpO$_2$ 95％（room air）
搬送前：JCS 3　BP 140/90mmHg　HR 60回／分　RR 6回／分　SpO$_2$ 88％（room air）
痙攣時：JCS 200　BP 180/120mmHg　HR 130回／分　RR 呼吸停止　SpO$_2$ 測定不能
心停止：JCS 300　BP 測定不能　HR：波形はVFに　RR 呼吸停止　SpO$_2$ 測定不能
既往歴：他の医療機関受診なし　喘息なし　心疾患なし　アレルギーなし

受講者＿＿＿＿＿＿　　（行動チェックリスト）　　評価者＿＿＿＿＿＿

Step 0：急変に備えた事前準備
- □：モニター装着を指示した
    - □ 心電図モニター　□ SpO$_2$モニター
- □ I：静脈路を確保した（□ 細胞外液）
- □ 血液型，輸血同意書を確認した

Step1-1：何かおかしいと気付く
- □ 異常知覚，呂律不良，多弁などが出現
- □ テストドーズで鎮痛効果に乏しい

Step1-2：異常の同定
- □ 意識レベルを確認した（A / V / P / U）
- □ バイタルサイン（モニター）を確認した
    - □ 血圧　□ 心拍数　□ 呼吸数　□ SpO$_2$　□ 体温
- □ ECGモニターで不整脈の有無を確認した
- □ 胎児の状態を確認した

Step2-1：状況の共有
- □ ベッドサイドを離れなかった
- □ できるだけ多くの人を招集した
- □ スタッフに局所麻酔薬中毒の可能性を伝えた
- □ 急変対応のための物品を集めた
    - □ 酸素　□ BVM　□ 輸液　□ 緊急薬剤　□ AED

※以下は必要と判断したら随時開始する※

Step2-2：初期対応の開始
- □ O：酸素投与を開始した→SpO$_2$ ＋3％
- □ O：酸素化が悪くBVMで換気した→＋8％
- □ 局所麻酔薬中毒を疑って脂肪乳剤を投与した
- □ 硬膜外チューブを抜去した（考慮した）
- □ 高度意識障害に進行し緊急事態に気付いた
- □ 頭部後屈あご先挙上で気道確保を行った
- □ 自発呼吸と脈拍の有無を確認した
- □（呼吸が弱いと判断し）BVMで換気した
- □ 子宮左方移動を考慮した（実施した）

Step3：搬送準備
- □ スタッフに搬送となる旨を伝えた
- □ 家族に転送となる旨を伝えた
- □ 急変の内容を簡潔に説明した
- □ 119番に搬送の依頼をした
    - （□ 必要な情報を手元に準備して連絡した）
- □ 高次医療施設に搬送依頼の連絡をした

知識確認
- □ 脂肪乳剤は分娩室内に常備しておく
- □ 初期投与は1.5mL/kg（約100 mL）
- □ 続いて0.25mL/kg/分で持続投与

行動目標
- □ 硬膜外への局麻薬投与は少量分割投与で行う
- □ 局所麻酔薬中毒を疑ったときに速やかに他のスタッフに共有できる
- □ 局所麻酔薬中毒を疑ったときに迅速に脂肪乳剤を投与できる
- □ 局所麻酔薬中毒を疑ったときに高次医療施設への搬送連絡ができる
- □ 呼吸抑制に対してBVMを用いて適切な補助換気ができる

Part 2　実習編　4　シナリオシミュレーション　●　新4-2 血管内誤投与による局所麻酔薬中毒

シナリオ進行例

インストラクター	バイタルサイン

それではシナリオを始めます.
症例は33歳, 生来健康な初産婦です. 妊娠39週4日で陣痛発来して入院しています. 子宮口は3cm, station −3です. 希望で無痛分娩のための硬膜外麻酔を始めようと思います. 何か確認することはないですか?

入院時のバイタルサインです. 特に合併症や基礎疾患はなく, 尿蛋白(±)でした. このままこのクリニックで分娩を進めてよいですか? 2

入院時

意識清明
BP 110/70mmHg
HR 80回/分
RR 20回/分
SpO_2 98%(room air)

硬膜外麻酔を始めるにあたり, 何か準備することはありますか?

では, 硬膜外のチュービングが終わり, テストドース投与後に体位を戻したところからシナリオをスタートします.
何か確認することはありますか?
患者 先生, まだ痛い. 無痛分娩なのにまだ痛いよ.

バイタルサインの変化はないようです. テストドース投与から5分以上経過しています.

さらに5分が経ちました.
患者 まだ痛い. 全然痛みがとれない. 早く痛みをとって〜.
どうしましょうか?

受講者	ポイント
医師 母体のバイタルサインを確認します.	患者設定を共有する. ここではモニター装着ではなく,バイタルサイン測定なので,フリップで提示する. 1 2
医師 はい,大丈夫そうです.	
医師 モニターを装着します.静脈路を確保して,細胞外液を1本投与しておきます.	麻酔手技開始前に持続モニターを装着し,静脈路を確保するように誘導する. 2 麻酔で血圧が下がることを前提に,輸液負荷をしておいてもよい.
医師 バイタルサインを確認します. 医師 まだテストしたところなので,これから麻酔のお薬が入りますからね.	硬膜外チュービングの手技は省略する. シナリオの始まりを明確に示す. 3 手技後のバイタルサインの確認を促す. テストドースでの麻酔の効果の確認を促す.
医師 麻酔のお薬が入りますよ.何か変わったことがあったりしたらすぐ教えてくださいね.	少量追加投与を繰り返すように促す. 具体的な投与量,投与間隔は受講生に任せる. 4
	少量追加投与を繰り返すように促す. 5 「麻酔効果がないので投与中止してチューブを抜去します」と言えば,それが一番安全である旨を伝え,「もしこのまま少量分割投与を続けたらどうなるか,試してみましょう」とシナリオを進める. 6 少量追加投与を繰り返す.

| 患者 なんか変な味がする．金属みたい．うがいさせて．[7]
| 家族 大丈夫か？ うがいさせてもいいですか？
| 患者 いらい，いらいよ．あら？ なんかくちらまわららい，なんかへんらありもすう．

急変時

JCS 2
BP 140/90mmHg
HR 100回／分
RR 30回／分
SpO₂ 95％（room air）

●速やかに脂肪乳剤の指示が出た場合

| 患者 こんらろおかしいよ，むつ～うんえんれしょ？ むつ～らないよ．このやぶ～ーっ！ いたいイタイいたい！ うったえれやう．[8]
| 家族 お前，変なこと言うなよ．先生，すみません．●子！しっかりしろ！
脂肪乳剤の投与を始めます．量やスピードの指示はありますか？

増悪時

JCS 3
BP 180/120mmHg
HR 130回／分
RR 30回／分
SpO₂ 93％（room air）

救急車が来るまであと5分ほどかかります．

| 患者 （いびき様）グアァァァァァ，グアァァァァァ
| 家族 ああ，やっと落ち着いた．

搬送前

JCS 300
BP 140/90mmHg
HR 60回／分
RR 6回／分
SpO₂ 88％

| 家族 どうしたんですか？ 妻はどうなってるんですか？

胎児徐脈を呈する

救急隊が到着しました．
それではここでシナリオを終了します．おつかれさまでした．

（医師）あれ，なんか様子がおかしいな．局麻薬中毒かもしれません．救急カート持ってきてください．脂肪乳剤を100mL吸ってもらえますか？

急変時 バイタルに変更する． 7
バイタルサインを確認しないようであれば促す．
1分以内に脂肪乳剤の指示があれば 増悪時 に進む．指示がなければ 痙攣時 に進む．

（医師）早く脂肪乳剤投与して！
（助産師）はい，準備できたので投与します．
（看護師）酸素投与開始します．

酸素投与開始基準である．
脂肪乳剤の投与量や投与速度については正解できなくてもよい．
搬送連絡が遅れるようであれば，「このままここで様子を見ますか？」などと言い，搬送を促す．
搬送連絡をしている間にバイタルを 搬送前 にする． 9

（医師）●●さん，わかりますか？ 痛み刺激を与えます．

高度意識障害で舌根沈下している．
用手気道確保もしくは経鼻エアウェイの使用を促す．
気道確保しても呼吸抑制を来している．

（医師）換気補助をしましょう．

換気補助が適切にできれば，胎児徐脈は改善する． 11

ハッキリとシナリオ終了の合図を出す．

● 急変時に脂肪乳剤の指示が出ない場合

突然全身性の痙攣が始まりました．10
家族 ●子，どうした，大丈夫か？ どうなってるんですか？

痙攣時

JCS 200
BP 180/120mmHg
HR 130回／分
RR 呼吸停止
SpO₂ 88％（room air）

痙攣は止まったようです．
家族 なんか返事しなくなったんですけど，大丈夫なんですか？ どうなってるんですか？
患者 （痛み刺激されたときのみ）ウウゥゥゥ……

胎児徐脈を呈する

救急隊が到着しました．
それではここでシナリオを終了します．おつかれさまでした．

● 痙攣後も脂肪乳剤の指示が出ない場合
● 痙攣後に呼吸抑制があってもBVM換気をしない場合

痙攣は止まりましたが，顔面蒼白で様子がおかしいようです．
家族 どうしたんですか？ 妻はどうなってるんですか？

心停止

JCS 300
BP 測定不能
HR 波形はVF
RR 呼吸停止
SpO₂ 測定不能

痛み刺激に反応はありません．呼吸もしていないようです．
家族 私に何かできることはないですか？ なんでも手伝います．

救急隊が到着しました．
それではここでシナリオを終了します．おつかれさまでした．

| 医師 BVM換気してください．ジアゼパムを静注してください．脂肪乳剤を準備しましょう． | マネキンの全身を揺すって痙攣を表現する．ジアゼパム投与の指示があれば痙攣は止まるが，呼吸抑制を来す．ここでも脂肪乳剤の指示が出なければ，心停止 に移行する．12 |

| 医師 ●●さん，わかりますか？ 痛み刺激を与えます． | 高度意識障害で舌根沈下している．用手気道確保もしくは経鼻エアウェイの使用を促す．気道確保しても呼吸抑制を来している．補助換気が適切にできれば，胎児徐脈は改善する．11 |

| 医師 補助換気をしましょう． | 補助換気を行わなければ 心停止 にしてよい．12
搬送連絡が遅れるようであれば，「このままここで様子を見ますか？」などと言い，搬送を促す． |

| | ハッキリとシナリオ終了の合図を出す． |

| 医師 ●●さん，わかりますか？ 痛み刺激を与えます． | |

| 医師 心肺蘇生を始めます． | |

| | 子宮左方移動を促す． |

| | ハッキリとシナリオ終了の合図を出す． |

Part 2 実習編 …… 4 シナリオシミュレーション ● 新4-2 血管内誤投与による局所麻酔薬中毒

215

このシナリオのポイント

- 硬膜外チューブの挿入手技が的確であっても合併症は起こり得る．そのため，常に合併症が起こるものとしてモニタリングと観察を行う．🔄振り返り
- テストドース時には，少量のアドレナリンを添加することで，血管内投与の場合に脈拍数の増加，血圧の上昇などで血管内投与を発見できる（産科麻酔では子宮収縮を抑制するという意見や，妊娠高血圧症候群では使いにくいという意見もある）．
- <u>硬膜外麻酔薬は少量分割投与を徹底する．毎回をテストドースとして投与するのが基本である</u>．🔄振り返り
  - → ブピバカイン（マーカイン®）は心毒性が強く，異性体のロピバカイン（アナペイン®）やレボブピバカイン（ポプスカイン®）のほうが中毒症状が出にくい．
- <u>鎮痛効果が得られない場合は血管内投与を疑い，硬膜外チューブ抜去を考慮する</u>．🔄振り返り
- 異常知覚，多弁，興奮，血圧上昇などを認めた場合は局所麻酔薬の血管内投与を疑い，迅速に脂肪乳剤を投与する．🔄振り返り
  - → 20％脂肪乳剤 1.5mL/kg（100mL 目安）を 1 分かけて静脈内投与する．続いて 0.25mL/kg/ 分（1,000mL/ 時目安）で持続投与する．
- 局所麻酔薬中毒で不整脈を来した場合は心停止に陥る可能性が高く，体外循環を実施できる施設に搬送する．🔄振り返り
- 呼吸抑制により SpO_2 低下，胎児徐脈を来しても慌てずに BVM 換気を行う．
- 胎児胎盤機能不全を適応とした緊急帝王切開術を行う場合は術中の母体心停止も想定する．

FAQと解説　局所麻酔薬中毒の症状

Q どんなときに局所麻酔薬中毒を疑いますか？

解説 まず口唇の痺れ，味覚異常，多弁，呂律困難，興奮，めまいなどが生じ，次いで意識障害やせん妄などを起こします．心電図上は PR の延長や QRS 幅の増大などを来します．局所麻酔薬の血中濃度がさらに上昇すると，中枢神経症状として痙攣が起こったり，心室性不整脈からの心停止も来し得ます．特に，血管内誤投与により急激に血中濃度が上昇した場合は，前駆症状なしに痙攣や心停止を来すことがあるため，注意が必要です．

FAQと解説 心停止への対応

Q 心停止になった時に特別な対応は必要ですか？

解説 基本的な救命処置は原因にかかわらず同じです．ただし，いったん致死的不整脈が起きてしまうと治療になかなか反応しなくなるので，局所麻酔薬中毒を疑ったらすぐに脂肪乳剤を投与することが重要です．

FAQと解説 脂肪乳剤の投与方法

Q 脂肪乳剤を使い慣れないので心配です

解説 まず，初回投与を行うことが重要です．救急カートにイントラリポス®20%・100mLの製剤を準備しておき，局所麻酔薬中毒を疑ったときに約1分で急速投与する（1.5mL/kg）と覚えておきましょう．引き続き，0.25mL/kg/分で持続投与を開始します．効果が認められなければ5分ごとに初期投与量と同量を追加で2回まで投与し，持続投与量も倍量の0.5mL/kg/分に増やします．最大投与量12mL/kgを目安に，症状が改善するまで持続投与を続けます．

4 シナリオシミュレーション
新 4-3 硬膜外鎮痛分娩下の子宮破裂

シナリオ概要

　生来健康な 40 歳の 1 回経産婦．希望無痛分娩で妊娠 38 週 5 日に入院し，硬膜外麻酔を施行した．自己調節量の上限に達していたので局麻薬を追加していると突然胎児心拍が取れなくなり，血圧が低下した．胎児心拍に気を取られて母体の ABC のサポートが遅れたり，緊急帝王切開を焦るあまり母体の ABC のサポートがおろそかになったりしないように注意喚起する．

シナリオ進行のポイント

1. 硬膜外麻酔の導入場面からシナリオを始める．
2. 手技開始前のバイタルサイン測定を促し，硬膜外麻酔手技の準備としてモニタリングと静脈路確保を促す．バイタルは 導入前 ．
3. 実際の硬膜外チュービングの手技は省略し，テストドーズ投与，チューブ固定が終わったところからシナリオを続ける．バイタルは 導入前 のままでよい．
4. 局麻薬の種類，投与量，速度は受講者に任せるが，少量分割投与を繰り返す点は強調する．
5. 患者役に自己調整のスイッチを手渡し，陣痛促進薬を使用するかどうかを受講者に確認する．
6. 6 時間経過したところで，患者役は少し腹痛を訴える．確認すると自己調節の上限に達していた．局麻薬をどのように追加するか受講者に確認する．バイタルは 促進後 にする．
7. 1 時間後，陣痛は強くなり，患者役はお腹の重苦しさを訴え，grade 2 の胎児徐脈が見られる．
8. さらに 1 時間後，患者役はお腹の圧迫感と息苦しさを訴え，少し落ち着きがなくなっている．バイタルは 急変時 にする．胎児心拍モニターで心拍が取れなくなっている．
9. 助産師が医師に報告し，エコーの準備をしている間にバイタルを 増悪時 に変更する．患者役は少し呼吸が荒くなってきている．性器出血なし．
10. 酸素投与開始，輸液の急速投与の指示が遅れれば，バイタルは 最終 にする．患者役の意識レベルは低下し，あえぎ様呼吸になっている．
11. 子宮破裂を認識し，緊急帝王切開を宣言した場合，施設内には輸血のストックはなく，取り寄せには 1 時間かかると伝える．
12. 輸血なしで緊急帝王切開を開始した場合，術野から大量出血があることを伝え，バイタルは 心停止 にする．新生児も Apgar 1 点で蘇生を要する状態である．
13. バイタルが 最終 の状態で BVM での補助換気がなければ， 心停止 にしてよい．

J-CIMELS公認講習会
ベーシックコース

シナリオ新4-3

ver 1.0 2021/7/09

疾患想定：硬膜外鎮痛分娩下の子宮破裂（40歳　G4P1　38w5d）

導入前：意識清明　BP 120/70mmHg　HR 80回／分　RR 20回／分　SpO$_2$ 98%（room air）
想　定：陣発で入院　希望で無痛分娩開始　微弱陣痛で陣痛促進薬を増量
気付き：強い自覚症状はないが胎児心拍が取れなくなり急速にショックが進行
促進後：意識清明　BP 110/70mmHg　HR 100回／分　RR 20回／分　SpO$_2$ 98%（room air）
急変時：JCS 1　　BP 100/76mmHg　HR 106回／分　RR 24回／分　SpO$_2$ 98%（room air）
増悪時：JCS 2　　BP 90/72mmHg　 HR 116回／分　RR 28回／分　SpO$_2$ 95%（room air）
●最終：JCS 100　BP 78/66mmHg　 HR 130回／分　RR 12回／分　SpO$_2$ 90%（room air）
心停止：JCS 300　BP 測定不能　ECG：junctionに　RR 呼吸停止　SpO$_2$ 測定不能
既往歴：2回の流産歴あり　妊娠経過中合併症なし　心疾患なし　アレルギーなし

受講者　_____　　**行動チェックリスト**　　評価者　_____

Step 0：急変に備えた事前準備
- □ M：モニター装着を指示した
  - □ 心電図モニター　□ SpO$_2$モニター
- □ I：静脈路を確保した（□ 細胞外液）
- □ 血液型，輸血同意書を確認した

Step1-1：何かおかしいと気付く
- □ 胎児心拍が取れなくなる
- □ SI（ショックインデックス）が1になる

Step1-2：異常の同定
- □ 意識レベルを確認した（A／V／P／U）
- □ バイタルサイン（モニター）を確認した
  - □ 血圧　□ 心拍数　□ 呼吸数　□ SpO$_2$　□ 体温
- □ 性器出血の有無を確認した
- □ 腹部の触診をした（板状硬や収縮輪）
- □ 胎児心拍を確認した（再装着orエコー）

Step2-1：状況の共有
- □ ベッドサイドを離れなかった
- □ できるだけ多くの人を招集した
- □ 集まったスタッフに簡潔に状況を伝えた
- □ 急変対応のための物品を集めた
  - □ 酸素　□ BVM　□ 輸液　□ 緊急薬剤　□ AED

※**以下は必要と判断したら随時開始する**※

Step2-2：初期対応の開始
- □ O：酸素投与を開始した→SpO$_2$＋3%増
- □ 気道確保，補助換気の必要性を判断した
  （このケースでは増悪時に補助換気が必要）
- □ 局麻薬中毒を疑って脂肪乳剤を考慮した
- □ 超音波検査を行った
  - □ 腹腔内出血　□ 胎児心拍　□ 児頭位置
  - □ 下大静脈　□ 心収縮
- □ SI（ショックインデックス）を確認した
- □ I：細胞外液の全開投与を開始した
  （□ 投与開始前に39℃に温めるのが望ましい）
- □ 子宮左方移動（左半側臥位）を考慮した

Step3：搬送準備
- □ スタッフに搬送となる旨を伝えた
- □ 家族に転送となる旨を伝えた
- □ 急変の内容を簡潔に説明した
- □ 119番に搬送の依頼をした
  （□ 必要な情報を手元に準備して連絡した）
- □ 高次医療施設に搬送依頼の連絡をした

知識確認
- □ 脂肪乳剤は分娩室内に常備しておく
- □ 子宮破裂を疑えば迅速に治療を開始
- □ 緊急帝切前には十分な輸液・輸血を

行動目標
- □ 母体の臨床所見や胎児心拍モニターから急変を認識できる
- □ 硬膜外鎮痛下では腹部所見に乏しいことを理解し行動できる
- □ 急変を認識した時に速やかに他の医療スタッフに報告できる
- □ 緊急帝王切開を行うタイミング・場所を判断できる

シナリオ進行例

インストラクター	バイタルサイン

それではシナリオを始めます．
患者は40歳，1回経産婦，2回の流産歴があります．合併症はありません．無痛分娩を希望されていて，妊娠38週5日で入院し，これから硬膜外麻酔を導入するところです．

導入前

意識清明
BP 120/70mmHg
HR 80回／分
RR 20回／分
SpO_2 98％（room air）

何か確認することはありますか？
胎児心拍モニターは正常です．
子宮口は2cm開大，頸管の熟化は中等度で，児頭の下降はstation－3です．

ほかに準備することはありますか？

では，硬膜外麻酔のチュービングが終わり，テストドーズ投与後に体位を戻したところからスタートします．
何か確認することはありますか？

テストドーズの投与で問題はないようです．テストドーズ投与後5分たちました．どうしますか？

少量分割で2回追加を行いました．
何か確認することはありますか？
患者 先生，痛くなくなりました．

Part 2 実習編 4 シナリオシミュレーション ● 新4-3 硬膜外鎮痛分娩下の子宮破裂

受講者	ポイント
	患者設定を共有する． 入院時のバイタルサインをフリップで提示する．
(医師) 胎児心拍を確認します． (医師) 内診をして進行を確認します． (医師) 母体のバイタルサインを確認します． (医師) 母体の生体モニターを装着します．静脈路を確保して，細胞外液を1本投与しておきます．	麻酔手技開始前に持続モニターを装着し，静脈路を確保するように誘導する． 麻酔で血圧が下がることを前提に，輸液負荷をしておいてもよい．
(医師) バイタルサインを確認します．	ハッキリとシナリオの開始を告げる． 硬膜外チュービングの手技は省略する． 硬膜外チュービング後のバイタルサインの確認を促す． テストドーズでの麻酔の効果の確認を促す． 少量追加投与を繰り返すように促す．投与量は受講者に任せる．
	少量追加投与を繰り返すように促す． 具体的な投与量，投与間隔は受講生に任せる．4
(医師) バイタルサインを確認します．麻酔の効きを確認します．	麻酔高のチェックを促す．臍上部まで効いていることを伝える．

よく効いているようなので，自己調節の器械を渡しました．次にどうしますか？　胎児心拍も問題ないようです．

6時間が経過しました．
患者 ちょっとお腹が痛くなってきたので，見てもらっていいですか？
どうやら自己調節の上限に達して追加投与できていなかったようです．どうしますか？
母体のバイタルや胎児心拍には異常を認めませんでした．分娩進行はあまりしていないようです．

1時間経過しました．
陣痛も強くなって，子宮口も5cm開大，児頭はstation−1まで下降しています．胎児心拍でgrade2の徐脈を認めるようになってきました．
患者 さっきより少しお腹が重苦しくなってきました．

患者 さっきより息苦しいです．胃のあたりが少し痛みます．
どうしますか？
どうやら胎児心拍がとれなくなっているようです．

促進後

意識清明
BP 110/70mmHg
HR 100回／分
RR 20回／分
SpO_2 98％（room air）

急変時

JCS 1
BP 100/76mmHg
HR 106回／分
RR 24回／分
SpO_2 98％（room air）

[医師] 陣痛促進薬を投与します．	硬膜外の自己調節用機器を使っている想定とする． 陣痛促進薬の投与を促す．薬剤と投与方法は受講者に任せる．
[助産師] 薬の追加をしてよいか．先生に相談します． [医師] ちょっと麻酔薬足しましょうね．陣痛もつくようにお薬増やしますね．	局麻薬を追加するかどうか尋ねる． 胎児心拍に問題がないことを伝える． 陣痛促進薬の増量を促す．薬剤と投与方法は受講者に任せる．
[助産師] だいぶいい陣痛がついてきましたよ．分娩が進むと，無痛分娩でも少しは子宮に緊満感を感じるようになりますからね．	陣痛促進薬で陣痛が強くなり，分娩が進行していることを伝える． 受講者が経腹エコーで診察を行った場合，異常所見はないと伝える．
[助産師] 様子を見に行きます． [助産師] CTGモニターを付け直します．先生を呼びます．	CTGモニターをつけても正常な位置では胎児心拍が取れない． 内診をしなければ促す． SIが1を超えていることに気づいていなくても，そのまま続ける．

	増悪時
まず何をしますか？ 子宮口は10cm開大ですが，児頭を触れません． **家族** ●子，丈夫か？ **患者** フゥー……フゥー……． エコーで児頭はかなり上方にあるようです．子宮外でかろうじて胎児心拍を確認できますが，胎児心拍数は40回／分程度です．	JCS 2 BP 90/72mmHg HR 116回／分 RR 28回／分 SpO$_2$ 95％（room air）

患者 ハァ……ハァ……．
家族 先生，妻の状態はどうなっているのですか？ 赤ちゃんは大丈夫ですか？

	最終
＊酸素投与開始や輸液の急速投与が遅れた場合 **8**	JCS 100 BP 78/66mmHg HR 130回／分 RR 12回／分（あえぎ様） SpO$_2$ 90％（酸素投与下）

	心停止
＊バイタルサインが最終の状態でBVMでの補助換気を行わない場合 **13** ＊輸血の準備がないまま自施設で緊急帝王切開を始めた場合 **12**	JCS 300 BP 測定不能 HR junction RR 呼吸停止 SpO$_2$ 測定不能

救急隊が到着しました．
それではここでシナリオを終わります．おつかれさまでした．

医師 内診をします. 医師 児頭を触れない？ エコーをします.	経腹エコーを行っている間にバイタルを 増悪時 にする. 急速輸液と酸素投与の指示が出なければ，さらにバイタルを 最終 にする.
医師 胎児の一部が子宮外に脱出しています．子宮破裂です．すぐに高次医療施設に搬送します	経腟での器械分娩の適応ではないことを示唆する. 自施設での緊急帝王切開を試みた場合はバイタルサインを確認させ，院内に輸血のストックがないことを伝える.
	BVMによる酸素投与を行わなければ促す.
	心停止であることに気付かなければ，脈拍の確認を行うように誘導する.
	ハッキリとシナリオ終了の合図を出す.

このシナリオのポイント

- 硬膜外鎮痛下では陣痛が軽減するのと同様に，子宮破裂，常位胎盤早期剥離，後腹膜血腫などの強い痛みも軽減するので，発症時の診断が困難になる．[振り返り]
- 常位胎盤早期剥離や子宮破裂では，初期の段階では胎児モニターに異常が発現しないので，モニターの観察だけでは見落とすことがある．
- 超音波検査でも常位胎盤早期剥離，子宮破裂，後腹膜血腫を初期の段階で診断するのは困難である．[振り返り]
- 母体の生体モニターを常時付けて変動に注意すると同時に，子宮の板状硬や収縮輪の発症にも十分気をつける．[振り返り]
- 常位胎盤早期剥離，子宮破裂，後腹膜血腫では母体がすでにショック状態であれば，凝固系がかなり消費されDICの可能性も高いので，十分な輸血の準備のない環境での開腹術は危険である．[振り返り]
- 無痛分娩で微弱陣痛を来した際には，陣痛促進薬を増量する前に分娩の進行程度，胎児胎盤の状態，母体のバイタルサインのいずれにも異常がないことを確認する．[振り返り]
- 母体のバイタルサインに異常があればただちに陣痛促進薬を中止して輸液と酸素投与を行い，原因を検索する．

FAQと解説　痛みのサインがマスクされる

Q 子宮破裂に気づけないなんて怖いですね……．

解説 硬膜外鎮痛では「痛み」という重要なサインがなくなるか，非常に弱くなるため，母体のバイタルサインの変化により注意する必要があります．痛みが増強したときには薬を追加するだけではなく，原因となる異常がないかどうかしっかり診察しましょう．

memo

Part **3** 開催編 ……

1 コース開催要件・手順

1 J-CIMELS公認講習会ベーシックコース　開催要件

　以下の開催要件が満たされていない場合，原則として当該コースは公認講習会として認められません．

- 『産婦人科必修 母体急変時の初期対応』（最新版）をコーステキストとする
- 全身管理医（救急科または麻酔科）および産婦人科医からそれぞれ1名のコースディレクター（ゴールドランクインストラクター）が参加し，<u>コースの質を保証</u>する
- コース開催総時間は3時間30分以上とする
- 受講希望者はコース登録を行い，webサイトでプロトコールと産科急変BLSの講義動画を視聴し，プレテストを行うことにより受講申し込みが可能になる．コース登録には，コース登録料（含認定料）が必要となる
- 受講後は，受講者各自がwebサイトでポストテスト受験とアンケート回答を行うことにより，受講認定される
- コースは実技を中心とした最低6種類のシナリオセッションのほか，プロトコールの再確認，レクチャー，スキルトレーニングから構成される（**表1**，**表2**「参考プログラム」参照）．シナリオの進め方（デモンストレーション）は，事前に動画視聴を案内してもよい
- 受講者は原則として1グループ4〜6名とする
- 各<u>ブースの質を保証</u>するリードインストラクター（シルバーランク以上）は医師とする
- 各ブースに1名のリードインストラクター，それ以外の指導者人数（アシスタントインストラクターを含む）は最大4名とする．それぞれの役割については，Part1-2-1「インストラクションの基本」（→8p〜）を参照
- アシスタントインストラクター（インスト補助）は，各ブース2名以内とする
- コース開催にかかわる費用は主催団体で管理する

＊受講者に医師を含まない場合は，開催要件を下記に修正してください．
- コースの質を保証するディレクターは、診療科を問わず1名いればよい
- 各ブースの質を保証するリードインストラクター（シルバーランク以上）は職種を問わない
- アシスタントインストラクター（インスト補助）は受け入れない

＊ブース数を1つまたは4つ以上で開催する場合は，事前に事務局に相談する

表1 J-CIMELS公認講習会ベーシックコース　参考プログラム①（3時間30分～，シナリオ数6）

	ブースA	ブースB	ブースC
＊事前学習	＊webシステム上でレクチャーを視聴し，プレテストを受験		
～09:00	受付		
09:00 － 09:15	レクチャータイム		
09:00 － 09:05	「オリエンテーション」		
09:05 － 09:15	「京都プロトコール2020 ポイント概説」		
09:20 － 10:05	スキルトレーニング		
スキル	胸骨圧迫／AED	経鼻エアウェイ／BVM換気	神経学的評価／簡易心エコー
09:20 － 09:35	グループ1	グループ2	グループ3
09:35 － 09:50	グループ3	グループ1	グループ2
09:50 － 10:05	グループ2	グループ3	グループ1
10:10 － 12:50	シナリオブース		
シナリオ	心・血管系急変への対応（シナリオ2例）	産科危機的出血への対応（シナリオ2例）	急変の気付きと初期行動（シナリオ2例）
10:10 － 10:50	グループ1	グループ2	グループ3
10:55 － 11:35	グループ3	グループ1	グループ2
11:40 － 12:20	グループ2	グループ3	グループ1
12:20 － 12:30	質疑応答・修了式		
＊ポストテスト	＊webシステム上でポストテストを受験，合格点に達したら認定証発行可能		

表2 J-CIMELS公認講習会ベーシックコース　参考プログラム②（4時間～，シナリオ数6～9）

	ブースA	ブースB	ブースC
＊事前学習	＊webシステム上でレクチャーを視聴し，プレテストを受験		
～09:00	受付		
09:00 － 09:15	レクチャータイム		
09:00 － 09:05	「オリエンテーション」		
09:05 － 09:15	「京都プロトコール2020 ポイント概説」		
09:20 － 10:05	スキルトレーニング		
スキル	胸骨圧迫／AED	経鼻エアウェイ／BVM換気	神経学的評価／簡易心エコー
09:20 － 09:35	グループ1	グループ2	グループ3
09:35 － 09:50	グループ3	グループ1	グループ2
09:50 － 10:05	グループ2	グループ3	グループ1
10:10 － 12:50	シナリオブース		
シナリオ	心・血管系急変への対応（シナリオ2～3例）	産科危機的出血への対応（シナリオ2～3例）	急変の気付きと初期行動（シナリオ2～3例）
10:10 － 11:00	グループ1	グループ2	グループ3
11:05 － 11:55	グループ3	グループ1	グループ2
12:00 － 12:50	グループ2	グループ3	グループ1
12:50 － 13:00	質疑応答・修了式		
＊ポストテスト	＊webシステム上でポストテストを受験，合格点に達したら認定証発行可能		

2　J-CIMELS 公認講習会ベーシックコース　受講資格

・医療従事者（医師，助産師，看護師，救急救命士，薬剤師など）
・医療系を専門とする学生

＊J-CIMELS の web サイト上でコース登録を終え，事前学習動画視聴およびプレテストを終了していることが参加申し込みの条件となります．

＊定員以上の応募があった場合は，コース主催者およびコースディレクターの協議により，応募者の背景を考慮して受講者を決定します．

3　J-CIMELS 公認講習会ベーシックコース　認定基準

・コースを受講する
・ポストテストで満点の成績を修める（web）
・アンケートに回答する（web）

＊規定の成績を修めるまでポストテストは繰り返し受験できます．

4　J-CIMELS 公認講習会ベーシックコース　受講認定

・認定基準を満たした者は，web サイトのマイページから認定証をコース登録期間中はいつでも発行できる
・認定期間は，受講日から 3 年間とする（感染症の蔓延や災害などの事情で期間は配慮することがある）
・認定の更新は，ベーシックコース再受講または更新コース受講とする

5　J-CIMELS 公認講習会ベーシックコース　開催手順

＊最新の開催手順や申請方法などについては J-CIMELS の web サイトを参照してください．

1) およそ 2 カ月前までに
　1　コース開催の計画（日時，場所，受講対象など）を立てる
　2　コース開催責任者（コースディレクター：ゴールドランク）を決める
　3　開催ブース数に応じてブース責任者（リードインストラクター：シルバーランク以上）を決める
　4　web サイトから公認コース開催申請を行う

コース開催責任者となるコースディレクターもしくは主催団体事務局（web事前登録必要）はwebサイトから開催申請を行います．開催申請にあたっては，開催日時，会場，募集人数，コースディレクター，リードインストラクター等を決定しておく必要があります．

5　マネキンや資器材のレンタルが必要な場合は申し込みを行う

＊開催にあたりインストラクターの選定などでお困りのことがあれば事務局に問い合わせてください．

2）およそ2カ月前〜1カ月前

6　受講者および認定インストラクター，アシスタントインストラクターを募集する

いずれも可能な範囲で公募枠を作ってください．それぞれ開催申請時にwebサイトの募集機能を利用申請することができます．

7　受講者および認定インストラクター，アシスタントインストラクターを決定する

主催者があらかじめ受講者を決定した場合であっても，受講を予定する者はwebサイトからコース登録の上，受講申し込みを行う必要があります．同様に認定インストラクターやアシスタントインストラクターもwebサイトで参加登録しておく必要があります．

8　受講者に受講案内を送付する

受講決定連絡では他に必要な案内をwebシステムから一緒に送信することができます．

9　インストラクター（アシスタントインストラクターを含む）に必要な資料を送付する

必要に応じて招聘状を作成します．受講者リストなどはwebシステムで確認できます．

3）およそ1カ月前から1週間前

10　会場の最終確認を行う

入館手続き，駐車場などの確認も行います．

11　マネキンや資器材手配の最終確認を行う

飲食物の手配などがある場合は，併せて最終確認を行います．

12　シナリオシミュレーションで扱うシナリオを決定し，インストラクターに担当ブースを連絡して事前の予習を促す

4）およそ1週間前〜2日前

13　受講料の振り込み確認をする

必要に応じて領収書を用意します．

14　インストラクターの最終確認を行う

都合が悪くなったインストラクターがいた場合は，コースの運営に支障が出ないよう，速やかに対応してください．

15　受講者のプレテストの成績を確認する

16　受講の最終確認を行う

Web サイトからコース内容，受講者，インストラクターの情報を最終確認し，正しく入力してください．

5）開催前日
17 会場および会場案内の準備を行う
18 マネキンや資器材などの準備を行う

6）開催当日
19 受付を行う
20 コースを開催する
21 受講者にコース終了後にポストテストとアンケートを2週間以内に行うよう伝える
22 後片付けを行う
23 インストラクター間での振り返り
24 コース開催報告（最終の受講者とインストラクター）を web サイトで行う

最終の受講者を報告することにより，受講者はポストテスト受験可能になります．

7）終了後
25 アシスタントインストラクターとランクアップを申請した認定インストラクターの評価（推薦・承認）を行う
26 ポストテスト結果を確認する
27 アンケートを確認する
28 次回以降のコース計画を立てる

6 ベーシックインストラクターコース　開催手順

　ベーシックインストラクターコースは，ベーシックコースのインストラクターを養成するための，成人教育を含めた内容のコースです．コース開催責任講師に認定されている人材が限られているため，開催を希望する場合は J-CIMELS 事務局に問い合わせてください．なお，コース開催責任講師の手配がついている場合は，上記のベーシックコース同様に web で開催申請を行います．

7 ベーシックコース更新コース　開催手順

　ベーシックコース更新コース（→ 48p ～）は，通常のベーシックコースと同様の手順で開催可能ですが，当面はディレクターならびにリードインストラクターが更新コースを受講もしくは見学していることを条件とします．開催を希望する場合は J-CIMELS 事務局に問い合わせ

てください.

8 救急科ベーシックコース　開催手順

　救急科ベーシックコースは，救急科・麻酔科・集中治療科の医師や救急救命士といった日常的に分娩に携わることのない人に向けた母体急変を学ぶコースです（→ 49p）．コース開催責任講師に認定されている人材が限られているため，開催を希望する場合はJ-CIMELS事務局に問い合わせてください.

日本母体救命システム普及協議会（J-CIMELS）事務局
〒162-0844　東京都新宿区市谷八幡町14番地 市ヶ谷中央ビル4階
公益社団法人日本産婦人科医会 内
TEL 03-3269-4739　FAX 03-3269-4730
https://www.j-cimels.jp/
E-mail：jcimels@gmail.com

2　会場・物品の準備

1　会場の準備

標準的な3ブースでのコース開催に理想的な会場の間取り例を示します．

1) レクチャー用（兼シミュレーションブース）の大部屋1室＋小部屋2室

　レクチャー用の大部屋として，受講者全員が集合できる広さの部屋を用意します．筆記のための机はなくてもかまいません．スキルトレーニングを各ブースでなく1カ所で一斉に行う場合は，そのための十分な広さ（80〜90m²）も確保します．シナリオシミュレーション用のブースとして用いる小部屋は，1部屋あたり30〜40m²以上が理想的です．受講者はブースを順次移動していくため，3つの部屋はできるだけ近くに位置していることが望ましいです（図1）．

2) 大講堂＋仕切り

　シナリオシミュレーション用の独立した小部屋が準備できない場合は，大講堂を仕切って使用します．施設にパーテーションが常備されていれば便利ですが，ない場合はホワイトボードなどで仕切ってもよいでしょう．レクチャーを行うための独立したスペースを用意しても，1つのブースを少し広めにとって兼用する形でもかまいませんが，全体集合から個別ブースへ移動する際のレイアウト変更は少ないほうがよいといえます．BLS実習では音楽を流すことになるので，大講堂での開催ではスキルトレーニングは集合形式で行うことを推奨します．シナリ

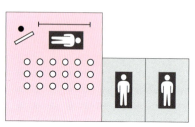

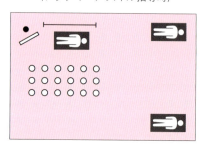

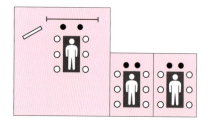

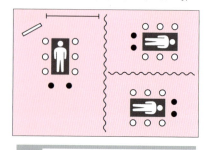

図1 会場の間取り例：大部屋1室＋小部屋2室　　**図2** 会場の間取り例：大講堂＋仕切り

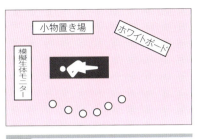

図3 ブース内の参考配置図

ォ進行においても隣のブースの音声が互いに影響を与えないためには，150m² 以上あることが理想的です（**図2**）．

　この2つはあくまで理想的な例であり，会場の都合によってはやや狭くなることもやむを得ません．小部屋が1室で大部屋を2つに仕切るという方式でも開催は可能です．受講者は1グループ6名であり，そこに指導者，シミュレーター，必要に応じてホワイトボード，見学者が入ることを念頭において計画してください．1つのブース内の参考配置図を示します（**図3**）．

2　物品の準備

　コース開催にあたり必要な物品について**表1**，**2**にまとめました（→238p〜）．コース中に使う物品は各ブースにセットで用意し，受講者のわかりやすいところに置いておきます（**図4**）．

図4 物品はブースごとにセットしておく

表1 J-CIMELS公認講習会ベーシックコース　物品の準備①

運営用資料
- □ 受講者・指導者名簿
- □ タイムスケジュール
- □ 名札（シール等でも可）
- □ 役割ゼッケン一式（助産師，医師，看護師，家族など．名札やシールでも可）

受講者用資料
- □ プロトコール　※原則受講者各自で出力して持参するよう案内する
- □ シナリオチェックリスト（実習時に使用，両面印刷不可）

△ 会場道案内掲示

レクチャー会場設営
- □ プロジェクター
- □ スクリーン
- □ マイク（会場の広さによっては不要）
- □ 椅子×受講者の人数分

胸骨圧迫実習用物品
- □ BLS用マネキン（シミュレーション用マネキンで兼用可）×受講者3人に1体
- □ 胸骨圧迫用音楽（YouTubeに掲載あり「蘇生」「Diamonds」で検索）
- △ 踏み台×マネキンと同数（マネキンをテーブルに設置する場合）

感染症蔓延期の追加物品
- △ 非接触型の体温計
- △ 手指衛生用アルコール

△は必要に応じて準備する
BLS用マネキンは胸骨圧迫の有効性を測れるものがあるとなおよい

3　模擬物品の例と使い方

　シナリオシミュレーションの際には可能な限りシナリオの世界を実際の臨床現場に近づけることが望ましいですが，穿刺を伴う処置など，シナリオ実習では行えない手技もあります．以下に，ふだん身の回りにあるものを利用して簡単に作成できる模擬物品の一例を紹介します．シナリオを開始する前に，それぞれが何を代用しているかを受講者には説明しておきましょう．

- **静脈路確保→輪ゴムで代用**（静脈留置針のゲージを記入したテープを付けた輪ゴムをマネキンの腕に巻き，そこに点滴用ルートの先を挟むことで静脈路確保を行ったことにする（**図5**））
- **SpO_2 モニター→洗濯ばさみやヘアクリップで代用**
- **心電図の電極シール**（電極シールをマネキンに付ければ心電図モニタリング開始とする）
- **NSTモニター**（使い古した実際のNSTベルトを利用する）
- **腹部超音波プローブ**（適当な大きさの箱や端材などを用意し，腹部に当てると超音波所見を提示する）

表2 J-CIMELS公認講習会ベーシックコース　物品の準備②

シナリオシミュレーション用物品（1ブース分）×ブース数

- □ 全身型BLS用マネキン 1体 ┐
- □ 模擬モニター 1台 ├── または ──
- □ 模擬モニター付き全身型シミュレーター ←┘
- □ 腹部の詰め物
- △ ベビー人形（腹部の詰め物にすることもできる）
- △ 妊婦用ガウン（マネキンに着せることでより妊婦のように見える）
- □ ベッド（またはストレッチャー／長机：マネキン用）1台
- □ フリップ一式（想定付与，初期バイタルサインなどシナリオに合わせて用意）
- □ 椅子　8〜10脚
- □ 時計（進行の確認のためにも各ブースに時間を合わせた時計を用意）
- □ ホワイトボード一式（マーカーや磁石など含む．またはフリップなどを貼ることができる壁）
- シナリオ用小物セット
    - □ リザーバー付き酸素マスク
    - △ 酸素マスク
    - △ 経鼻カニューレ（経鼻エアウェイ／BVM換気のスキルブースでは必須）
    - □ バッグ・バルブ・マスク（リザーバー付き）（経鼻エアウェイ／BVM換気のスキルブースでは必須）
    - □ 聴診器
    - □ ECGモニターケーブル（模擬物品で可）
    - □ SpO₂モニター（模擬物品で可）
    - □ 点滴棒
    - □ 模擬点滴バッグ各種（細胞外液，ブドウ糖液，ミニボトル，輸血など）
    - □ シリンジ各種（模擬薬剤としても使用）
    - □ 静脈留置針（模擬物品で可）
    - □ NSTベルト（模擬物品で可）
    - □ 掛け物（毛布またはバスタオルなど）
    - □ 腹部超音波プローブ（模擬物品で可．神経学的評価／簡易心エコーのスキルブースでは必須）
    - △ ほねプロン®（神経学的評価／簡易心エコーのスキルブースではあったほうがよい）
    - □ 経鼻エアウェイ（経鼻エアウェイ／BVM換気のスキルブースでは必須）
    - □ 吸引チューブ（模擬物品で可）
    - △ 体温計（模擬物品で可）
    - △ 気管挿管チューブ（注意喚起用）
    - △ 咽頭鏡（注意喚起用）
    - △ バイトブロック（注意喚起用）
    - △ 経口エアウェイ（注意喚起用）
- □ 机もしくは置き台（シナリオ用小物や模擬モニターを置くためのもの，適宜）
- □ AEDトレーナー（胸骨圧迫／AEDのスキルブースでは必須）
- □ 踏み台（胸骨圧迫／AEDのスキルブースでは必須）
- △ 手指衛生用アルコール
- △ 清拭用環境クロス

△は必要に応じて準備する

図5　静脈路確保の代用（写真提供：日本赤十字社愛知医療センター名古屋第二病院産科・ハシイ産婦人科）

3 遠隔シミュレーション開催のコツ

　新型コロナウイルス感染症の蔓延に伴って，J-CIMELS公認講習会ベーシックコースの開催は一時ほとんどストップしてしまいました．シナリオシミュレーションを実施するには，受講者や指導者などたくさんの人が集まり密になりがちです．しかし，シナリオシミュレーションは急変という状況を判断し，迅速に治療行動を始めるための重要な訓練機会になります．コースを早期に再開することを模索してきましたが，鍵になるのが感染対策と指導者の確保でした．感染対策については2020年7月に東京オリンピック・パラリンピック2020にかかわる救急・災害医療体制を検討する学術連合体から，研修の開催指針（ガイドライン）が発表されています．J-CIMELS公認講習会ベーシックコースでの感染対策については本書43ページを参照してください．ここでは指導者確保のためのひとつの方法として，遠隔シミュレーションとその開催のコツを紹介します．

1 遠隔開催にあたって

　講習会を開催するには，まず①受講者と②指導者とが必要です．シナリオシミュレーションの場合は加えて，③実施する会場，④マネキン，⑤物品の準備も必要です．感染症蔓延期になると，他人との接触機会が増えることがリスクになります．適切な対策をとれば，これまで通りの規模の講習会開催も可能ですが，感染状況が悪化すると，県をまたいだ移動が制限されるなどして，開催を中止せざるを得ないこともあります．

　しかし，開催に必要な要素を自施設内で完結させることができれば，開催のハードルは一気に下がります．①受講者，③会場，④マネキン，⑤物品については自施設内で完結させることも可能ですが，最後に残るのが②指導者です．特にディレクターとしてゴールドランク資格を持つ指導者がJ-CIMELS公認講習会ベーシックコース開催に必須であり，その確保が問題になります．J-CIMELSでは，ディレクターやインストラクターが遠隔から参加する形でのシナリオシミュレーションを試行してきましたので，以下にその方法について共有します．

2 遠隔シミュレーションに必要なもの

　遠隔講義を行うだけであれば，ビデオ通話システムがあれば可能ですが，遠隔からシミュレーションを行うためには，遠隔から提示可能な模擬患者モニターが必要です．また，受講者が集まっている現地にも，機材の設定や指導補助のために，インストラクターかアシスタントインストラクターが必要になります．

遠隔から模擬患者モニターを提示するには
①遠隔から操作可能な模擬患者モニターを用いる
②自分の手元のパソコン上で表示した模擬患者モニターをビデオ会議システムの画面共有で表示させる

の2通りの方法が考えられます．J-CIMELS では主に①の方法を使っています．

遠隔から操作可能な模擬患者モニターの例は Part3-4（→ 246p ～）をご参照ください．シナリオシミュレーションに必要な物品は通常通り必要です．物品リストは Part3-2（→ 238p ～）をご参照ください．遠隔シミュレーション実施のために追加で必要な資器材を**表 1**，**表 2** に示します．

表1　遠隔シミュレーション：必要最小限の資器材

受講者側

- □ web カメラ付きのノートパソコン（またはタブレット）：ビデオ通話用
- □ タブレット（またはノートパソコン）：模擬患者モニター表示用
- □ Wi-Fi（スマートフォンのテザリングでも代用可だが，Wi-Fi が望ましい）

指導者側

- □ web カメラ付きのノートパソコン（またはタブレット）：ビデオ通話と模擬患者モニター操作用
- □ 遠隔から操作可能な模擬患者モニター
- □ Wi-Fi（スマートフォンのテザリングでも代用可だが，Wi-Fi が望ましい）

表2　遠隔シミュレーション：理想的な資器材

受講者側

- □ ノートパソコン（またはタブレット）：web 会議システム接続用
- □ 大画面の外部モニター：web 会議システム表示用
- △ 外付けスピーカー
- □ 外付け web カメラと固定用のスタンド
- □ 外付け集音マイクと延長ケーブル
- □ タブレット（またはノートパソコン）：模擬患者モニター表示用
- △ 第 2 視点用のタブレット（またはスマートフォン）
- □ Wi-Fi（または有線 LAN）

指導者側

- □ web カメラ付きのノートパソコン（またはタブレット）：web 会議システム接続用
- □ 遠隔から操作可能な模擬患者モニター
- △ タブレット（またはノートパソコンか携帯電話）：模擬患者モニター操作用
- □ 有線 LAN（Wi-Fi でも可だが，有線 LAN が望ましい）
- □ web 会議システムの契約（事務局のものが使えればそれで可）

△印は必要に応じて準備する

3　遠隔シミュレーション　セッティングのコツ

　受講者側のセッティングのポイントとしては，指導者と受講者がアイコンタクトを取ることができるように，web会議システム表示用の画面は受講者と向かい合う形で配置し，その画面の近くに外付けwebカメラを配置します．Webカメラの画像はマネキンの全体（特に頭部～骨盤）が映るようにし，シナリオ参加者で視野が妨げられないように，身長よりやや高い位置に設置するとよいでしょう．振り返りのときの受講者が座るイスの位置は，全員がwebカメラに映るように配置します．1台のwebカメラですべてを映すことが困難であれば，第2視点としてマネキンの全体を映すためのタブレットかスマートフォンを置くとよいでしょう．シナリオシミュレーション中の受講者の声や，振り返りのときの受講者の声をしっかりとらえるためには，ビデオ会議用の集音マイクを準備し，シナリオシミュレーション中はマネキンの近くに，振り返り時には受講者のイスの近くに置くようにします．実際の指導風景（**図1**）と配置の模式図（**図2**）を示します．

　指導者側のセッティングのポイントとしては，雑音の入らない環境と，安定したインターネット環境（できれば有線LAN）の準備が必要です．Webカメラを内蔵したノートパソコンが1台あれば，web会議システムへの接続と模擬患者モニターの操作の両方を行うことは可能です．ただし模擬患者モニターの操作画面がweb会議システムの画面とかぶったり，小さくせざるを得なくなったりします（**図3**）．模擬患者モニターはスマホやタブレットでも操作は可能ですので，指導者にとって使いやすい方法で操作してください．実際の遠隔での指導風景（**図4**）を示します．

4　遠隔シミュレーション　運営のコツ

　セッティングが終わったら，次は運営のコツです．まず現地にいるインストラクターと遠隔のインストラクターとで，シナリオごとの役割分担を綿密に打ち合わせておく必要があります．メインのシナリオ提示や振り返りはどちらのインストラクターが担当してもよいですが，1シナリオごとにどちらが担当するかを明確に決めておきましょう．シナリオの中での役割分担として，家族役は実際のシミュレーション現場にいるほうがよいので現地側で担当し，患者の声役は遠隔側で担当するのがよいのですが，このときweb会議システムのビデオをオフにして音声だけにすると，受講者がよりシナリオに集中できます．模擬患者モニターは，遠隔操作が可能なものであれば遠隔側でも現地側でも操作可能ですが，患者の声役が同時に操作するほうがシナリオの進行もしやすいでしょう．患者の声役が遠隔側，模擬患者モニターの操作が現地側と分かれる場合は，容態変化のきっかけなどの事前の打ち合わせを十分に行ってください．

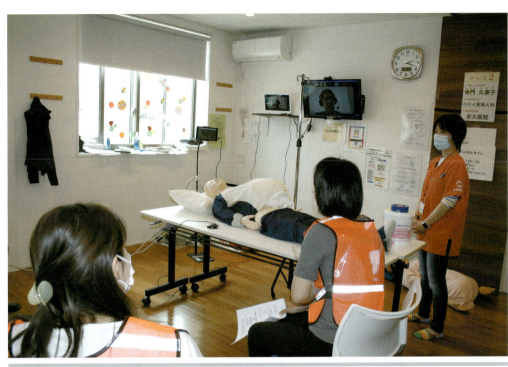

図1 振り返り実施中：アイコンタクトがとれる画面配置

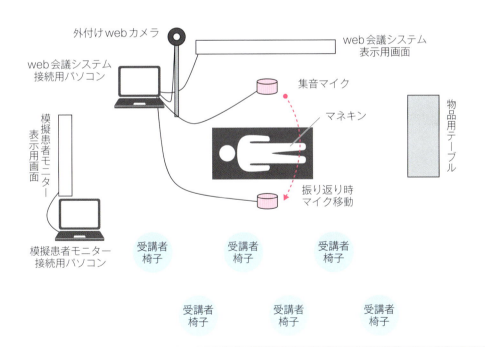

図2 遠隔シミュレーション　設営の模式図

図3 指導者側画面：1台のパソコンで操作すると画面がかぶる

図4 遠隔指導ブース

コース中に通信回線の問題が生じてweb会議システムがつながらなくなる可能性があるので，LINEやMessengerなど，遠隔側と現地側で別回線で連絡を取れる手段を確保しておくとよいでしょう．

運営に慣れてきたら，さらに工夫も可能です．Web会議システムではアクセスしている人の名前を表示できるようになっていますが，ビデオをオフにすると，その名前が大きく表示されるようになっています．この名前の部分に，シナリオ進行中に合わせてさまざまなメッセージを表示するということも可能です．なお，**模擬患者モニターの音量は小さめにしておかない**と，受講者の発言が聞き取りにくくなりますので，事前に調整しておいてください．

　遠隔シミュレーションは，感染症蔓延期にもシミュレーションの機会を設けるために試行してきましたが，離島でのコース開催や海外でのコース開催にも応用できます．遠隔シミュレーションを実際に行っているところはweb会議システムでの遠隔からの見学も可能ですので，興味のある方は事務局に開催日をお問い合わせください．

（橋井康二・山畑佳篤）

4 シミュレーターの活用方法

　J-CIMELS公認講習会ベーシックコースでシナリオシミュレーションを行う際には，マネキンと模擬患者モニターとを用います．ここでは機能別に分類したマネキンの紹介と，模擬患者モニターの基本的な操作方法，そしてAEDトレーナー操作のポイントを紹介します．後半は本コースで使用されている代表的なシミュレーターのメーカーに，具体的なシミュレーターの紹介およびトラブルシューティングについてまとめていただきました．

　ここで紹介するようなマネキンなどは，大学病院や研修指定病院の多くですでに導入されています．自施設にもすでにマネキンが揃っている可能性があるので，まずは確認してみましょう．BLSやICLSのコースを開催している施設であれば，何らかのマネキンを持っているはずです．マネキンについては研修管理部門や救急部門が詳しいでしょう．大学の場合，医学科以外に看護学科や保健学科で教育用に保持している場合があります．

　シミュレーターをタイミングよく操作することはシナリオ進行にとって重要な要素であり，操作については事前に学習しておかなければなりません．どうしてもマネキンが準備できないときはインストラクターが模擬患者となってシナリオを実施することもできますが，模擬患者モニターの使用が望ましいです．コース当日には他の小物類も含め，準備段階で動作確認を確実に行っておきましょう．

1 各種マネキンの機能別紹介

　基本的にいずれのマネキンも一般成人をモデルにしていて（妊婦モデルの高機能マネキンを除く），妊娠を表すために腹部に詰め物を準備することが望ましいです．一般的に，高機能になるほど価格も高くなりますが，高機能であればよいというわけではなく，シミュレーションの目的に応じてモデルを選択します．急変対応のシナリオシミュレーションでは全身モデルを用いるほうがよいでしょう．本コースでのマネキン準備の留意点を表1にまとめました．

表1　J-CIMELS公認講習会ベーシックコースでのマネキン準備の留意点

マネキンにモニターが付属していない場合，パソコン等で別途模擬患者モニターを表示する
分娩前シナリオでは妊娠子宮を表現するために詰め物を準備する
マスク換気で胸の動きがわかるマネキンがある場合はBVMスキルで用いる
鼻腔に穴が開いていて経鼻エアウエイが挿入できるマネキンがある場合はBVMスキルで用いる
脈を触れることができるマネキンがある場合はシナリオ1-で用いる
痙攣もしくは瞳孔の左右差を出せるマネキンがある場合はシナリオ3-で用いる

1) BLS 用マネキン（半身）

　胸骨圧迫と人工呼吸の訓練に用いられます．半身マネキンは体幹部と頭頸部のみで構成され，中には胸骨圧迫の質が高ければ血流が可視化され，脳が光るようなモデルもあります．

例）レサシアンファーストエイド半身，ブライデン CPR マネキン，プレスタン CPR/AED マネキンなど

2) BLS 用マネキン（全身）

　胸骨圧迫と人工呼吸の訓練に用いられます．機能は半身マネキンと同じですが，全身モデルであるため急変対応のシナリオシミュレーションにも用いられます．本コースのシナリオブースで最もシンプルなのは，この全身型 BLS 用マネキンと模擬患者モニターの組み合わせです．

例）レサシアンファーストエイド全身，アンブマン全身モデルなど

3) BLS 用マネキン（評価機能の備わったもの）

　BLS 用マネキンの中には，胸骨圧迫の質や人工呼吸の量を計測・評価して可視化したり，点数化したりする機能を持つものがあり，質の高い胸骨圧迫を身につけるためには有用です．パソコン上でソフトを走らせて計測するものや，専用のハンドヘルド端末を用いるものなどがあります．マネキンとしては半身型，全身型，いずれもあります．

例）レサシアン QCPR，ブライデン PRO など

　以下に解説するマネキンは，いずれも全身型です．

4) 二次救命処置用マネキン（模擬患者モニターがないもの）

　二次救命処置訓練のためのマネキンです．BLS 用マネキンの機能に加え，心電図波形を表示することができ，実際に除細動器で電気ショックをかけることもできます．操作はパソコン上のソフトを用いるもの，専用の操作盤を用いるもの，専用のハンドヘルド端末を用いるものなどがあります．プログラムされた心電図波形を出す，心拍数を変える，プリセットされた音声を出す，などの操作が可能です．モニター画面は付属していないため，実際の除細動器や実際の患者モニターを装着しないと心電図波形は表示できません．

例）ハートシム 4000，セーブマンなど

5) 二次救命処置用マネキン（模擬患者モニターが付属しているもの）

　二次救命処置訓練のためのマネキンのうち，模擬患者モニターとセットになっているものです．心電図波形に加えて SpO_2 波形や血圧，呼吸数を表示できます．一部のモデルでは空気ポンプを用いて呼吸による胸の挙上を表現することができます．操作はパソコン上のソフトを用いるもの，専用のハンドヘルド端末を用いるものがあります．プログラムされた心電図波形を出す，心拍数や SpO_2 を変える，プリセットされた音声を出す，などの操作が可能です．患者モニターを表示することができるため，本コースで用いるのに適しています．

例）レサシアンシミュレータなど

6）高機能マネキン（パソコン操作と連動し多彩な表現が可能なもの）

二次救命処置に加えて外傷や気道緊急などさまざまな訓練のための機能を持ったマネキンです．模擬患者モニターとセットになっており，心電図波形に加えて SpO_2 波形や血圧，呼吸数を表示できます．自発呼吸による胸の挙上を表現することもできます．操作はパソコン上のソフトを用いるもの，専用のハンドヘルド端末を用いるものがあります．ヘッドセットを用いてインストラクターの声をマネキンから出すことが可能なモデルもあり，高機能なものになると汗をかいたり，薬剤投与に対する反応を出すこともできます．

例）ALSシミュレーター，SimManシリーズ，METImanなど

7）妊婦モデルの高機能マネキン（分娩現場の再現やCTGモニターも出るもの）

高機能マネキンの中には妊婦モデルのものがあります．一般的な高機能シミュレーターの機能に加え，CTG波形の表示，分娩介助，出血の表現などが可能です（内容はモデルにより異なる）．産科的手技の訓練に適しており，逆に胸骨圧迫訓練などには適していない場合があります．施設の中にすでに導入されている場合，J-CIMELS公認講習会ベーシックコースの危機的出血シナリオや痙攣シナリオで用いるとよいでしょう．

例）SimMom，NOELLE，VICTORIAなど

2 模擬患者モニターの基本的な操作方法と注意点

複数のメーカーで模擬患者モニターが開発されています．模擬患者モニター単体のものと，マネキンがセットになったものとがあります．J-CIMELS公認講習会ベーシックコースでは，バイタルサインセットを事前にプリセットできるもののほうが使いやすいでしょう．ここではすでにプリセットされたバイタルサインを表示する場合の基本的な操作方法を紹介します．

1）基本的な操作方法：基礎編

①電源を入れてソフトを立ち上げる

マネキンと連動している場合は初めにマネキンの電源を入れ，きちんと連動していることを咳の声などで確認します．

②プリセットされたシナリオリストから，次に行うシナリオを選択する

ソフトによってはその後に「スタート」ボタンを押す必要があります．

③画面上にモニターを表示させる

デフォルトでは模擬患者モニター画面は非表示になっています．シナリオシミュレーション実施中に受講者からモニター装着の指示が出れば，各項目の表示操作を行い，模擬モニター画面上に表示させます．指示の出ていない項目は表示させません．

表2　AEDトレーナー操作における事前チェック項目

本物のAEDに入っていないもの（リモコン・予備電池・説明書など）は抜いておく
電源が入るかを確認する
パッドの粘着力があるかを確認し，新しいパッドがあれば交換する
ショックが必要なシナリオになっていることを確認する （リモコンでシナリオを進行させる機種では，リモコンがあることを確認する）

④バイタルサインを変更する

　シナリオが進行してバイタルサインを変更するときは，進行に応じてその場面のバイタルサインセットを選択します．

⑤モニター音を消す

　シナリオ終了時には，振り返りの妨げにならないようモニター音を消すか，波形表示をオフにします．下記のいずれかの方法で音を消すことができます．

- 模擬患者モニターとして用いているパソコンを消音する
- 操作画面上で音量を下げる
- モニター各項目を非表示に操作する
- シナリオを終了させる

2）基本的な操作方法：応用編

　以下の操作は必須ではありませんが，よりリアルに表現できる手段です．

⑥受講者の行動に応じてバイタルサインを微調整する

　酸素投与時にSpO_2を微増させる，輸液に反応して少し心拍数を下げる，など．

⑦バイタルサインセットを変更するときに「遷移時間」を指定できるものがある

　遷移時間を設けるとバイタルサインが徐々に変化し，よりリアルになります．

⑧シナリオに応じて心電図波形を変更させる（心室細動や電気ショック後の洞調律など）

⑨シナリオに応じてプリセットされた声を出させる（叫び声や赤ちゃんの泣き声など）

3）シナリオ進行上の注意点

　インストラクターが注意しておかなければならない点が2つあります．一つは，**モニター画面を表示するのは，あくまでモニターを装着した後**だということです．モニター装着前のバイタルサイン測定時の値などは，声で読み上げる，ホワイトボードに書く，フリップで掲示するなどして，バイタルサイン測定とモニタリングの違いを伝えてください．もう一つは，血圧測定は最後に測定したものが表示されており，受講者はそれをその時点での血圧であると誤解しやすいことです．以前に測定した血圧であることを強調するなどして再測定を促します．

　また，AEDトレーナーはメーカーによって操作方法が若干異なります．特にシナリオを進行させる方法（解析開始に進行させる方法）については事前に確認しておく必要があります．表2にブース準備時のチェック項目をまとめました．

〈山畑佳篤〉

3 高機能マネキン：レールダル メディカル ジャパン株式会社

　レールダルは「Helping Save Lives」というミッションのもと，50年以上にわたり救命率を高めるための医療教育ソリューションを開発，提供してきました．J-CIMELS公認講習会ベーシックコースにおいても，多くのシミュレーターをご活用いただいています．

　近年，AHA（American Heart Association：アメリカ心臓協会）においても質の高いCPRが提唱されており，CPRの質を評価することの重要性が高まっています．本コースの「レクチャー＆スキル：有効な胸骨圧迫」ブースでは，胸骨圧迫の実践とともに，その質を評価できるシミュレーターが求められています．また「シナリオ＆スキル」ブースでは，さまざまな状況に応じたバイタルサインの変化と，それに伴う反応をシミュレーターに反映することで，可能な限り受講者がシナリオに集中し，コースを受講できることが求められています．インストラクターは，開催地によりますが，主に以下のシミュレーターを使用する機会があります．

1）製品紹介

レサシアン QCPR，SimMan ALS

　レサシアン QCPR（**図1**）とSimMan ALS（**図2**）は，胸骨圧迫のトレーニングに活用できることに加え，インストラクター（オペレーター）は手元のSimPad小型デバイスを使用することでリアルタイム フィードバック・システムにより客観的な胸骨圧迫に関する質のデータを得ることができ，その情報をもとに適切な指導が可能となります（**図3**）．また，プロトコールの「危機的状況として応援依頼または搬送の基準」の指標の一つであるSIやSpO_2などのバイタルサイン情報も，手元の携帯デバイスで，インストラクターのタイミングで変更することができ，即座に受講者の対応を評価することができます．

SimMom シミュレーター（産科救急）

　SimMom シミュレーターは分娩や産科救急にかかわる医療従事者を対象にした高機能シミュレーターです（**図4**）．産科救急シミュレーションはもちろん，分娩介助トレーニングや胎児心拍モニターの評価，妊婦ケア教育などにも応用可能なシステムです．

図1 レサシアン QCPR

図2 SimMan ALS

本コースでは特に「産科危機的出血への対応」ブースにて，弛緩出血や子宮内反症のシナリオに対応可能です（**図5**）．ただし，このシミュレーターはパソコン上でLLEAPソフトウェアを使用してシミュレーターを操作します．

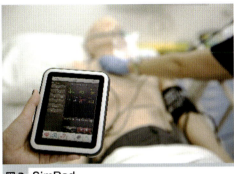

図3 SimPad

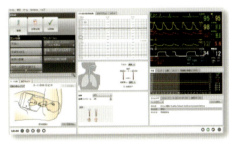

図4 SimMom シミュレーター

産後大出血：出血や尿を再現しながら，子宮復古不全の確認と対処法のトレーニングが行える．胎盤遺残も再現可能．

子宮内反症：臍帯を引っ張ると子宮が内反し，子宮内反症のシミュレートを行うことができる．

図5 SimMom シミュレーターの産後用モジュール（標準付属）

2）トラブルシューティング

FAQ 1：マネキンと SimPad がつながらない！

マネキンと SimPad は無線でつながるよう設定してありますが，電源を入れても作動しない場合，以下の手順で対応してみてください．

再起動

まず，以下の順番で再起動を行います．

①マネキンから電源を入れる

②マネキンが咳をしたら，SimPad を起動

再起動を行っても作動しない場合，Wi-Fi の設定（対応する LinkBox とつながっているか）を確認します．

マネキンの LinkBox の確認

LinkBox の 📶 マークが「緑点滅」の場合，SimPad と接続できていない，あるいは LinkBox 故障の可能性があります．

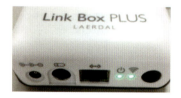

LinkBox のマークが「緑点灯」「青点灯」「無灯」の場合，以下の手順で「ネットワーク設定」を実施します．

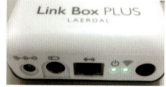  

① LinkBox と SimPad を LAN ケーブルで接続する

② SimPad のトップ画面から「システム設定」をタップ→次の画面の「Wi-Fi」をタップ→次の画面の「SimPad と LinkBox の両方を設定する」をタップ→次の画面の「デフォルト SimLink ネットワーク」をタップすると，設定が開始される

③「初期設定ネットワーク SimLink を使用中です」が表示されていることを確認する

　つながらない場合は故障の可能性があります．当社ヘルプデスクへご連絡ください．

FAQ 2：マネキン，SimPad/LLEAP と患者モニターがつながらない！

　まず，以下の順番で再起動を試みます．

① マネキン
② SimPad/LLEAP
③ 患者モニター

　作動しない場合はマネキンと患者モニターを LAN ケーブルで接続します．

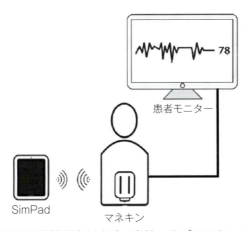

　つながらない場合は故障の可能性があります．当社ヘルプデスクへご連絡ください．

FAQ 3：マネキンが自発呼吸しない！

肺袋の破損（空気漏れ）
　→故障肺袋を交換する必要があります．

エアー不足
　→まず，ホースの折れ曲がりがないかを確認してください．次に，ポンプもしくはコンプレッサーでエアーの供給を行ってください．呼吸数20回／分で約15分間が目安となります．

それ以外
　→物理的破損の可能性があります．当社ヘルプデスクへご連絡ください．

問い合わせ先

レールダル メディカル ジャパン株式会社

フリーダイヤル：0120-309-060，2番：ヘルプデスク

受付時間：月曜〜金曜　9時〜17時30分

（土・日・祝日，年末年始，および弊社指定休業日を除く）

4 模擬患者モニター：ペンギンシステム株式会社

1) 製品紹介

ペンギンシステム株式会社の模擬患者モニター「救トレ」は，J-CIMELS 公認講習会のために開発されました．準備の手軽さ，操作の簡便さ，シナリオ機能の充実，低価格などが特徴です．

「救トレ」を使ったトレーニングは，受講者が参照するモニター（**図6**）と，インストラクター（あるいはオペレーター）がバイタルサインを操作するコントローラー（**図7**）とで行います．どちらも専用端末は必要なく，webブラウザが使えるお手持ちの機器（パソコン，スマートフォン，タブレットなど．以下「デバイス」）を利用して，気軽にシミュレーショントレーニングを行うことができます．デバイスへのアプリのインストールも不要であり，webブラウザのみを使用します．

2つのタイプの「救トレ」

2017年にリリースされた「救トレ」は，文庫本より小さなサイズの箱型の装置で，それさえあれば，あとはお手持ちのデバイスをモニターおよびコントローラーとして使って，すぐにトレーニングできることが特長でした．

2021年6月に誕生した新タイプ「救トレ クラウド」は，箱型の装置も不要としたもので，お手持ちのデバイスのみを使ってすぐにトレーニングが行えます．波形の表示，シナリオの管理などすべての機能の利用をクラウド上（インターネット上）で行いますので，お手持ちのデバイスはインターネットにつないで使うことになります．

従来からある箱型の救トレも「救トレ ポータブル」として今後も購入可能です．こちらはインターネットにつながる環境を持ちづらい方が使う際に便利です．箱型の装置とモニター，コントローラーは無線（Wi-Fi）で通信します．閉じたネットワークであり，院内LAN（院内Wi-Fi）やインターネットへの接続は不要です．

波形と数値に合わせて音も変化する

図6 救トレのモニター画面

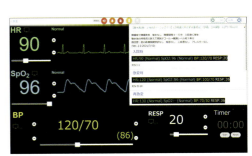

あらかじめ設定しておいたバイタルサイン値にワンタップで一括変換可能．手動微調整もできる

図7 救トレのコントローラー画面

バイタルサインを数値・波形・音でリアルに再現

シナリオのシーン展開あるいは受講者の対応に合わせて，インストラクターが手元のコントローラーで操作を行うと，モニターの数値と波形，心拍を表す音の音程やテンポが変化することで，バイタルサインの変化を知らせます．波形と音が連動し，点滅と警告音によるアラーム機能もあるため，急変時トレーニングには欠かせない臨場感を受講者は体感できます．波形は**表3**に示すものをコントローラー側にて選択し，表示することが可能です．

妊産婦に見立てたマネキン・人形等には特段の条件はありません．マネキンと連動した動作はないため，他用途のマネキン等を流用することができます．**図8**に「救トレ ポータブル」利用の一例を示します．製品サイトでは，このほかにもさまざまな状況での利用例を公開しています．

「救トレ」に入っている効果音

赤ちゃんの泣き声，嘔吐音，救急車，電話コール音，ナースコールなどがあります．トレーニングの状況に応じて使用できます．

任意の画像を「救トレ」画面に重ねて表示できる

事前にアップロードしておいた任意の画像を「救トレ」画面に重ねて表示することもできます（**図9**）．トレーニングシナリオの症状に合わせて，他の機器の情報や患者の様子を示す写真

表3　救トレが対応している波形

〈心電図〉	心房粗動	心室細動
正常洞調律	ジャンクショナル	心室頻拍
1度房室ブロック	左脚ブロック	
MobitzⅠ型2度房室ブロック	右脚ブロック	〈動脈血酸素飽和度〉
MobitzⅡ型2度房室ブロック	ST上昇	正常
心停止	持続性心室頻拍	血管灌流不全
心房細動	トルサード・ド・ポワント	

図8　救トレ ポータブル 利用例

を示すなど，さまざまな用途にお使いいただけるでしょう．

2）「救トレ クラウド」を利用した遠隔トレーニング，遠隔セミナー

新タイプの「救トレ クラウド」の特長として，モニターとコントローラーが距離的に離れていても使えるという点があります．新型コロナウイルス感染症の流行等の影響でインストラクターと受講者が別の場所に離れているような場合でも「救トレ クラウド」とオンライン会議システムとの組み合わせによって，遠隔トレーニングや遠隔セミナーを行うことが可能です（**図10**）．

遠隔トレーニングにはさまざまなセッティングがありえますが，例えば講師のみが遠隔から参加の場合は，以下のようなセッティングとなるでしょう．参考にしてください．

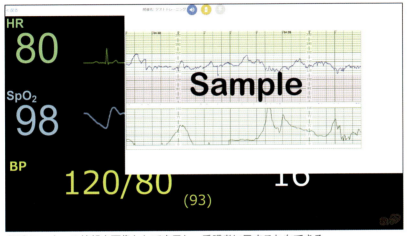

CTGモニターの情報を画像として表示し，受講者に示すこともできる

図9 「救トレ」に任意の画像や動画を表示

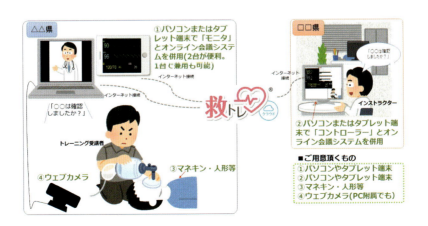

図10 救トレ クラウドを利用した遠隔トレーニングの例

【講師側】

　パソコンかタブレットをできれば2台用意します．1台をオンライン会議システム（Zoomなど）により会場の様子を表示するために使い，またレクチャー時に講師が語りかける際にも使用します．もう1台を「救トレ クラウド」のコントローラー画面として使用します．1台でブラウザを2つ表示する方法も可能です．

【受講者側】

　パソコンかタブレットを2台用意します．1台は「救トレ クラウド」のモニター画面を表示します．もう1台はオンライン会議システム用とし，レクチャー時に講師を表示します．こちらにはできればwebカメラを接続し，トレーニングの様子を映すようにすると，講師側でトレーニングの様子を確認しながらインストラクションができて便利です．また，大型のテレビやディスプレイ，プロジェクターなどにつなぐと，受講者が確認しやすくなるでしょう．

3）シナリオ機能とコントローラーの操作

　「救トレ」にはJ-CIMELS公認講習会のシナリオが最初から入っており，すぐに利用できます．また，ご自身で考えた訓練シナリオを事前に登録・変更することもできます．トレーニング開始前にシナリオ展開とバイタルサインの値とをセットで登録しておくと，本番では登録済みのシーンを選択するだけで，バイタルサインを一括して変化させることができます．値を細かく変化させたい場合は，スライダーやステップボタンで簡単に操作ができます．

4）トレーニングに用いる機器のセッティング

　モニターに用いる機器は，ある程度の画面の大きさがあることが望ましく，パソコンやタブレットの利用を推奨しています．「救トレ ポータブル」にはHDMI端子もあるため，液晶モニター，テレビ，プロジェクターに直接HDMIケーブル（別売）で接続し，モニターとして利用することもできます．「救トレ クラウド」の場合は，パソコンなどからHDMIケーブルで液晶モニターなどにつなぐことで，同様のセッティングが可能です．コントローラーには，パソコン，タブレットはもちろん，スマートフォンのような小さいデバイスでも利用できます．

5）複数の「救トレ」を同時に使用する

　複数のブースを設置して受講者がブースを回ることでたくさんのシナリオを体験する場合，複数の「救トレ」を用意し，各ブースに配置してトレーニングを行うことも可能です．

救トレ クラウドの場合

　あらかじめ購入いただいた利用チケットごとにモニターとコントローラー向けのURLがセットで発行されます．ブース数分のチケットを使えば，ブースごとに独立したトレーニングが可能です．シナリオはクラウド上の同じ場所から読み出されますので，ブースごとに何度も同じシナリオ設定を行う必要はありません．

救トレ ポータブルの場合

　各ブースに「救トレ ポータブル」を配置すると，それぞれの「救トレ ポータブル」を中心にした小さいネットワークがブースごとに作られます．ネットワークの識別となる SSID を各端末で適切に指定することで，複数台の同時利用が可能となります．シナリオを追加・変更する場合は，各「救トレ ポータブル」に必要なシナリオを設定することになります．Ver.2.0.0 以降では，シナリオの取り出し・取り込み機能がありますので，複数台にシナリオを設定することが容易に可能です．

6)「救トレ クラウド」の利点

　「救トレ クラウド」をご利用の場合，機能の追加・向上（バージョンアップ）が生じた場合には自動的に最新化がなされ，常に最新の機能がご利用いただけます．例えば 2021 年 6 月には除細動器（電気ショック）模擬機能の追加が行われました．また，J-CIMELS 公認講習会のシナリオも常に最新版が使えるようになっています．本書第 2 版にて改訂された新シナリオも実装済です（2021 年 9 月現在）．

　なお「救トレ ポータブル」はハードウェアであるため，バージョンアップやシナリオの更新が困難です．ご購入時のバージョンでお使いいただき，シナリオの追加・更新はご自身で行っていただく必要があります．

7) 利用に必要な費用

　「救トレ ポータブル」は直販価格 39,800 円で買い切り利用となります．「救トレ クラウド」は月額利用料 600 円と開催チケット 1 時間 1 ブース 200 円で利用できます（価格は全て税別）．

8) その他の情報

「救トレ」公式サイト（https://qtr.emersim.jp）ではクイックスタートガイド，ユーザーマニュアル，利用シーン例，FAQ などが公開されています．

問い合わせ先

ペンギンシステム株式会社

Email：qtr@penguins.co.jp

TEL：029-893-2275　Fax：029-846-6672

電話受付時間：月曜～金曜　9 時～ 17 時 30 分

（土・日・祝日，年末年始，および弊社指定休業日を除く）

Part**4**発展編……

1　スキルアップのために：臨床現場シミュレーション（in-situ）

　J-CIMELS公認講習会ベーシックコースの修了認定を受けた受講者が知識やスキルを維持するためには，日々の臨床の中で機会を設けたり，学習のための特別な機会を設定する必要があります．指導者同士でも，指導法や指導内容を披露してアドバイスを受けるような機会があれば指導力を高め合うことができます．本章では，インストラクターやディレクターが設定できる学習機会の例や，その運営方法について紹介します．各地の指導者でぜひ企画・実践していってください！　また，ほかに良いアイデアがあれば，事務局までお知らせください．

　みなさんは，スキルアップのためには臨床現場を離れて学習機会を作る必要があると思い込んでいないでしょうか？　実は，最も簡便に設定できる学習機会は，臨床現場で行うシミュレーションです．例えば，たまたま分娩ホールに誰も妊産婦がいない時間があれば，分娩施行中の急変シミュレーションができます．もし入院個室に空きがあれば，病室での急変シミュレーションができます．午後休診の日の外来が終わった直後であれば，外来急変のシミュレーションもできますね．このように普段の臨床現場を使って，その場所で働いているスタッフが参加して行うシミュレーションを「臨床現場シミュレーション」といいます（**図1**）．

図1　臨床現場シミュレーション

図2 ママナタリー（レールダル メディカル ジャパン株式会社）

表1 臨床現場シミュレーション 目的と評価方法（例）

目 的	評価方法
京都プロトコールに則った急変対応	チェックリストを用いた行動チェック
急変コールから ABC サポートまでの時間改善	項目を決めた時間測定
物品配置と救急カートの中身の配置	振り返り／事後のアンケート
病室での急変：対応は病室か分娩ホールか	2パターン実施しての比較

　臨床現場シミュレーションは，インストラクターが模擬患者を兼ねれば，いつでも思い立ったときに，すぐに実施できます．救急カートは実際に臨床現場で使っているものを持ってきて，資器材や薬剤の封さえ切らなければ，そのままシミュレーションで使うことができます．定期的に臨床現場で実施できるのであれば，シミュレーション用の資器材セットを作っておくと，行動化の訓練にもなってよいでしょう．加えて模擬患者モニターがあれば，よりリアルにシミュレーションができます（模擬患者モニターについては「Part 3-4」を参照→ 246p ～）．実際に臨床現場シミュレーションを実践している施設では，全身タイプの蘇生用マネキンを準備したり，妊婦を模するための腹部パーツを準備したりしているところもあります（図2）．

　臨床現場シミュレーションの良いところは，実際の現場改善に直接つながることです．例えば救急カートの置き場，救急カートの中身の整理，緊急薬剤や AED の保管位置，スタッフを集める方法などです．その効果をより高めるためには，シナリオを始める前に具体的な目的や目標を設定しておき，シミュレーション後に振り返りを行うことがポイントです．目的と評価方法の例を表1に示します．最も簡単に始められるスキルアップの方法である臨床現場シミュレーションを，みなさんも今日から始めませんか？

（山畑佳篤）

2 スキルアップのために：グレードA帝王切開シミュレーション

　前項で紹介した臨床現場シミュレーションが個々の項目の小テストだとすれば，グレードA帝王切開シミュレーションは総合模試のような位置にあります（**図1**）．周産期センターでは必ず行わなければなりませんが，実施のためのコツがありますので，ご紹介します．

1 基本1：評価チームと参加者を明確に分ける

　総合模試ですので，しっかりと評価を行い，評価に基づいて振り返りを行う必要があります．そのためにはシナリオを作成し，シミュレーション当日にはシナリオを進行し，評価のチェックを行うチームが必要になります．1施設の中で評価チームと参加者を両方準備するのが負担であれば，他の周産期センターとタッグを組んで，お互いに評価チームを派遣するという方法もあります．

2 基本2：評価チェック項目を事前に作っておく

　これは「臨床現場シミュレーション」の項で書いたことと同じですね．その日のシミュレーションで，具体的にどのような項目を評価して改善につなげるかを明確にしておくことで，効果的な振り返りにつながります．また，同じ評価チェック項目を用いて別の日に再度シミュレーションを行うことで，チームの対応能力の向上も確認できます．

図1 グレードA帝王切開シミュレーション（昭和大学病院）

表1 グレードA帝王切開シミュレーション　目的と評価方法（例）

実施シナリオ	目　的
母体搬送受け入れから救急室での初期蘇生	チーム招集と役割分担の確認
産科病棟でのグレードA宣言から輸血開始	チーム招集と輸血オーダー確認
産科外来から手術室までのタイムトライアル	移動時間確認と障害のチェック
分娩ホールでの急変から帝王切開まで	母体初期蘇生の実施内容確認

3　基本3：最初からフルスケールシナリオではなく，ポイントを絞ったシナリオを

　フルスケールシミュレーションとは，急変発生（もしくは救急車到着）から始まり，初期蘇生，チーム招集，輸血のオーダー，手術室への連絡，手術室への移動，帝王切開実施，新生児蘇生，母体蘇生までの一連の流れを途切れなく行うシナリオです．総合模試で例えれば，受験直前の判定模試のようなものですね．対して最終模試に至るまでは，試験範囲が限定された模試や教科を限定した模試が行われます．それぞれの模試の結果から学習不足な点を確認して補習，点数アップを目指します．

　グレードA帝王切開シミュレーションは，必ずしも毎回フルスケールで行う必要はありません．それよりもポイントを絞ったシナリオで，目的を明確化して繰り返したほうが改善にはつながります．ポイントを絞ったシナリオ設定と，具体的な目的の例を**表1**に示します．さまざまなシミュレーションを繰り返すことで，総合模試で良い判定を取ることはもちろん，実際の入試（＝実際の急変）に合格点を出せるよう，準備しましょう！

（山畑佳篤）

3 周産期メディカルラリー

　メディカルラリーということばを聞いたことはありますか？　メディカルラリーとは，チェコ発祥のもので，もともとは救急隊向けの競技会です．いくつかの競技ステーションが設けられ，各地から集まった救急隊がチームで各ステーションを回り，点数の合計で順位を決めるものです．これを周産期のシナリオに限定し，周産期医療関係者のチームで競い合うものを周産期メディカルラリーと呼んでいます．ここでは京都産婦人科救急診療研究会で実施したメディカルラリーを一例として紹介します．

1 レギュレーションの決定

　まず，主催者がレギュレーションを決定します．設置するステーション数，募集するチームの構成（例：産科医1＋助産師1＋看護師1＋全身管理医または研修医1）を検討します．各ステーションでの競技時間も決めておきます．

2 会場の確保

　設置するステーションごとに，前室および終了後待機室が必要になります．4ステーション設置する場合，ステーションのためのスペース4カ所と，その他のスペースが8カ所の12カ所が必要になります．大学医学部のシミュレーションセンターや，病院内の休止病棟などが会場に適しています．休止病棟での配置例を**図1**に示します．

3 運営スタッフの確保

　設置するステーションごとにスタッフとしてインストラクターが必要になります．少なくとも複数の評価者が必要で，シナリオの登場人物が必要な場合はさらに人数が必要です．産科医，全身管理医，助産師など，多職種であれば理想的です．また各ステーションのスタッフと別に，全体の運営スタッフ（受付や誘導係など）も必要になります．

4 シナリオの作成と評価表の作成

　ステーション担当が決まれば，競技時間に合わせてシナリオを作成し，評価表を作ります．シナリオができれば，競技開始時点での参加者の人数と，応援で呼ぶことができる人数を設定

します．職種を指定しておくこともできます．各シナリオの代表的なシナリオ例を**表1**に，ステーション運営資料（アナフィラキシー）の例を**図2**に示します．

　オリジナルのシナリオを工夫して作っていただくと盛り上がりますが，そのシナリオで何を参加者に学んでもらうかという点を明確にするように心がけてください．奇をてらって現実にあり得ないような設定をしたり，重箱の隅をつつくような評価をすると，参加者の満足度は低くなるでしょう．

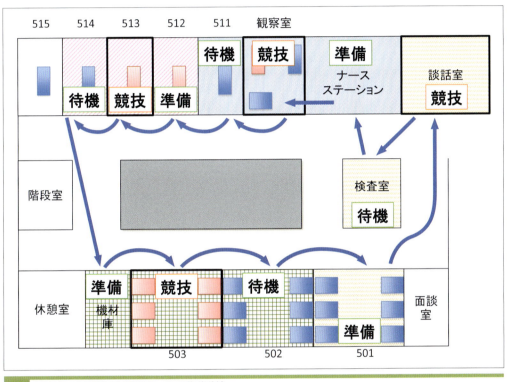

図1 競技ブースの配置と受講チームの移動動線

表1 4人チーム（産科医，助産師，看護師，医師［全身管理医または研修医］）

シナリオテーマ	初期人数	応援人数
墜落産と大量出血＋新生児仮死	2名	2名
陣発妊婦の突然の痙攣（HELLP）	1名	2名
外来待合室での妊婦の心停止	1名（看護師）	3名
救急受診した倦怠感が強い褥婦	2名（医師＋看護師）	1名

評価者用 Station 4 秘

テーマ：ウテメリン内服後のアナフィラキシー
場所：談話室
受講者の準備場所：501号室
機材：模擬患者＋救トレ

競技の実施時間は10分間です。
（入室からの時間ではなく、時計で計時します）

競技開始1分前に最初に入室する1名を部屋前に移動させてください。

応援要請は、評価者のケータイから指定のPHSに電話し、受講者自身にしゃべってもらってください。
要請後すぐに医師が1名入室します。
更に2分後に残りの2名が入室します。

10分で競技終了したら、検査室に競技者を待機させてください。
次の競技終了して、準備場所（ナースステーション）が空けば移動します。

評価者用 Station 4 秘

シナリオ設定

ここは、競技者の施設の外来です。

京 みやこ さん　28歳　34w2d
経産婦で前回妊娠時に切迫早産で入院歴があります。特に基礎疾患はなく、アレルギー歴もありません。
お腹の張りで来院し、ウテメリンの処方を受けて待合室で会計を待っています。

事務職員として「待合室で妊婦さんが苦しそうにしているので見てもらえますか」と1人目を呼び入れてください。

妊婦役は呼吸苦を訴え、1語毎に息継ぎをしてください。
アドレナリン投与2回目の後に症状を改善させてください。

競技者用 Station 4 1人目

シナリオ設定

ここは、競技者の施設の外来です。

必要があれば、PHSに応援要請の電話をかけることができます。

患者の容態変化や患者の所見は評価者が提示します。

外来には救急カートや母体用生体モニターなど蘇生物品はあります。

実技の実施時間は10分間です。
（入室からの時間ではなく、時計で計時します）

待機者用 Station 4 開始後

シナリオ設定

ここは、競技者の施設の外来です。

必要があれば、PHSに応援要請の電話がかかります。

電話後**すぐ**に、医師が1名、談話室に入室してシナリオに参加して下さい。

電話から**2分後**に、残りの2名が、廊下のストレッチャーを押して談話室に入室してシナリオに参加して下さい。

患者の容態変化や患者の所見は評価者が提示します。

外来には救急カートや母体用生体モニターなど蘇生物品はあります。

実技の実施時間は10分間です。
（入室からの時間ではなく、時計で計時します）

図2 ステーション運営マニュアル

5 物品の準備

シナリオができれば，必要な物品を準備します．基本的には各ステーションにJ-CIMELS公認講習会ベーシックコースの1ブース分の物品が準備できていれば開催できますし，模擬患者を使うのであればマネキンは必要なくなります．逆に，新生児蘇生を組み込むのであれば新生児マネキンや新生児用バッグ・バルブ・マスクなどが必要になります．評価表や筆記用具などの準備も忘れないようにしましょう．

6 当日の運営

各チームの受付が終われば，各ステーション競技開始時点でステーションに入るメンバーおよび応援者の名簿を各チームで協議・作成してもらいます（図3）．次に各チームがステーションを回る順番を決めるくじ引きを行います．競技が全て終われば各ステーションごとの順位集計を行い，結果発表を行います．まず各ステーションごとにシナリオの狙いを解説し，ステーションごとの優秀チームの発表を行います．最後に総合結果を発表します．賞品やトロフィーなどを準備しておくと，より盛り上がるでしょう．

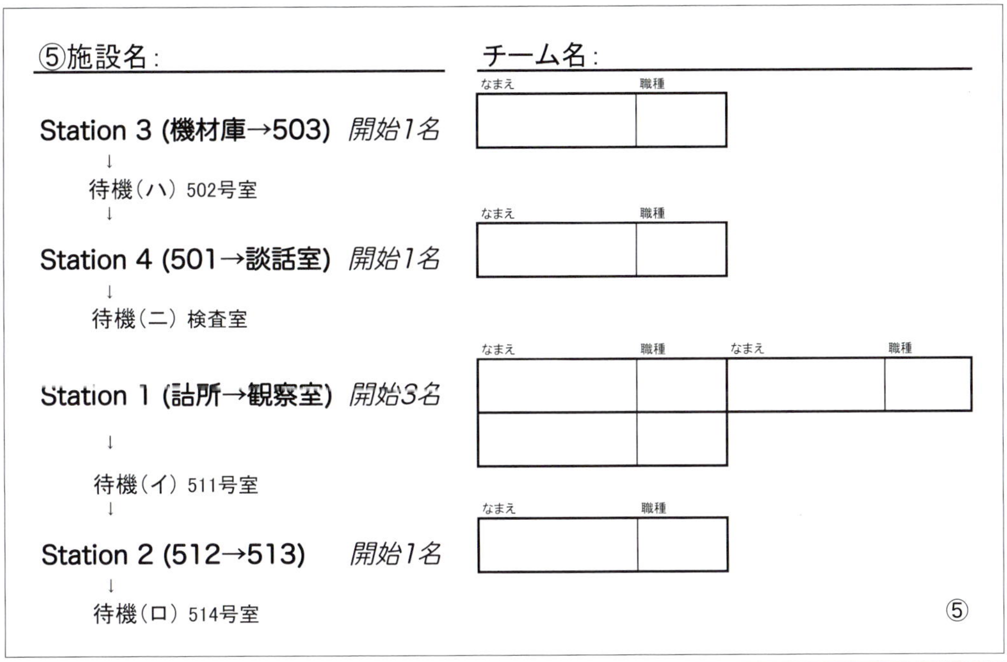

図3 チーム登録票

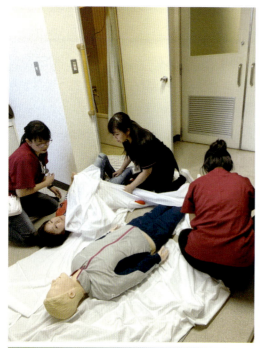

図4 周産期メディカルラリー

　周産期メディカルラリーは，開催のためには労力を要します．しかし，このような競技会を開催することで，修了認定を受けた受講者が各施設の中でチーム力を磨く目標となり，スキルアップを図ることができます．運営に携わったインストラクターも，シミュレーションの運営や評価のスキルアップができます．各ステーションのシナリオは，Part4-1で紹介した臨床現場シミュレーションや，Part4-2で紹介したポイントを絞ったシミュレーションを組み合わせれば，無限に内容を設定することができます．救急医はメディカルラリーの運営に慣れている人も多く，協力しながら開催準備をすることで開催のノウハウが共有できます．また，各ステーションのテーマにも多様性が出てきます．

　開催場所やシミュレーターなどについては，各地の医系大学には設備やマネキンが十分にあるはずで，大学や医局の協力が得られれば，それらを確保できると思います．各都道府県単位，もしくは各地方会単位で周産期メディカルラリーを行うことができれば，全国競技会も開催していけますので，ぜひみなさんの地元でも企画してみてください！

〈山畑佳篤〉

4 インストラクターブラッシュアップセミナー

　すでに認定インストラクターとして各地で活躍している方を対象に，ブラッシュアップセミナーも行われています．簡単に説明すると，インストラクターグループが模擬受講者を対象にシナリオを実施し，振り返りまでを他のインストラクターの前で見せる，ということを中心としたセミナーです．他のインストラクターの指導の様子を見ることで，自分にはなかった新たな指導法のヒントにもなりますし，他のインストラクターから意見・感想をもらうことで自らの指導法のブラッシュアップにもなります．

　学術集会で併設セミナーとして実施したときは，リアルに会場に集まってライヴで指導の様子を見せ合って意見交換が行われました（**図1**）．感染症蔓延期には事前に収録した指導の様子を動画で供覧し，web会議システムで意見交換することも可能です．意見交換のときには多様な意見をお聞きしたいところですが，挙手制などにすれば一度に1人しか発言できない上に，ともすれば一部の声の大きい参加者だけがたくさん意見を出すということになりがちです．対策として，web上の無料掲示板システムを使い，スマートフォンなどから随時意見を書き込んでもらうという方法があります．無料掲示板を使えば多くの人の意見を吸い上げることが可能ですし，思いついたときにいつでも書き込むことが可能です．多くの人が同時に意見を出すことが可能になり，会場を離れた後も掲示板上で意見交換を続けることも可能です．インストラクターブラッシュアップセミナーはこれからも開催していく予定ですので，機会があればぜひご参加ください！

図1　インストラクターブラッシュアップセミナー／掲示板の活用

（山畑佳篤）

インストラクター認定制度

　J-CIMELS公認ベーシックコースのインストラクター認定制度については，webシステムの稼動に合わせて変更が加えられました．変更のポイントは，インストラクターに**ランク制度**が作られたことと，**認定更新制度**が設けられたことです．ここでは変更後の制度について概要を説明します．最新の情報はJ-CIMELSのwebサイトを合わせてご参照ください．

　J-CIMELSでは，ベーシックコース開催に協力する意思のある方であれば，インストラクターコースの受講，そしてアシスタントインストラクターとしてのコース参加を歓迎します．ぜひ，インストラクター認定を受けて，各地でのコース開催にご助力ください！

1 webシステムへの登録

　ベーシックコースを受講して修了認定を受けた方は，インストラクターコース受講の申し込み（コース登録）が可能になります．全身管理医でベーシックコースの見学によって修了認定相当と登録された方も，データ管理のためにそのコースでの参加登録が必要になります．すでに認定インストラクターとして活動されている方も，今後の活動のためにwebシステム登録が必要になりますので，登録をよろしくお願いします．これまでの活動歴は更新のために必要な最小限のもののみ引き継がれます．

2 ベーシックインストラクターコース受講

　ベーシックインストラクターコースは，職種を問わず，ベーシックコース開催に協力する意思があれば受講することができます．受講を修了すれば，アシスタントインストラクターの資格を得ることができます．全身管理医や救急救命士でシミュレーショントレーニングの指導資格をお持ちの場合は，資格証を事務局に提示することにより，ベーシックインストラクターコースの受講を省略してアシスタントインストラクターの資格を得ることができます．ただし，インストラクターとしてwebシステムに登録するため，認定料（コース登録料）が必要になります．

3 アシスタントインストラクター

　アシスタントインストラクターの資格を得てから，実際にコースでインストラクター補助として参加し，インストラクター成長評価シート（→279p）を利用して自己評価を行うととも

に，リードインストラクターからの他者評価を受けてください．基本的には，アシスタントインストラクター資格を得てから１年以内に，職種別に規定された回数以上のコース参加が必要です（感染症蔓延などによってコース開催が少ない時期や，妊娠出産や長期入院などの事情がある場合には期間延長措置が取られることがあります）．１ブースあたりの最大のアシスタントインストラクター参加は２名までです．Webシステムでアシスタントインストラクターの募集状況を確認することができますので，積極的に参加してみてください．

4 インストラクターのランク

認定インストラクターには３つのランクが設定されています．これはコースの公認申請を行うにあたり，コースディレクターおよびブース責任者であるリードインストラクターを担うことのできるインストラクターを明確にするという目的があります．３つのランクの名称と能力のイメージは下記の通りです．それぞれのランクでどのような資質が必要かの詳細は，インストラクター成長評価シートも参考にしてください．

①ブロンズランク：ブースインストラクターができるレベル
②シルバーランク：ブース責任者であるリードインストラクターができるレベル
③ゴールドランク：コース責任者であるコースディレクターができるレベル（医師のみ）

5 ベーシックインストラクター認定（ブロンズランクの認定）

アシスタントインストラクターとして規定回数以上のコース参加歴があり，リードインストラクターからの推薦とコースディレクターからの承認を得ることにより，ベーシックインストラクター認定を受けることができます．必要な指導経験回数は職種や経験年数，専門性によって異なり，認定申請に追加の必要項目が発生することがあります．図1, 2にまとめていますのでご確認ください．

リードインストラクターは，担当ブースにアシスタントインストラクターがいる場合，その都度インストラクター成長評価シートで評価を行って推薦の対象になるか検討してください．インストラクター認定を受けた人はまずブロンズランクとして登録され，正規インストラクターとしてコース指導ができるようになります．

6 シルバーランクの認定

ブロンズランクとして登録されている認定インストラクターは，全員がシルバーランクの認

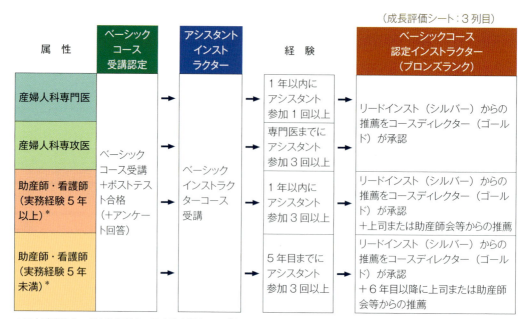

図1 ベーシックインストラクター認定：産婦人科関係

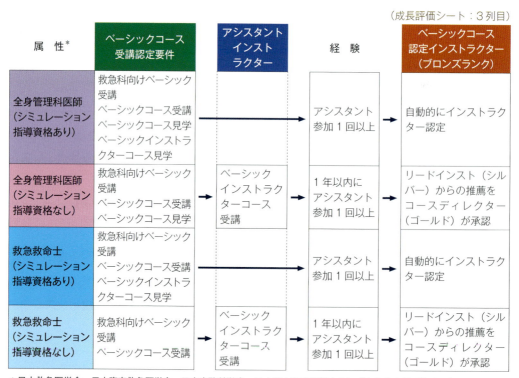

図2 ベーシックインストラクター認定：救急科関係

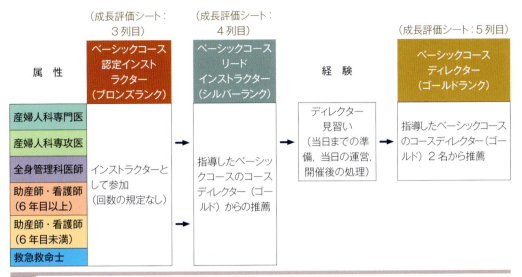

図3 シルバーランク・ブロンズランクの認定

定対象になります．ブースの正規インストラクターとしてコースに参加し，インストラクター成長評価シートを用いて自己評価を行うとともに，リードインストラクターからの他者評価を受けてください．指導経験を積んで，インストラクター成長評価シートのシルバーランクの項目を全て達成し，リードインストラクターができるレベルに達したと思われれば，コースでの指導前にwebシステムからランクアップの希望を申請してください．

コースでの指導の結果，コースディレクターからの推薦が得られれば，事務局で申請内容を確認の上，承認されます（**図3**）．コースディレクターは，担当コースにシルバーランク申請希望者がいることを把握し，インストラクター評価シートで評価を行って推薦の対象になるかを検討してください．シルバーランクのインストラクターは，リードインストラクターまたは正規インストラクターとしてコース指導ができます．

7 ゴールドランクの認定

シルバーランクに認定されている医師のインストラクターが認定対象となります．リードインストラクターまたは正規インストラクターとしてコースに参加し，インストラクター成長評価シートを利用して自己評価を行ってください．ゴールドランクの項目の多くを達成したら，webシステムからランクアップの希望を申請してください．コースディレクターの指導のもと，コースディレクター見習いとしてコースの準備段階からコース当日のマネジメント，コース開催後の処理までを経験した結果，ゴールドランクの全ての項目を達成していると2名のコースディレクターからの推薦が得られれば，認定委員会で審査の上，承認されます（**図3**）．

<u>コースディレクターは，ゴールドーランク申請に相当するシルバーランクの医師インストラクターがいれば，コースディレクター見習いとしてコース参加することを要請し，コース開催にかかわるマネジメントをご指導ください．</u>ゴールドランクのインストラクターは，コースディレクターとしてコース開催を企画することや，リードインストラクターもしくは正規インストラクターとしてコースで指導することができます．

8　J-CIMELS 公認講習会ベーシックコースインストラクター　認定更新制度

　Webシステムで認定申請したベーシックインストラクター認定の有効期間は，認定にあたって最後にアシスタントインストラクターとして参加したコースの開催日から3年間です．3年間に2回以上のコース指導歴があり，認定更新料を支払うことにより，インストラクター認定を更新することができます（webシステム稼働以前にベーシックインストラクター認定を受けている人は，5年間に3回以上が初回更新の基準）．更新により，前回の認定期間終了の翌日から向こう3年間が新たな有効期間となります．

　インストラクター認定の有効期間内はwebシステムにログインすることによってマイページから資材ページにアクセスでき，シナリオ進行の見本動画やスキルブースのポイント動画，その他の最新情報などを自由に閲覧できるようになります．なお，アドバンスコースのインストラクターになるためには，ベーシックインストラクター認定を持っていることが必要になります．

9　ベーシックインストラクターコース　開催・指導資格

　ベーシックインストラクターコースを開催する責任者は，ゴールドランクインストラクターであり，J-CIMELS事務局に本コース開催講師として登録された者とします．各ブースにはブース責任者として，ゴールドランクインストラクターまたは他のシミュレーションコースで指導者コース指導資格のあるシルバーランクインストラクターを置くこととします．

　新規の開催講師申請にあたっては，①ゴールドランクインストラクターとしてベーシックコース開催経験があること，②ベーシックインストラクターコースでブース責任者を経験したことがあること，③本コース開催講師認定を持つゴールドランクインストラクターからの推薦があることを条件とし，認定委員会で承認を得るものとします．

10 ベーシック更新コース　開催・指導資格

　ベーシック更新コースの開催要件は通常のベーシックコースと同様ですが，コースディレクターおよびリードインストラクターは，事前にベーシック更新コースの受講もしくは見学していることを条件とし，事前にベーシック更新コースの指導歴があることを推奨します．開催を希望する場合は，J-CIMELS事務局へお問い合わせください．

11 救急科向けベーシックコース　開催・指導資格

　救急科向けベーシックコースの開催要件は通常のベーシックコースと同様ですが，コースディレクターおよびリードインストラクターは，事前に救急科向けベーシックコースでの指導歴があることを条件とします．また，助産師インストラクターが指導者として含まれることも推奨されます．開催を希望する場合は，J-CIMELS事務局へお問い合わせください．

（山畑佳篤）

インストラクター成長評価シート

インストラクターとして成長するときの指標のひとつとして作成したものが，インストラクター成長評価シートです．ここではその理論的背景と使い方について解説します．

1　経験から成長するための理論的背景

臨床家として成長するときと同じように，インストラクターとしてのみなさんも，自身の経験を，そして時には他人の経験を糧にして成長します．インストラクションは知識だけで成り立っているわけではありません．本を読んで知識を得ることも大切ではありますが，読むだけでなく行動して，その経験から学習する必要があります．インストラクターとしての成長は，毎回のインストラクションから得られるといえるでしょう．インストラクションを行い（具体的経験），その内容を振り返り（内省的観察），そこから教訓を導き（抽象的概念化），実際に試してみる（能動的実験）ことで次の経験を得る（具体的経験），そしてまた振り返り……という学習のサイクルは，経験学習モデルと呼ばれています（図1）．

このモデルの中の「具体的経験」と「能動的実験」は，コースの中でインストラクションを担当することにより実践できますので，経験の機会を得ることはそんなに難しくはないでしょう．その一方で，自らの行為・経験・出来事の意味を，俯瞰的な視点，多様な観点から振り返る「内省的観察」や，経験を一般化・概念化・抽象化し，他の状況でも応用可能な知識・ルールやルーチンを自ら作り上げる「抽象的概念化」は，指導現場を離れたところで行うことが中心となりますので，慣れないうちは意識的に行う必要があると思います．そこでJ-CIMELSでは，さまざまなベテランインストラクターの意見を集約し，内省と概念化を行いやすくするためにインストラクターの成長段階を「見える化」した，「インストラクター成長評価シート」を作成しました（専門用語ではルーブリックやマイルストーンと呼ばれます）．

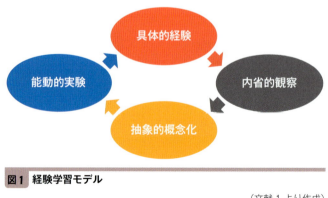

図1　経験学習モデル

（文献1より作成）

J-CIMELS公認講習会ベーシックコース インストラクター成長評価シート

ver.1.3 (2021.09.01)

●課題
J-MELSベーシックコースにインストラクターとして参加し、受講者に母体急変時の初期対応（急変の感知と対応、病態別の対応）を伝える

ランク	ベーシックコース修了認定	アシスタントインストラクター	ブロンズ	シルバー	ゴールド
レベル	（インストラクターコース受講前）	インストラクターコース受講後	認定インストラクターレベル	リードインストラクターレベル	コースディレクターレベル
概念	見習い	駆け出し	一人前	ベテラン	達人
知識	□テキスト（母体急変時の初期対応）を読んでいない	□テキスト（母体急変時の初期対応）を読んで理解している	□「母体安全への提言」や蘇生ガイドラインを読んで理解している	□母体急変で起こりうる病態や対応、BLSについて、要点をまとめて講義できる	□母体急変の病態や対応、BLSについてガイドラインや議論を知り、コースの学術的監修ができる
資器材	□シナリオ終了後に資器材を整理できない □ブースで必要な資器材がわからない	□シナリオ終了後に資器材を整理できる □ブースで必要な資器材がわかる	□コース前後の資器材管理とシナリオ終了後の資器材整理ができる □ブースで必要な資器材の配置と動作確認ができる	□資器材に不具合が出た時にコースに支障がないよう対応できる □資器材の特性と使い方を他のインストラクターに説明できる	□コースで使用する資器材を手配することができる □コース改善のためにどのような資器材が必要か考え提案できる
シナリオ進行	□資料を見ても状況想定を伝えられない □マネキンとモニターを使ってバイタルサインを提示できない □声の大きさや口調、距離に注意して受講者と接することができない	□資料を見ながら状況想定を伝えられる □マネキンとモニターを使ってバイタルサインを提示できる □声の大きさや口調、距離に注意して受講者と接することができる	□資料を見ずに状況想定を伝えられる □シナリオの進行に沿ってバイタルサインを提示できる □受講者の背景やニーズに配慮して役割や状況を与えられる	□受講者の動きに応じて状況想定を伝えられる □受講者の動きに対応してモニターやバイタルサインを変化させられる □受講者全員に気を配り、時間内にシナリオを終えることができる	□実際の急変現場のようなリアリティでシナリオを進行できる □どのような種類のマネキンやモニターがあるのかを知り、使いこなせる □受講者ごとのゴールを考え、ゴールまで導くことができる
振り返り	□シナリオで伝えるポイントを知らない	□シナリオで伝えるポイントを知っている	□シナリオで伝えるポイントを覚えている	□受講者の振り返りから伝えるポイントにつなげられる	□受講者同士のディスカッションを通してポイントを伝えられる
質問	□質問に答えられない	□知っている範囲で質問に答えることができる	□産科手技の質問に踏み込まず、自分がわからない質問は他のインストラクターの力を借りられる	□答えのレベル（J-CIMELSで推奨・定説、一部の論文、自分の経験など）を提示して答えることができる	□確定した答えのない質問に対し、他の受講者も巻き込んだ意見交換に導き、多様性を示すことができる

2　インストラクター成長評価シートの使い方（自己評価と他者評価）

　それではインストラクター成長評価シートの使い方について説明します．シートの縦軸にはJ-CIMELS公認講習会ベーシックコースの開催準備やコース中の実技指導，シナリオ実施，そしてファシリテーション能力などの8つの項目（知識・資器材×2・シナリオ進行×3・振り返り・質問）が並んでいます．そして，横軸にはインストラクターの成長段階に合わせた具体的内容がコンパクトに記載されています．

　まずは自分でそれぞれの項目について，「見習い」から「達人」までのどの段階にいるのかをチェックしてみてください．インストラクターコースを修了した時点では，「駆け出し」インストラクターにはなっているはずです（インストラクターコースで体験したシナリオ以外のシナリオについても，実際のコース参加前に「駆け出し」レベルにしておいてください）．

　コースに指導者として参加することが決まったら，前もってシートにチェックを入れ，自分で具体的な課題・目標を作ってからコースに参加しましょう．そして，コースに参加してインストラクションを行ったら，再度自己評価してみましょう．これが**自己評価**です．

　コース準備や開催する中で，リードインストラクター（シルバーランク以上）やコースディレクター（ゴールドランク）は，自らが指導を行うと同時に，参加しているインストラクターのみなさんの指導能力が向上するよう，お手伝いします．その一環として，自分が担当したシナリオやコースの終了後には，インストラクター成長評価シートにみなさんの到達段階をチェックしてもらいましょう（内省的観察）．これが**他者評価**です．

　自己評価と他者評価とは意外と一致するものですが，中には自己評価が低すぎる人や，逆に高すぎる人もいます．自己評価＜他者評価となっている項目が多い人は，もっと自信を持って指導にあたってもよいかもしれません．自己評価＞他者評価となっている項目がある場合は，そのギャップがどこにあるのかを考え，さらなる成長の材料にしましょう．

　このように，自己評価や他者評価を踏まえて，次の段階に進むためにはどのような点に気を付けるとよいのかを考えると，次のシナリオやコースに取り組む際の課題が見つかると思います（抽象的概念化）．個別のシナリオについての注意点もあるでしょうが，全てのシナリオで使える一般化された課題が見つかることもあります．見つかった課題を解決できるよう，次のシナリオやコースで取り組んでみてください（能動的実践）．個別のシナリオについての注意点だけではなく，全てのシナリオで使える一般化された課題が見つかることもあります．そのような課題は解決のための工夫や努力が必要となるかもしれませんが，それを乗り越えることで，効率よく成長することができると思います．

　インストラクションは相手（受講者）があることですので，いったんできたと思ったことでも，受講者が変わるとできなくなる可能性もあります．さまざまなことに対して，まずは意識

的にトライしてみましょう．最初は意識してもできないかもしれませんが，繰り返すうちに意識すればできるようになり，そのうち意識しなくても行えるようになると思います．また，コースの中では他のインストラクターの指導方法から，自らの課題を解決するコツや知恵が見つかることもあります．他のインストラクターの指導にも注目してください．

3 インストラクター成長評価シートと能力ランク

　インストラクター成長評価シートの横軸は5段階になっています．一番左はインストラクターコース受講前，左から2番目はアシスタントインストラクターレベル，3番目はブロンズ認定レベル，4番目はシルバー認定レベル，5番目はゴールド認定レベルと，右に行くほど高いレベルになっています．

　自己評価と他者評価において，それぞれのレベルの中の項目が全てチェックされ，推薦に求められる指導回数を満たしていると，その段階に応じたランクへのランクアップを希望することができます．ブロンズランクを推薦するのはブースで一緒に指導したシルバーインストラクター，シルバーランクを推薦するのはコースディレクターです．ゴールドランクの審査を受けるには，コースディレクター見習いとしてコース準備段階からコース当日，コース開催後の処理までを経験した上で，2名のコースディレクターからの推薦を受ける必要があります．それぞれのランクの推薦を受けるためにはどのような能力が求められているか，シートの各項目を見ていただくと具体的な目標がはっきりすると思います．

　ただし，インストラクター成長シートの本質であり大切なことは，自分自身のインストラクターとしての成長を目に見える形で確認し，具体的な目標を認識するためのものであるということです．うまく活用してご自身のレベルアップにつなげてください！

4 コースでお会いしましょう！

　成長評価シートは自らの成長と評価のためのツールです．コースに参加するときには参加前後にチェックを行い，ご自身の成長を実感してみてください．それを繰り返すことで着実に成長が得られるはずです．なお，この成長評価シートはみなさまの意見を取り入れて随時改訂していく予定です．「もっとこんな項目があったほうがよい」などの意見がありましたら，J-CIMELS事務局にお伝えください．コースで一緒に成長していきましょう！

（宮道亮輔・山畑佳篤）

J-CIMELS webシステム・動画資料の案内

　J-CIMELS公認講習会ベーシックコースのアシスタントインストラクター資格がある，またはすでにインストラクター認定を受けていて，webシステムに登録している人は，ログインして各自のマイページに入っていただくと，インストラクターのための専用ページにアクセスすることができます．ここではwebシステム開始時に資材ページに収載されたインストラクター用の動画資料について紹介します．

　コースにインストラクターとして参加する際には，事前に担当ブースが決まっており，担当シナリオもわかっていると思います．参加前日までに担当スキルブースのスキル指導の見本動画や，担当シナリオの進行場面の見本動画を視聴して，ポイントを確認しておいてください．受講者が視聴してくる事前のレクチャー動画は，プロトコールや心肺蘇生ガイドラインのアップデートされた内容が反映されていることがあります．すでにインストラクター認定を受けているみなさんも事前に視聴してみてください．また，感染症蔓延期のコース開催時の注意点について，受付などのマネジメントに関する動画と，シナリオシミュレーション実施時の注意点に関する動画もありますので，参考にしてください．掲載資料は今後さらに増やす予定です．

❶ インストラクションのコツ
 a レクチャーブースの運営
 b シナリオブースの準備
 c シナリオブースの運営

❷ ベーシックコース レクチャー
 a 京都プロトコール2020解説（事前学習用）
 b 母体の心肺蘇生の基本2020（事前学習用）
 c 母体死亡症例の推移（事前学習用）
 d 京都プロトコール2020概説（受講当日用）

❸ 救命スキルトレーニング
 a 有効な胸骨圧迫
 b AEDの使い方
 c バッグ・バルブ・マスクの使い方
 d 経鼻エアウェイの使い方
 e 神経学的所見の取り方
 f 母体の簡易心エコー

❹ ベーシックコース　デモンストレーション
 a 母体急変時の初期対応：不適切例
 （新2-1　子宮収縮不全／産後過多出血）

❺ ベーシックコース シナリオシミュレーション
 新1-1 分娩進行中の羊水塞栓症
 新1-2 抗菌薬によるアナフィラキシーショック
 新1-3 帝王切開後の肺塞栓症
 新1-4 周産期心筋症による肺水腫［病棟］
 新1-5 周産期心筋症による肺水腫［外来］
 新2-2 子宮内反症／産後過多出血
 新2-3 帝王切開後の後腹膜血腫
 新2-4 常位胎盤早期剝離
 新2-5 分娩進行中の子宮破裂
 新3-1 HELLPからの脳出血による痙攣
 新3-2 A群溶連菌感染による敗血症［分娩前］
 新3-3 A群溶連菌感染による敗血症［分娩後］
 新3-4 分娩後のてんかん発作
 新3-5 分娩時裂傷縫合時の局所麻酔薬中毒

❻ 硬膜外無痛分娩の急変時対応
 a 正常な硬膜外麻酔の流れ
 b 硬膜外麻酔合併症への対応
 c 不適切な硬膜外麻酔
 d 不適切な硬膜外麻酔（字幕なし）
 新4-3 硬膜外鎮痛分娩下の子宮破裂

❼ 感染症蔓延期のコース開催の注意点
 a 運営上の注意1（受付・運営）
 b 運営上の注意2（会場内）
 c シナリオシミュレーションのポイント

日本母体救命システム普及協議会（J-CIMELS）

1 J-CIMELS の設立趣旨と活動

　近年の周産期医学の進歩は，妊産婦死亡率を減少させたのみならず，出産時に緊急事態に陥る妊産婦をも激減させています．そのことは，若手産婦人科医師が緊急事態に遭遇する機会が少なくなったことを意味し，喜ばしいことである反面，かつてのように産科当直業務につきながら自然に緊急度の高い病態への対処法や基本的な手技等を覚えていくという，危機の経験の積み重ねで急変対応能力を高めていくことが期待できない時代となりました．一方で，緊急事態に陥った患者を救命する医療の進歩も目覚ましく，この新しい医学分野の発展とともに，救命救急の専門医による現場の救急医療が体系化され，向上してきました．故岡井崇先生（前 J-CIMELS 理事長）は，これらの救命医療の基礎を実践的な研修プログラムに沿って学ぶことが経験の少ない若手産婦人科医にとって有益であり，そのような研修への需要は高いと喝破され，2015 年 7 月に各構成組織（表 1）を招集し，日本母体救命システム普及協議会を設立されました．

　J-CIMELS の目標は，あらゆる職種の周産期医療関係者に標準的な母体救命法を普及させるとともに，効果的な母体救命医療システムの開発とその実践を促進すること，およびこれによる妊産婦への質の高い医療の提供と周産期医療のさらなる向上を目指すことです．その実現のため，本協議会は表 2 に掲げる事業，中でも産婦人科医と救急医，麻酔科医が協力して開催する母体急変時対応のための講習会の全国展開に注力しています．

　わが国の妊産婦死亡症例は 20 年前と比べて半減し，2020 年は 9 月の時点でかなり減少しています．特に産科危機的出血による死亡症例が減少傾向にあります．J-CIMELS の各コースが全国に普及し（図 1），約 15,000 人の受講者（図 2）が蘇生の知識と技術を学び，救急医や麻

表1　J-CIMELS の設立団体と協賛団体

設立団体	日本産婦人科医会　日本産科婦人科学会　日本周産期・新生児医学会　日本麻酔科学会　日本臨床救急医学会　京都産婦人科救急診療研究会　妊産婦死亡症例検討評価委員会
協賛団体	日本看護協会　日本助産師会　日本助産学会

表2　J-CIMELS が取り組む事業

1. 母体救命システムの研究・開発，調査・検証，および実践の支援
2. 母体救命システムの普及のための講習会・研修会の企画と実施
3. 母体救命インストラクターの養成と認定
4. 母体救命講習会受講者の講習修了認定
5. その他，事業遂行に必要な業務

図1 J-CIMELS公認講習会　開催数累計の推移（2021年7月末現在）

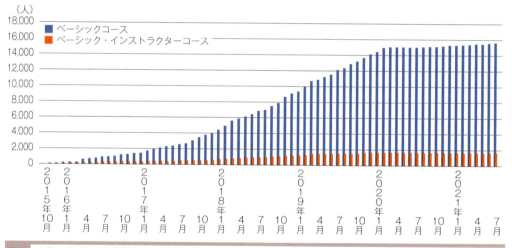

図2 J-CIMELS公認講習会　受講者数累計の推移（2021年7月末現在）

酔科医との連携を強化し，他領域の医師や看護師，さらに救急隊とも協力して，妊産婦の集約的治療の体制作りに寄与したことが，妊産婦死亡の減少につながっていると推察されます．

2 インストラクターの養成

　J-CIMELSの活動を支えるのは，コース開催を実行するインストラクターです．周産期にかかわる国内すべてのスタッフにコース受講の機会を提供し，全国均一に質の高いコースを開催するためには，コースの内容を的確に伝える人材の育成が重要です．2015年10月よりインストラクター養成コースの開催をスタートさせ，続く5年で数多くのベーシックコースを開催

してきました．改訂第2版では，この数年で母体死亡の原因疾患として増加しているA群連鎖球菌（GAS）による敗血症や周産期心筋症，局所麻酔薬中毒および硬膜外鎮痛分娩下の子宮破裂を例にとったシナリオの指導法も追加しました．本書を利用し，より多くの周産期のスタッフがインストラクターとなり，全国にコース開催の機会を増やすことが母体救命率の向上につながると確信しています．

3 新しい試み

新しい試みとしてメディカルラリーも開催しています．各施設から産婦人科医・助産師・看護師の計4名で構成されたチームが，母体に急変が発症するさまざまな状況（病棟トイレ内での墜落産など）のシミュレーションに参加し，対応の良し悪しを点数で競い合うコースです．以前から救急医療の領域では災害時や交通事故などを想定し，各チームの対応を採点して競い合うメディカルラリーがよく開催されており，その産科版だといえます．参加することでチーム力の強化とベーシックコースで学んだ母体急変時対応のスキルアップにつながります．今後は各地での開催を考えています．

さらに，救急科向けの母体急変時対応コースも開催しています．周産期医療スタッフが不在の環境で，分娩が進行した際の分娩介助の基礎や新生児への対応の基礎を学ぶものです．すでに救急領域の学会開催時に数回行われ，多くの救急医や救急救命隊員が受講し，コースは高く評価されていました．今後の開催を広げるために，周産期スタッフのご協力をお願いします．

（橋井康二）

おわりに

　京都プロトコールに基づいた蘇生コースを開催する中で感じたことは，インストラクターは自動車運転教習所の教官に似ているということです．交通規則や車の構造について学び，ルールを守っていても，予期せぬ事態に遭遇することはあります．教官は受講者に，反射的に自力で危険を回避する方法を教えなければなりません．コースのインストラクターも同じです．実臨床での急変時に，受講者が自力で対応できる能力を持てるよう導かねばなりません．このとき相手を叱りつけては緊張を強いて何も伝わらず，逆に優しく多くを語りすぎても身に付きません．効果的なインストラクションの基本を知っておく必要があります．

　本書はインストラクターに必要な伝え方のコツが，コミュニケーションを苦手とする人と得意とする人との両方を対象に書かれています．人前で話すのが苦手な人は緊張のため思い通りに伝えられず，得意な人は余計なことまで話して他者の言葉に耳を貸さない傾向にあります．話術の得意・不得意と，双方向のコミュニケーションをうまく取れるかどうかは別の問題のようです．どちらのタイプの方にとっても，これは自分に当てはまる！と感じられる内容が盛り込まれていると思います．特に産婦人科スタッフにとってのピットフォールを強調してありますが，あらゆるシミュレーションコースに共通した伝え方のポイントを記しました．コミュニケーションに苦手意識のある方は特に、人怖じする気持ちが少し楽になると思います．

　完璧なインストラクションなどありません．しかし何度も繰り返すことで，まずインストラクター自身の対応能力と反射神経とが磨かれます．実はこれが急変対応を修得する，最も効果的な方法です．受講者の方もコース後に本書を見ると復習になり，理解度が増すと思います．全国の周産期にかかわるスタッフ全員がコースを受講し，さらに本書を利用してインストラクターになり，母体急変への対応能力を身に付けていただくのがわれわれの目的です．

　現在は新型コロナウイルス感染症対策として「3密の回避」「換気」「手指衛生」「マスク装着」が必要です．シミュレーションコースにおいても，これらの感染対策が必須となります．この第2版では，こうした感染対策のための工夫にも触れています．感染症を正しく恐れながら開催するための参考にしてください．

　ベーシックコースの目標の一つは病診連携です．新型コロナウイルス感染症対策では陽性妊産婦の搬送システムに綻びが生じ，結果としてあの悪夢とも言える「たらい回し」が発生しています．母体救命の基本は速やかな搬送という点にもう一度立ち帰り，みなさまの環境に応じた感染症対策を構築してください．感染が収束し，各地でベーシックコースがみなさまの手で開催されることを切に願っております．

2021年9月

日本母体救命システム普及協議会　橋井康二

執筆者紹介

編集・執筆

山畑 佳篤（Yoshihiro Yamahata）

京都府立医科大学 救急・災害医療システム学 講師
　日本救急医学会 指導医
　日本プライマリ・ケア学会 指導医
　日本医学教育学会 認定医学教育専門家
　J-CIMELS 幹事／インストラクター育成委員長

大阪生まれ．東北大学在学中に世界各地を放浪し，途上国の状況や紛争地で生きる人々に関心を持つ．訪問国62カ国．危うく放校になる前に惜しまれつつ卒業．卒業後は救急医療に没頭すると同時にシミュレーション医療教育にのめり込む．趣味は美味いものと良い音楽．青葉城址男声合唱団創始者．京響コーラス団員．

橋井 康二（Koji Hashii）

ハシイ産婦人科 院長
　日本産科婦人科学会 専門医
　日本婦人科腫瘍学会 専門医
　J-CIMELS 幹事

和歌山生まれ，大阪医科大学卒業，京都在住の甘党．夫婦で冬以外の山登りを趣味とし，百名山全座登頂が目標．大学病院，高次施設，地方の二次病院，一次施設とあらゆる現場経験を積み，母体急変への危機感から京都プロトコール作成を呼びかけて山畑先生と出会う．医院にシミュレーションルームを設置，毎月コースを開催する悪デモ大根役者．アジア医療支援機構を創り，カンボジア・ミャンマー・モンゴル・マレーシアの産婦人科医・救急医と交流中．

執筆協力

　岡田十三（社会医療法人愛仁会千船病院 産婦人科）
　狩谷伸享（兵庫医科大学 麻酔科・疼痛制御科学講座）
　清川晶（大阪赤十字病院 産婦人科）
　宮道亮輔（東京慈恵会医科大学 救急医学講座）
　森實真由美（美ら海ハシイ産婦人科）
　ハシイ産婦人科
　　藤井治子　丸山俊輔　中谷朱美　山口ともみ　北浦浩子　中川さくら

協　力

　レールダル メディカル ジャパン株式会社
　ペンギンシステム株式会社

索 引

■欧文

ABC viii, xii, 26, 37, 42, 47, 49, 59, 68, 84, 92, 93, 99, 100, 108, 111, 116, 124, 132, 140, 148, 150, 156, 164, 188, 218
AEDの使い方 39, 70, 99, 282
CENTOR criteria 37, 38, 52, 60, 167, 172, 173, 175, 180
Diamonds 39, 66
J-CIMELS事務局 xiv, 47, 49, 234, 235, 276, 277, 281
JRC 蘇生ガイドライン2020 63
qSOFA viii, 37, 38, 52, 59, 167, 172, 175, 180,
qSOFA（妊産婦修正版） 52, 59, 172, 180
SBAR 45
webシステム v, xiv, 34, 36, 38, 41, 48, 233, 272, 273, 275, 276, 282

■あ

アイコンタクト 11, 242
アシスタントインストラクター xiv, 230, 233, 234, 240, 272, 273, 274, 276, 279, 281, 282
アンケート 34, 230, 232, 234, 274
インストラクター成長評価シート 272, 273, 275, 278, 279, 280, 281
オブ・ラ・ディ，オブ・ラ・ダ 39, 66
オペレーター 18, 19, 250, 255
オリエンテーション 50

■か

学習ピラミッド 4
患者シミュレーター 20
感染症蔓延期 v, 42, 43, 240, 245, 271, 282
感染対策 34, 240, 286

救トレ 255, 256, 257, 258, 259
急変の感知 viii, ix, 24, 38, 50, 51, 52, 55, 57, 84, 279
教育目標分類 3
胸骨圧迫スキル実習 39
京都プロトコール viii, ix, x, xi, 49, 50, 51, 53, 57, 58, 63, 282
経鼻エアウェイの使い方 40, 73, 282
行動チェックリスト 19, 79, 87, 95, 103, 111, 119, 127, 135, 143, 151, 159, 167, 175, 183, 191, 201, 209, 219
コースディレクター xiv, 230, 232, 233, 273, 274, 275, 276, 277, 279, 280, 281
コース登録料 230, 272
ゴールドインストラクター xiv
ゴールドランク 230, 232, 240, 273, 275, 276, 280, 281
コミュニケーション 22, 26, 286

■さ

産科危機的出血への対応ガイドライン 51, 56
資器材 viii, xiii, 2, 6, 16, 17, 44, 77, 233, 234, 241, 263, 279, 280
子宮左方移動 23, 38, 78, 79, 83, 84, 85, 87, 91, 92, 100, 147, 148, 155, 200, 201, 204, 205, 209, 219
事前学習 9, 37, 40, 50, 232, 282
死戦期帝王切開 viii, xi, 38, 84
実技指導 11, 15, 16, 17, 280
シナリオシミュレーションの特徴 6
シナリオブース 24, 38, 41, 43, 47, 247, 282
シミュレーター v, 17, 19, 20, 31, 49, 237, 246, 248, 250, 251, 270

受講者の背景　13, 279
初心者　9, 13
シルバーインストラクター　xiv, 281
シルバーランク　230, 232, 273, 275, 276, 280, 281
新型コロナウイルス　67, 240, 257, 286
神経学的所見の取り方　30, 40, 74, 282
スキルブース　38, 43, 51, 276, 282
成人学習の特徴　7
成人教育　2, 234
セクハラ　15
ゼッケン　21, 41, 43

■た
胎児モニター　20, 84, 145, 146, 153, 226
多職種　xii, 13, 42, 84, 92, 100, 108, 116, 124, 132, 140, 148, 156, 164, 188, 266
チェッカー　18, 19
デモンストレーション　37, 38, 230, 282
トラブルシューティング　31, 246, 252

■な
認定委員会　xiv, 275, 276
認定インストラクター　233, 234, 271, 272, 273, 274, 275, 279
認定料　230, 272

■は
バッグ・バルブ・マスクの使い方　40, 71, 282
ビブス　21, 41
標準プログラム　34, 36, 41
フィードバック　18, 19, 22, 23, 42, 250
ピットフォール　31, 286

振り返り　v, 19, 22, 23, 24, 28, 30, 41, 42, 49, 77, 97, 121, 234, 242, 249, 263, 264, 271, 278, 279, 280
フリップ　11, 44, 46, 81, 89, 145, 153, 158, 161, 174, 177, 182, 185, 190, 203, 211, 221, 249
プレゼンター　18, 19, 31
プレテスト　34, 37, 48, 49, 50, 230, 232, 233,
プロトコールレクチャー　50
ブロンズインストラクター　xiv
ブロンズランク　273, 274, 275, 281
ベテラン　9, 13, 26, 27, 278, 279
ポストテスト　34, 48, 230, 232, 234, 274
母体の急変対応　viii, x, 38, 50, 51, 55, 57
母体の心エコー　40, 75
母体の心肺蘇生　viii, xi, 38, 50, 51, 55, 57, 63, 282

■ま
マイページ　232, 276, 282
模擬患者モニター　17, 19, 20, 31, 46, 240, 241, 242, 245, 246, 247, 248, 249, 255, 263

■や
役割分担　18, 27, 77, 242

■ら
ランクアップ　234, 275, 281
リードインストラクター　xiv, 230, 232, 233, 234, 273, 275, 276, 277, 279, 280
臨床経験　26, 27

本書に掲載の情報はすべて2021年9月現在のものです．コース運営に関する内容は不定期に更新されることがあります．逐次J-CIMELSのwebサイトを確認してください．

シナリオの内容は，過去に実際に起きた症例をもとに，本コースにおける学習効果を最大限に高めることを目的として編者と監修者により作成されたものです．

みなさまが経験された母体急変症例を下記アドレスまでお寄せください．今後のシナリオ作成およびJ-CIMELSの活動の参考にさせていただきます．
j-cimels.database@gmail.com

J-CIMELS公認講習会ベーシックコース インストラクターマニュアル
第2版－産婦人科必修 母体急変時の初期対応

2018年4月20日発行	第1版第1刷
2019年6月10日発行	第1版第3刷
2021年11月1日発行	第2版第1刷 ©
2024年4月10日発行	第2版第3刷

監 修	日本母体救命システム普及協議会
編 著	山畑佳篤／橋井康二
発行者	長谷川 翔
発行所	株式会社メディカ出版
	〒532-8588
	大阪市淀川区宮原3-4-30
	ニッセイ新大阪ビル16F
	https://www.medica.co.jp/
編集担当	木村有希子
編集制作	オフィス・ワニ
装　幀	森本良成
イラスト	くどうのぞみ
組　版	株式会社明昌堂
印刷・製本	株式会社シナノ パブリッシング プレス

本書の複製権・翻訳権・翻案権・上映権・譲渡権・公衆送信権（送信可能化権を含む）は、（株）メディカ出版が保有します。

ISBN978-4-8404-7514-3　　　　Printed and bound in Japan

当社出版物に関する各種お問い合わせ先（受付時間：平日9：00〜17：00）
●編集内容については、編集局 06-6398-5048
●ご注文・不良品（乱丁・落丁）については、お客様センター 0120-276-115